Für Svend

Dein
Papi

29.11.2016

Sorge dich nicht – lebe!

Dale Carnegie

Sorge dich nicht – lebe!

Scherz

79. Auflage 1997
Überarbeitete Ausgabe in Neuübersetzung von
Ursula Gaïl nach der revidierten amerikanischen Fassung von 1984
Titel des Originals: «How to Stop Worrying and Start Living»

Inhalt

Dritter Teil
Wie man mit der Gewohnheit bricht, sich Sorgen zu machen, ehe man selbst daran zerbricht

Vierter Teil
Sieben Möglichkeiten zur Entwicklung einer geistigen Haltung, die Ihnen Glück und Frieden bringt

Fünfter Teil
Der beste Weg, seine Sorgen und Ängste zu besiegen

Sechster Teil
Wie Sie es schaffen, keine Angst vor Kritik zu haben

Siebenter Teil
Sechs Arten, Müdigkeit und Sorgen fernzuhalten und voll Energie und in gehobener Stimmung zu sein

Achter Teil
Wie ich meine Sorgen besiegte – 30 Erlebnisberichte

Vorwort

Wie dieses Buch entstand – und warum

Als junger Mann in New York war ich sehr unglücklich. Um leben zu können, verkaufte ich Lastwagen, und ich hatte keine Ahnung, wie die funktionierten. Doch das war noch nicht alles: Ich wollte es gar nicht wissen. Ich haßte meinen Job. Ich haßte mein billiges, möbliertes Zimmer in der 56. Straße, in dem es von Kakerlaken nur so wimmelte. Ich erinnere mich noch, daß ich die Krawatten an der Wand aufgehängt hatte, und wenn ich morgens nach einer frischen langte, stoben die Kakerlaken in alle Richtungen davon. Ich haßte auch, daß ich in billigen, schmuddeligen Lokalen essen mußte, in denen es vermutlich ebenfalls einen Haufen Kakerlaken gab.

Jeden Abend kehrte ich mit entsetzlichem Kopfweh in mein einsames Zimmer zurück, ein Kopfweh, das durch Enttäuschung, Ärger, Bitterkeit und Empörung genährt wurde. Ich rebellierte, weil sich die Träume, die ich während meiner Studienzeit gehegt hatte, in Alpträume verwandelt hatten. War das das Leben? War das das große Abenteuer, dem ich voll Erwartung entgegengefiebert hatte? Würde das Leben für mich nichts anderes bedeuten, als eine verhaßte Arbeit zu tun, mit Kakerlaken zu leben, miserables Essen zu essen – ohne Hoffnung auf eine bessere Zukunft? Ich sehnte mich nach Freizeit, um zu lesen und um die Bücher zu schreiben, die ich schon damals in meiner Studienzeit hatte schreiben wollen.

Ich wußte, daß ich alles zu gewinnen und nichts zu verlieren hatte, wenn ich den Job aufgab, den ich so wenig mochte. Einen Haufen Geld zu machen, interessierte mich nicht, aber mein

Leben zu leben – das interessierte mich! Kurz gesagt, ich hatte den Rubikon erreicht, das heißt, der Augenblick der Entscheidung war gekommen, den die meisten jungen Leute durchzustehen haben, ehe sie ins Leben hinausgehen. Also traf ich meine Entscheidung, und diese Entscheidung veränderte meine Zukunft völlig. Sie machte mein Leben glücklich und lohnend, wie ich es in meinen kühnsten Träumen nicht zu hoffen gewagt hätte.

Meine Entscheidung war folgende: Ich würde die verhaßte Arbeit aufgeben und an der Abendschule Erwachsene unterrichten. Schließlich hatte ich vier Jahre am Staatlichen Lehrerkolleg von Warrensburg in Missouri studiert, um Lehrer zu werden. Ich würde dann also tagsüber freihaben, könnte lesen, meine Vorträge vorbereiten, Romane und Kurzgeschichten schreiben. Ich wollte «leben, um zu schreiben, und schreiben, um zu leben».

Was sollte ich den Erwachsenen abends nun beibringen? Als ich zurückblickte und über meine eigene Ausbildung nachdachte, erkannte ich, daß für mich mehr als alle andern Studien zusammengenommen das Training und die Erfahrungen im Sprechen in der Öffentlichkeit von praktischem Wert gewesen waren, sowohl im Beruf wie im Leben. Warum? Weil ich dadurch meine Schüchternheit und meine Unsicherheit verloren und Mut und Selbstvertrauen gewonnen hatte, so daß ich mit Menschen umgehen konnte. Mir war dabei auch klargeworden, daß gewöhnlich derjenige die Führungsrolle übernimmt, der aufstehen und sagen kann, was er denkt.

Ich bewarb mich sowohl bei der Columbia-Universität als auch bei der Universität von New York darum, Abendkurse in freier Rede zu geben, doch dort entschied man, daß man sich ganz gut ohne meine Hilfe durchschlagen könne.

Damals war ich enttäuscht. Heute danke ich Gott, daß sie mich nicht nahmen, denn ich begann an der Abendschule des Christlichen Vereins Junger Männer zu unterrichten, wo ich zeigen mußte, was ich konnte, und zwar schnell. Was für eine ungeheure Herausforderung das war! Diese Erwachsenen besuchten meine Kurse nicht, weil sie nach höherer Bildung oder größerem Sozialprestige strebten. Sie kamen nur aus einem einzigen Grund: Weil sie mit ihren Problemen fertig werden wollten. Sie wollten bei einer geschäftlichen Besprechung aufstehen und ein paar Worte sagen können, ohne vor Angst in Ohnmacht zu fallen. Vertreter wollten einen schwierigen Kunden besuchen können, ohne vorher dreimal um den Block laufen zu müssen, um sich Mut zu machen. Sie wollten lernen, wie man Ausgeglichenheit und Selbstvertrauen entwickelt. Sie wollten in ihrem Beruf weiterkommen. Sie wollten mehr Geld für ihre Familien verdienen. Und da sie den Unterricht in Raten bezahlten – womit sie gleich aufhörten, wenn sie keine Ergebnisse erzielten – und da ich kein Gehalt erhielt, sondern Umsatzprovision, mußte ich praktisch denken, wenn ich essen wollte.

Damals war mir klar, unter welchen schwierigen Bedingungen ich arbeitete, doch heute begreife ich, daß ich einmalige Erfahrungen sammelte. Ich mußte meine Studenten motivieren. Ich mußte ihnen helfen, ihre Probleme zu lösen. Ich mußte jede Unterrichtsstunde so anregend gestalten, daß sie Lust hatten, wiederzukommen.

Es war eine aufregende Arbeit. Ich war begeistert. Es war erstaunlich, wie schnell diese Geschäftsleute Selbstvertrauen entwickelten und wie rasch viele von ihnen befördert wurden und mehr Gehalt erhielten. Die Kurse waren so erfolgreich, wie ich es in meinen optimistischsten Augenblicken nicht zu hoffen gewagt hatte. Nach drei Semestern zahlte mir der CVJM, der mir am Anfang nicht einmal fünf Dollar Fixum pro Abend hatte geben wollen, dreißig Dollar Umsatzprovision täglich. Zuerst unterrichtete ich nur in freier Rede, aber mit der Zeit erkannte ich, daß diese im Beruf stehenden Studenten auch das Wissen brauchten, wie man sich Freunde erwarb und die Menschen beeinflußte. Da ich über zwischenmenschliche Beziehungen kein passendes Unterrichtsbuch finden konnte, schrieb ich selbst eines. Es entstand – nein, es entstand nicht auf die übliche Art und Weise. Es wuchs und entwickelte sich aus den Erfahrungen meiner Studenten in diesen Abendkursen. Ich nannte es *Wie man Freunde gewinnt.*

Da ich es nur als Unterrichtsbuch für meine eigenen Abendkurse geschrieben und noch vier andere Bücher verfaßt hatte, die kein Mensch kannte, dachte ich nicht im Traum daran, daß ich viel davon verkaufen würde. Vermutlich bin ich einer der wenigen zeitgenössischen Autoren, die über ihren Erfolg völlig verblüfft sind.

Mit den Jahren erkannte ich, daß meine erwachsenen Studenten noch ein anderes großes Problem hatten: Sie machten sich zuviel Sorgen. Die überwiegende Mehrzahl von ihnen waren Geschäftsleute – Angestellte, Vertreter, Ingenieure, Buchhalter: ein Querschnitt durch alle Berufe und Branchen. Und die meisten hatten Probleme! Es gab auch weibliche Studenten – Büroangestellte und Hausfrauen. Auch sie hatten Probleme! Ganz klar, ich brauchte ein Lehrbuch darüber, wie man seine Sorgen in den Griff bekam. Also machte ich mich wieder auf die Suche. Ich ging zu New Yorks größter öffentlicher Bibliothek Ecke Fifth Avenue und 42. Straße und entdeckte zu meinem Erstaunen, daß dort unter dem Stichwort *Worry* – also Sorgen – nur zweiundzwanzig Titel verzeichnet waren. Und ich stellte zu meiner Erheiterung auch fest, daß es über *Worms* – also Würmer – einhundertneunundachtzig Bücher gab. Fast neunmal soviel Bücher über Würmer wie über Sorgen! Erstaunlich, nicht wahr? Sich Sorgen zu machen und Angst zu haben – das sind mit die größten Probleme, die die Menschheit hat, und deshalb sollte man doch wohl annehmen, daß es an jeder High-School, an jedem College im Land Kurse darüber gibt, wie man seine Sorgen und Ängste abbauen kann. Ich habe aber nie auch nur von einem einzigen entsprechenden Kurs etwas gehört. Kein Wunder also, daß David Seabury in seinem Buch *Wie man sich erfolgreich Sorgen macht* schreibt: «Wir werden erwachsen und sind so wenig auf den Erfahrungsdruck vorbereitet wie ein Bücherwurm, der ein Ballett tanzen soll.»

Das Resultat? Mehr als die Hälfte unserer Krankenhausbetten wird von Nerven- und Gemütskranken belegt.

Ich sah diese zweiundzwanzig Bücher über Sorgen und Ängste durch, die in den Regalen der New Yorker Bibliothek standen. Außerdem kaufte ich alle Bücher zu dem Thema, die ich finden konnte. Doch es war nicht ein einziges darunter, das ich für meine Kurse verwenden konnte. Da beschloß ich, selbst eines zu schreiben.

Ich begann mich auf das Schreiben dieses Buches genau vorzubereiten. Wie? Indem ich las, was die Philosophen aller Zeiten zu diesem Thema zu sagen hatten. Außerdem las ich Hunderte von Biographien, angefangen bei Konfuzius bis zu Churchill. Ich interviewte auch eine Menge prominenter Leute aus den verschiedensten Gesellschaftskreisen, wie zum Beispiel Jack Dempsey, General Omar Bradley, General Mark Clark, Henry Ford, Eleanor Roosevelt und Dorothy Dix. Doch das war nur der Anfang.

Denn ich tat noch etwas anderes, das weit wichtiger war als die Interviews und das Lesen. Fünf Jahre lang arbeitete ich in einem Versuchslabor zur Erforschung der Angst – ein Labor, in dem unsere erwachsenen Schüler ihre eigenen Versuche machten. Soviel ich weiß, war es das erste und einzige dieser Art auf der ganzen Welt. Wir machten folgendes: Wir nannten den Studierenden einige Verhaltensregeln, wie sie ihre Angst überwinden könnten, und baten sie, sie in ihrem eigenen Leben anzuwenden und dann im Kurs über die erzielten Ergebnisse zu berichten. Andere erzählten von Techniken, die sie früher ausprobiert hatten.

Ich glaube, daß ich als Ergebnis dieses Experiments mehr Berichte über das Thema «Wie ich Angst und Sorgen loswurde» hörte als jedes andere menschliche Wesen auf Gottes Erdboden. Zusätzlich las ich noch Hunderte von Schilderungen zu dem Thema, die mit der Post kamen oder die Preise in anderen Kursen gewonnen hatten, die wir überall auf der Welt abhielten. Dieses Buch ist also nicht in einem Elfenbeinturm entstanden. Noch ist es eine theoretische Predigt darüber, wie man seine Nöte und Sorgen loswerden *könnte.* Vielmehr habe ich versucht, einen knappen, spannenden Erfahrungsbericht darüber zu schreiben, wie viele Tausende von Erwachsenen ihre Angstgefühle bewältigten. Eines jedenfalls steht fest: Dieses Buch ist praxisbezogen. Sie können sich die Zähne daran ausbeißen.

«Die Naturwissenschaften», sagte der französische Denker und Dichter Paul Valéry, «sind eine Sammlung von Erfolgsrezepten.» Genau darum geht es auch in diesem Buch: eine Sammlung wirksamer und nachgeprüfter Rezepte, wie man das Leben sorgenfrei gestalten kann. Doch ich warne Sie! Sie werden nichts Neues dabei entdecken, aber vieles, das nicht allgemein befolgt wird. Und wenn man es recht bedenkt, so braucht man Ihnen und mir gar nichts Neues zu erzählen. Wir wissen bereits genug und könnten ein vollkommenes Leben leben. Wir haben alle Matthäus 7, Vers 12 gelesen und die Bergpredigt. Unser Problem ist nicht Unwissenheit, sondern Tatenlosigkeit. Der Zweck dieses Buches ist es, eine Menge alter und fundamentaler Wahrheiten neu zu formulieren, sie zu verdeutlichen, sie den modernen Verhältnissen anzupassen, vom angesetzten Staub und Mief zu befreien und sie aufzupolieren – und Sie außerdem ans Schienbein zu treten, damit Sie etwas unternehmen und sie befolgen.

Sie haben dieses Buch nicht aufgeschlagen, weil Sie wissen wollten, wie es entstanden ist. Sie wollen Taten sehen. Schön, fangen wir an. Bitte, lesen Sie Teil eins und Teil zwei, und wenn Sie dann nicht spüren, wie Sie neue Kräfte und neue Einfälle bekommen, wenn Sie dann nicht aufhören, sich Sorgen zu machen, und nicht anfangen, das Leben zu genießen – dann werfen Sie dieses Buch weg. Es taugt nicht für Sie.

Dale Carnegie

Neun Ratschläge, wie Sie das meiste aus diesem Buch herausholen können

1. Wenn Sie aus diesem Buch das meiste herausholen wollen, müssen Sie eine Bedingung unbedingt erfüllen, einen wesentlichen Punkt, der unendlich viel wichtiger ist als alle Vorschriften und Techniken. Wenn Sie diese eine fundamentale Voraussetzung nicht erfüllen, werden Ihnen selbst tausend Tips, wie Sie arbeiten sollen, wenig nützen. Aber wenn Sie diese Kardinaltugend besitzen, dann können Sie Wunder vollbringen und brauchen Ratschläge, wie Sie soviel wie möglich von diesem Buch haben, nicht zu lesen.

Was ist das für eine Zauberformel? Ganz einfach: *ein tiefes, großes Verlangen zu lernen, eine wilde Entschlossenheit, alle Sorgen zu bekämpfen und leben zu wollen.*

Wie können Sie nun Ihren Willen stärken? Indem Sie sich immer wieder ins Gedächtnis rufen, wie wichtig die in diesem Buch aufgestellten Grundregeln für Sie sind. Stellen Sie sich vor, wie Ihr Leben reicher, glücklicher wird, wenn Sie sie beherrschen. Sagen Sie sich wieder und wieder: «Mein Seelenfrieden, mein Glück, meine Gesundheit und vielleicht sogar mein Verdienst werden zu einem großen Teil davon abhängen, ob ich die alten, einleuchtenden und ewigen Wahrheiten befolge, die dieses Buch lehrt.»

2. Lesen Sie jedes Kapitel kurz einmal durch, damit Sie einen allgemeinen Überblick bekommen. Vermutlich werden Sie dann versucht sein, gleich zum nächsten überzugehen. Tun Sie es nicht! Außer Sie lesen nur rein zum Vergnügen. Aber wenn Sie lesen, weil Sie sich nicht mehr ärgern und leben wollen, dann fangen Sie vorn wieder an und *lesen jedes Kapitel noch einmal gründlich!* Auf die Dauer gesehen, sparen Sie damit Zeit und erreichen mehr.

3. *Unterbrechen Sie Ihre Lektüre häufig und denken Sie über das Gelesene nach!* Überlegen Sie immer wieder, wie und wann Sie die gegebenen Anregungen befolgen können. Diese Methode wird Ihnen weit mehr helfen, als wenn Sie durch die Seiten rennen wie ein Jagdhund, der hinter einem Hasen her ist.

4. *Lesen Sie mit einem Rotstift, Bleistift oder Kugelschreiber in der Hand. Und wenn Sie zu einem Vorschlag kommen, den Sie glauben, verwenden zu können, machen Sie daneben einen Strich.* Ist es eine Vier-Sterne-Regel, unterstreichen Sie jeden Satz oder machen am Rand ein Kreuz. Ankreuzen und unterstreichen macht die Lektüre interessanter und das Wiederholen leichter.

5. Ich kenne eine Frau, die seit fünfzehn Jahren Direktorin einer großen Versicherungsgesellschaft ist. Sie liest jeden Monat alle abgeschlossenen Versicherungsverträge durch. Ja, sie liest die gleichen Verträge Monat für Monat, Jahr für Jahr. Warum? Weil die Erfahrung sie gelehrt hat, daß sie nur auf diese Weise alle Versicherungsbedingungen genau im Kopf behalten kann.

Ich habe einmal ein Buch über freie Rede geschrieben. Ich brauchte zwei Jahre dazu. Und ich stelle immer wieder fest, daß ich manchmal in meinem eigenen Buch nachschlagen muß, um mir ins Gedächtnis zu rufen, was ich damals schrieb. Erstaunlich, mit welcher Schnelligkeit wir vergessen.

Wenn Sie also einen echten, dauernden Nutzen aus diesem Buch ziehen wollen, dann glauben Sie ja nicht, ein flüchtiges Durchblättern würde genügen! Nachdem Sie es gründlich durchgearbeitet haben, sollten Sie jeden Monat mehrere Stunden darauf verwenden, einzelne Teile zu wiederholen. Lassen Sie es immer auf Ihrem Schreibtisch liegen. Blättern Sie häufig darin. Machen Sie sich immer wieder genau klar, daß noch gar nicht alle Möglichkeiten und Verbesserungsvorschläge ausgeschöpft sind! Vergessen Sie nicht, daß Sie die im Buch aufgestellten Regeln und Leitsätze nur dann automatisch und unbewußt anwenden, wenn Sie sie oft und lange angewendet und wiederholt haben. Es gibt keine andere Methode.

6. Bernard Shaw sagte einmal: «Wenn man jemand irgend etwas lehrt, wird er es nie begreifen.» Shaw hatte recht. *Lernen ist ein aktiver Prozeß. Wir lernen, indem wir es tun. Wenn Sie also die Grundsätze, die Sie in diesem Buch lernen, beherrschen möchten, müssen Sie etwas tun! Wenden Sie sie bei jeder sich bietenden Gelegenheit an.* Sonst vergessen Sie sie sofort. Nur angewandtes Wissen bleibt Ihnen im Gedächtnis.

Vermutlich wird es Ihnen schwerfallen, alle Ratschläge ständig zu befolgen. Ich weiß Bescheid, denn ich schrieb dieses Buch, und doch finde ich es häufig schwierig, all das in die Tat umzusetzen, wofür ich hier plädiere. Während Sie dieses Buch also lesen, denken Sie immer daran, daß Sie nicht nur mehr Wissen erwerben wollen. Sie versuchen vielmehr, andere Gewohnheiten anzunehmen. Ja, Sie versuchen sogar, Ihr Leben neu zu gestalten. So etwas erfordert Zeit und Ausdauer und tägliches Üben.

Deshalb schlagen Sie immer wieder nach! Betrachten Sie dieses Buch als Ihr Arbeitsexemplar im Kampf gegen die Sorgen. Und wenn Sie mit irgendeinem schwierigen Problem konfrontiert werden – regen Sie sich nicht auf! Reagieren Sie nicht automatisch, nicht impulsiv. Das ist meistens falsch. Schlagen Sie statt dessen dieses Buch auf und lesen Sie die Absätze nach, die Sie unterstrichen haben. Dann probieren Sie diese neuen Methoden aus, und beobachten Sie, welche Wunder sie vollbringen.

7. *Bezahlen Sie Ihren Familienmitgliedern jedesmal eine kleine Geldstrafe, wenn sie Sie dabei erwischen, wie Sie eine der in diesem Buch aufgestellten Regeln verletzten. So wird man Sie zähmen!*

8. Lesen Sie bitte im 22. Kapitel noch einmal, wie der Bankier H. P. Howell und der alte Ben Franklin mit ihren Fehlern fertig wurden. Warum benützen Sie nicht die Howell-und-Franklin-Methode, um zu überprüfen, ob Sie die in diesem Buch besprochenen Grundsätze richtig anwenden? Wenn Sie es tun, passiert zweierlei:

Erstens entdecken Sie, daß Sie sich mitten in einem Umformungsprozeß befinden, der faszinierend und unbezahlbar zugleich ist.

Zweitens stellen Sie fest, daß Ihre Geschicklichkeit, mit Sorgen umzugehen und richtig zu leben, wächst und gedeiht wie ein immergrüner Lorbeerbaum.

9. *Führen Sie Tagebuch* – ein Tagebuch, in welchem Sie die Siege notieren, die Sie dank der Anwendung der in diesem Buch aufgestellten Grundsätze errungen haben. Seien Sie genau! Nennen Sie Namen, Daten, Ergebnisse! Solche Berichte werden Sie zu noch größerem Eifer anspornen. Und wie spannend werden diese Aufzeichnungen erst sein, wenn Sie sie – in ein paar Jahren – eines Abends zufällig wieder lesen!

Zusammenfassung

Neun Ratschläge, wie Sie das meiste aus diesem Buch herausholen können

1. Entwickeln Sie ein unbezähmbares Verlangen, die Grundregeln zur Bekämpfung Ihrer Ängste beherrschen zu können.
2. Lesen Sie jedes Kapitel zweimal, ehe Sie zum nächsten übergehen.
3. Unterbrechen Sie Ihre Lektüre häufig und überlegen Sie, wie Sie die gegebenen Anregungen in die Tat umsetzen können.
4. Unterstreichen Sie alle wichtigen Gedanken.
5. Nehmen Sie sich dieses Buch jeden Monat wieder neu vor.
6. Wenden Sie die hier besprochenen Grundsätze bei jeder Gelegenheit an. Verwenden Sie dieses Buch als praktischen Ratgeber für Ihre täglichen Probleme.
7. Machen Sie das Üben zum Spiel: Jedesmal wenn ein Freund oder eine Freundin Sie dabei ertappt, wie Sie eine Regel verletzen, müssen Sie ihm oder ihr ein Geldstück geben.
8. Überprüfen Sie jede Woche Ihre Fortschritte. Überlegen Sie, was für Fehler Sie gemacht haben, was Sie besser machen können und was Sie für die Zukunft gelernt haben.
9. Führen Sie Tagebuch und notieren Sie, wie und wann Sie die hier beschriebenen Grundsätze angewandt haben. Heben Sie es zusammen mit diesem Buch auf.

Erster Teil

Was Sie über Ihre Sorgen und Ängste wissen sollten

1 Das Leben in Einheiten von Tagen gliedern

Im Frühjahr 1871 blätterte ein junger Mann in einem Buch und las zwanzig Worte, die für seine Zukunft von ausschlaggebender Bedeutung waren. Der junge Mann war damals Medizinstudent und arbeitete am Montreal General Hospital. Er machte sich Sorgen darüber, ob er sein Schlußexamen bestehen würde, was er dann machen, wo er arbeiten sollte, wie er eine eigene Praxis aufbauen und wieviel Geld er verdienen könnte.

Die zwanzig Worte, die dieser junge Medizinstudent in jenem Frühling las, trugen dazu bei, daß er der bekannteste Arzt seiner Zeit wurde. Er gründete die weltberühmte Johns Hopkins School of Medicine und wurde zum königlichen Professor für Medizin in Oxford ernannt – die höchste Würde, die einem Mediziner im britischen Reich verliehen werden konnte. Der König von England adelte ihn. Als der berühmte Arzt gestorben war, füllte seine Lebensgeschichte zwei dicke Bände mit zusammen 1466 Seiten.

Sein Name war Sir William Osler. Und hier sind die zwanzig Worte, die er damals im Frühling 1871 las – zwanzig Worte des Historikers Thomas Carlyle, deren Beherzigung ihm halfen, ein Leben frei von Sorgen zu führen: *«Unsere Hauptaufgabe ist nicht, zu sehen, was in vager Ferne liegt, sondern nur das zu tun, was das Nächstliegende ist.»*

Zweiundvierzig Jahre später hielt dieser Mann, Sir William Osler, an einem milden Frühlingsabend, als die Tulpen auf dem Campus blühten, den Studenten der Yale-Universität eine Rede. Unter anderem sagte er, daß man allgemein annehme, ein Mann wie er, der an vier Universitäten gelehrt und ein erfolgreiches Buch geschrieben habe, müsse ein «besonders kluger Kopf» sein.

Er erklärte, daß dies nicht stimme. Seine besten Freunde wüßten, daß er ein «höchst durchschnittliches Gehirn» habe.

Was war dann also das Geheimnis seines Erfolgs? Er erklärte, er habe ihn einem Leben zu verdanken, das er in «Tageseinheiten» gelebt habe. Was meinte er damit? Ein paar Monate vor seiner Ansprache in Yale war Sir William Osler mit einem großen Ozeandampfer über den Atlantik gefahren. Der Kapitän auf der Brücke konnte auf einen Knopf drücken, man hörte Maschinen rattern, und sofort waren die verschiedenen Teile des Schiffes hermetisch voneinander abgeschlossen – in wasserdichte Abteilungen. «Nun ist jeder von Ihnen aber eine noch weit erstaunlichere Schöpfung als dieser Ozeandampfer», sagte Dr. Osler zu jenen Yale-Studenten, «und auf einer viel längeren Reise unterwegs. Ich habe daher die dringende Bitte an Sie, die Beherrschung dieses Mechanismus zu lernen, das heißt in Tageseinheiten zu leben, weil dies die beste Methode ist, sicher zu reisen. Gehen Sie auf die Brücke und sorgen Sie dafür, daß wenigstens die wichtigsten Schotten richtig schließen. Drücken Sie auf den Knopf und hören Sie, wie auf jeder Ebene Ihres Lebens die eisernen Türen die Vergangenheit abschließen – das tote Gestern. Drücken Sie auf einen andern Knopf und verriegeln Sie mit einem eisernen Vorhang die Zukunft – das ungeborene Morgen. Dann sind Sie sicher – für heute sicher! Schließen Sie die Vergangenheit weg! Lassen Sie die tote Vergangenheit ihre Toten begraben... Denken Sie nicht mehr an das Gestern, das Dummköpfen den Weg allen Staubes wies... *Wenn die Bürde von morgen mit der von gestern heute getragen werden muß, wankt auch der Stärkste*... Verbannen Sie auch die Zukunft aus Ihrem Leben, so endgültig wie die Vergangenheit... Die Zukunft ist heute... Es gibt kein Morgen. Der Rettungsanker ist das Heute. Energieverschwendung, Depressionen, nervöse Ängste bedrängen den Menschen, der sich um seine Zukunft Sorgen macht... Schließen Sie also die Schotten vorn und achtern und gewöhnen Sie sich an, Ihr Leben in ‹Tageseinheiten› zu planen.»

Wollte Dr. Osler damit sagen, daß wir uns keine Mühe machen sollten, das Morgen vorzubereiten? Nein, ganz sicher nicht. Er führte in seiner Rede vielmehr aus, daß man sich auf seine

Zukunft am besten vorbereite, wenn man sich mit seiner ganzen Intelligenz und Begeisterung darauf konzentriere, die Arbeit von heute auch heute ganz vorzüglich zu leisten. Das sei die einzig mögliche Methode, sich auf die Zukunft vorzubereiten.

Sir William Osler bat die Studenten, den Tag mit der Bitte des Vaterunsers «Und gib uns unser täglich Brot» zu beginnen.

Vergessen Sie nicht, daß in diesem Gebet nur um das *tägliche* Brot gebeten wird. Es enthält keine Klage über das alte Brot, das wir gestern essen mußten. Und es heißt in ihm auch nicht: «O Gott, es hat schon lange nicht mehr geregnet, vielleicht kommt eine neue Dürre – woher werde ich im Herbst mein Brot nehmen – vielleicht verliere ich meine Arbeit – o Gott, wie kann ich dann Brot kaufen?»

Nein, dieses Gebet lehrt uns, nur um das *tägliche* Brot zu bitten. Das tägliche Brot ist die einzige Art von Brot, die wir essen können.

Vor langer Zeit wanderte ein armer Philosoph durch ein steiniges Land, wo die Menschen sich nur mühsam ihren Lebensunterhalt verdienen konnten. Eines Tages versammelte sich die Menge um ihn auf einem Hügel, und er hielt eine Predigt, die wahrscheinlich zu den meistzitierten Ansprachen aller Zeiten gehört. Sie enthielt siebenundzwanzig Worte, deren Klang durch alle Jahrhunderte hallte: «Darum sorget nicht für den anderen Morgen; denn der morgende Tag wird für das Seine sorgen. Es ist genug, daß ein jeglicher Tag seine eigene Plage habe.»

Viele Menschen haben diese Worte von Jesus verworfen: «Darum sorget nicht für den anderen Morgen.» Sie fanden sie zu idealistisch, zu mystisch. «Ich *muß* an die Zukunft denken», sagen sie. «Ich *muß* eine Versicherung abschließen, um meine Familie zu versorgen, ich *muß* Geld für mein Alter sparen, ich *muß* Pläne machen, um vorwärtszukommen.»

Natürlich stimmt das. Doch als man diese Worte von Jesus vor mehr als dreihundert Jahren übersetzte, deutete man sie anders, als man sie heute deutet. Vor dreihundert Jahren interpretierte man das Wort Sorge oft als Angst. Moderne Bibelübersetzungen zitieren Jesus genauer und sagen: «Ängstigt Euch nicht um das Morgen.»

Selbstverständlich müssen Sie sich Gedanken über das Morgen machen, ja, ganz genaue Gedanken, und Sie müssen es planen und vorbereiten. Aber Sie dürfen keine Angst haben.

Während des Zweiten Weltkriegs planten unsere militärischen Führer auch voraus, aber irgendwelche Ängste oder Sorgen konnten sie sich dabei nicht leisten. «Ich habe die besten Männer mit der besten Ausrüstung versorgt, die wir haben», sagte Admiral Ernest J. King, der die Marine der Vereinigten Staaten befehligte. «Und ich habe ihnen den meiner Meinung nach klügsten Einsatzbefehl gegeben. Mehr kann ich nicht tun. Und», fuhr Admiral King fort, «wenn ein Schiff versenkt wurde, kann ich es nicht bergen. Wenn es versenkt werden soll, kann ich es nicht verhindern. Ich kann meine Zeit viel besser nützen, wenn ich über künftige Probleme nachdenke und nicht über die von gestern nachgrüble. Außerdem – wenn ich mich von solchen Dingen unterkriegen ließe, würde ich nicht lange durchhalten.»

Ob friedliche oder kriegerische Zeiten, der Hauptunterschied zwischen positivem und negativem Denken ist folgender: Positives Denken beschäftigt sich mit Ursache und Wirkung und führt zu logischer, konstruktiver Planung. Negatives Denken hat häufig Spannungen und Nervenzusammenbrüche zur Folge.

Ich hatte einmal die Ehre, Arthur Hays Sulzberger, den Herausgeber der weltberühmten *New York Times*, zu interviewen. Er erzählte mir, daß er, als der Zweite Weltkrieg in Europa ausbrach, so bestürzt, so besorgt war, daß er kaum schlafen konnte. Häufig stand er mitten in der Nacht auf, nahm Leinwand und Farbtuben, setzte sich vor einen Spiegel und versuchte, sein Porträt zu malen. Er hatte keine Ahnung vom Malen, trotzdem malte er, um sich von seinen Sorgen abzulenken. Doch dies sei ihm nie gelungen. Er habe erst Ruhe gefunden, als er sich folgende Zeile aus einem Kirchenlied als Motto nahm: Für mich genügt ein Schritt.

Geleite mich, du liebes Licht,
Du stütze meinen Tritt.
Das ferne Land zu schaun begehr ich nicht,
Für mich genügt ein Schritt.

Ungefähr zur gleichen Zeit machte ein junger Mann in Uniform irgendwo in Europa die gleiche Erfahrung. Sein Name war Ted Bengermino. Er stammte aus Baltimore in Maryland. Er hatte sich in einen erstklassigen Fall von Kriegsneurose hineingesteigert.

«Im April 1945», schrieb Ted Bengermino, «hatten meine Ängste so zugenommen, daß ich heftige Unterleibsschmerzen bekam, die die Ärzte als Dickdarmkrämpfe diagnostizierten. Wenn der Krieg damals nicht zu Ende gegangen wäre, hätte ich sicherlich einen totalen körperlichen Zusammenbruch erlitten.

Ich war völlig erschöpft. Ich hatte die Basedowsche Krankheit und war Unteroffizier bei der 94. Infanteriedivision. Ich arbeitete in der Registratur und führte die Listen über Gefallene, Vermißte und Verwundete. Außerdem half ich beim Ausgraben der alliierten und feindlichen toten Soldaten, die während des Kampfes nur hastig in flachen Gruben verscharrt worden waren. Die persönlichen Besitztümer dieser Männer sammelte ich ein und schickte sie an Eltern oder nahe Verwandte, für die sie teure Erinnerungen bedeuteten. Ständig machte ich mir Sorgen, daß wir schreckliche, folgenschwere Fehler machen könnten. Ich quälte mich mit der Frage, ob ich durchhalten würde oder nicht. Ich überlegte, ob ich es noch erleben würde, meinen Sohn in den Armen zu halten. Er war damals gerade sechzehn Monate alt, und ich hatte ihn noch nie gesehen. Ich war so verängstigt und erschöpft, daß ich mehr als dreißig Pfund abnahm. Ich war in einer solchen Panik, daß ich fast den Verstand verlor. Ich betrachtete meine Hände, sie waren kaum mehr als Haut und Knochen. Die Vorstellung, ich könnte als körperliches Wrack nach Hause kommen, entsetzte mich. Ich brach zusammen und schluchzte wie ein Kind. Ich war so durcheinander, daß ich jedesmal weinte, wenn ich allein war. Eine Zeitlang, kurz nachdem die Schlacht um Caen begann, weinte ich so oft, daß ich beinahe die Hoffnung aufgab, je wieder ein normaler Mensch zu werden.

Schließlich landete ich im Lazarett. Ein Armeearzt gab mir einen Rat, der mein Leben völlig veränderte. Nachdem er mich gründlich untersucht hatte, erklärte er mir, daß meine Schwierigkeiten psychisch bedingt seien. ‹Ted›, sagte er, ‹stellen Sie sich Ihr

Leben einmal wie eine Sanduhr vor! Sie wissen, daß sich Hunderte von Sandkörnern im oberen Teil befinden und sie alle langsam und gleichmäßig durch den engen Hals in der Mitte rinnen. Nichts, was Sie oder ich tun, kann verhindern, daß ein Sandkorn nach dem anderen hindurchgleitet – außer Sie machen die Sanduhr kaputt. Sie und ich und alle Menschen sind wie diese Sanduhr. Morgens, wenn wir aufwachen, haben wir das Gefühl, Hunderte von Dingen an diesem Tag erledigen zu müssen, doch wenn wir nicht eins nach dem andern tun, langsam und gleichmäßig, so wie die Körner durch die Sanduhr rinnen, dann werden wir irgendwann körperlich und geistig zusammenbrechen.›

Seit jenem denkwürdigen Tag, an dem der Armeearzt mir diesen Rat gab, habe ich ihn befolgt: Ein Sandkorn nach dem andern... eine Arbeit nach der andern... Diese Worte halfen mir, körperlich und geistig den Krieg durchzustehen, und sie halfen mir auch in meinem Beruf. Ich bin Werbe- und Anzeigenleiter bei einem Druckereiunternehmen und habe festgestellt, daß es im Berufsleben die gleichen Probleme gibt wie im Krieg: Ein Haufen Dinge muß zur gleichen Zeit erledigt werden, und zwar in sehr wenig Zeit. Wir hatten nur ein kleines Warenlager, wir mußten neue Geräte installieren, die Lagerhaltung ändern, Adressen ändern, Zweigstellen eröffnen und schließen und so weiter. Statt angespannt und nervös zu reagieren, erinnerte ich mich an die Worte des Arztes: Ein Sandkorn nach dem andern... eine Arbeit nach der andern. Ich wiederholte mir diesen Rat wieder und wieder, erledigte alle meine Aufgaben wirksamer und besser, ohne das Gefühl der Unsicherheit und Verwirrung, das mich an der Front fast umgebracht hätte.»

Eine der schrecklichsten Zeiterscheinungen der Gegenwart ist die Tatsache, daß die Hälfte der Krankenhausbetten von Nerven- und Geisteskranken belegt ist, Patienten, die unter der niederschmetternden Last des angehäuften Gestern und der Angst vor der Zukunft zusammengebrochen sind. Aber die große Mehrzahl dieser Menschen hätte nicht ins Krankenhaus gehen müssen, sondern hätte ein glückliches, nützliches Leben führen können – wenn sie nur die Worte von Jesus beherzigt haben würde: «Darum sorget nicht für den anderen Morgen.»

Oder Sir William Oslers Worte: *«Lernt in Tageseinheiten zu leben!»*

Sie und ich, wir stehen genau in dieser Sekunde an der Nahtstelle zweier Ewigkeiten: die weite Vergangenheit, die ewig andauert, und die Zukunft, die sich bis zum letzten Hauch der meßbaren Zeit ausdehnt. Wir können unmöglich in einer dieser Welten leben – nein, nicht einmal für den Bruchteil einer Sekunde. Und wenn wir es dennoch versuchen, können wir sowohl unseren Körper wie unseren Verstand zerstören. Also begnügen wir uns damit, den Zeitraum zu leben, den wir tatsächlich leben können: von jetzt bis zum Schlafengehen. «Jeder Mensch kann seine Last tragen, wie schwer sie auch ist, bis die Nacht einbricht», schrieb der Schriftsteller Robert Louis Stevenson. «Jeder Mensch kann seine Arbeit tun, wie schwer sie auch ist, für einen Tag. Jeder Mensch kann freundlich sein, geduldig, mitfühlend, rein, bis die Sonne untergeht. Und das ist alles, was im Leben wirklich zählt.»

Ja, das ist alles, was das Leben von uns verlangt. Nehmen wir als Beispiel Mrs. E. K. Shields aus Saginaw in Michigan. Sie war völlig verzweifelt, nahe daran, Selbstmord zu begehen, ehe sie lernte, nur zu leben bis zum Abend. «Nach dem Tod meines Mannes», erzählte mir Mrs. Shields, «war ich sehr deprimiert und hatte fast kein Geld. Ich schrieb meinem früheren Arbeitgeber, und er gab mir meinen alten Job zurück. Ich hatte mir früher meinen Lebensunterhalt durch den Verkauf von Büchern an Schulen auf dem Land und in kleinen Orten verdient. Als mein Mann vor zwei Jahren krank wurde, verkaufte ich meinen Wagen. Nach seinem Tod konnte ich genug Geld zusammenkratzen, um einen gebrauchten Wagen anzuzahlen, und fing wieder an, Bücher zu verkaufen.

Ich dachte, daß es mir helfen würde, wieder unterwegs zu sein. Aber immer allein im Wagen zu fahren und immer allein zu essen, war fast mehr, als ich aushalten konnte. In manchen Gegenden verkaufte ich nicht viel und stellte bald fest, daß ich die Raten für den Wagen kaum zusammenbekam, obwohl sie nicht sehr hoch waren.

Ein Jahr später arbeitete ich im Gebiet von Versailles in Missouri. Die Schulen waren arm, die Straßen schlecht. Ich fühlte mich so einsam und mutlos, daß ich einmal sogar an Selbstmord dachte. Mir schien es unmöglich, je auf einen grünen Zweig zu kommen. Das Leben hatte jeden Sinn verloren. Jeden Morgen hatte ich Angst davor, aufzustehen und mich mit dem Leben herumschlagen zu müssen. Ich hatte vor allem Angst: Angst, die Raten für den Wagen nicht zahlen zu können; Angst, daß das Geld für die Miete fehlte, daß ich nicht genug zu essen hätte, ich krank würde und mir keinen Arzt leisten könnte. Nur der Gedanke, wie schrecklich traurig meine Schwester sein würde, hinderte mich, Selbstmord zu begehen. Außerdem war kein Geld da für die Beerdigungskosten.

Dann las ich eines Tages einen Artikel, der mich aus meiner Verzweiflung herausholte und mir neuen Lebensmut verlieh. Ich werde nie aufhören, für den einen wesentlichen Satz in dem Artikel dankbar zu sein. Er hieß: ‹Der kluge Mann fängt jeden Tag wie ein neues Leben an.› Ich tippte den Spruch auf einen Zettel und klebte ihn an meine Windschutzscheibe, wo ich ihn beim Fahren immer im Auge hatte. Ich stellte fest, daß es gar nicht so schwierig war, immer nur einen Tag auf einmal zu leben. Ich lernte, das Gestern zu vergessen und an morgen nicht zu denken. Jeden Morgen sagte ich zu mir: ‹Heute fängt ein neues Leben an.›

Es ist mir gelungen, meine Angst vor der Einsamkeit, die Angst, Not leiden zu müssen, zu überwinden. Ich bin glücklich und auch ziemlich erfolgreich, habe Optimismus und liebe das Leben. Ich weiß jetzt, daß ich nie wieder Angst haben werde, ganz gleich, wie das Leben mir mitspielt. Ich weiß jetzt, daß ich keine Angst vor der Zukunft zu haben brauche. Ich weiß jetzt, daß ich bewußt einen Tag nach dem andern leben kann und daß es stimmt: ‹Der kluge Mann fängt jeden Tag wie ein neues Leben an.›»

Wer, glauben Sie, schrieb das folgende Gedicht:

Glücklich der Mensch, glücklich er allein,
Der das Heute ganz besitzen kann.
Der in sich ruhend sagen kann:
«Das Morgen, sei es noch so schlimm,
Ich habe heut' gelebt.»

Diese Zeilen klingen modern, nicht wahr? Und doch wurden sie dreißig Jahre vor Christi Geburt geschrieben, von dem römischen Dichter Horaz.

Eine der tragischsten Eigenschaften der menschlichen Natur ist der Hang, das Leben aufzuschieben. Wir alle träumen von einem verzauberten Rosengarten hinter dem Horizont – statt uns über die Rosen zu freuen, die heute vor unserem Fenster blühen.

Warum sind wir solche Dummköpfe – solche traurigen Dummköpfe?

«Wie seltsam er doch ist, der Lauf unseres kleinen Lebens», schrieb der kanadische Schriftsteller Stephen Leacock. «Das kleine Kind sagt: ‹Wenn ich ein großer Junge bin.› Aber was heißt das? Der große Junge sagt: ‹Wenn ich erwachsen bin.› Und dann, wenn er erwachsen ist, sagt er: ‹Wenn ich verheiratet bin!› Doch was ist schließlich an einer Ehe schon viel dran? Seine Gedanken ändern sich, er sagt: ‹Wenn ich nicht mehr arbeiten muß.› Und dann, wenn er alt geworden und diese Zeit gekommen ist, blickt er zurück über das Land, das er durchwandert hat. Ein kalter Wind scheint darüber hinwegzuwehen. Irgendwie hat er alles verpaßt, und nun ist es vorbei. Das Leben, erkennen wir zu spät, muß gelebt werden, in jedem Augenblick des Tages und der Stunde.»

Der verstorbene Edward S. Evans aus Detroit brachte sich fast um vor Sorgen, ehe er begriff, daß «das Leben gelebt werden muß, in jedem Augenblick des Tages und der Stunde». Er wuchs in armen Verhältnissen auf und verdiente sein erstes Geld mit dem Verkaufen von Zeitungen. Dann arbeitete er als Lebensmittelverkäufer. Später, als er schon sieben Menschen ernähren mußte, fand er Arbeit als Hilfsbibliothekar. Obwohl das Gehalt niedrig war, hatte er Angst zu kündigen, und so dauerte es acht Jahre, bis er den Mut fand, etwas Eigenes aufzubauen. Doch als er erst einmal angefangen hatte, schaffte er es, aus den geliehenen fünfundfünzig Dollar in einem Jahr zwanzigtausend Dollar zu machen. Dann kam ein Rückschlag, ein tödlicher Rückschlag. Er bürgte für einen Freund, und der Freund machte Bankrott. Und gleich hatte er noch einmal Pech: Die Bank, in die er all sein Geld investiert hatte, brach zusammen. Er verlor nicht nur seinen letzten Cent, sondern mußte auch noch sechzehntausend Dollar

Schulden machen. Das hielten seine Nerven nicht länger aus. «Ich konnte weder essen noch schlafen», erzählte er mir. «Ich wurde krank. Keiner konnte erklären, was ich hatte. Sorgen und nochmals Sorgen waren die Ursache dieser Krankheit. Einmal ging ich die Straße hinunter, da wurde ich ohnmächtig und fiel auf dem Gehweg um. Ich konnte nicht mehr laufen. Man packte mich ins Bett, und an meinem ganzen Körper brachen Furunkel aus, die nach innen wuchsen, bis sogar das Liegen zur Qual wurde. Jeden Tag wurde ich schwächer. Schließlich eröffnete mir mein Arzt, daß ich keine zwei Wochen mehr zu leben hätte. Ich war erschüttert. Ich machte mein Testament und lag dann im Bett und wartete auf das Ende. Sich noch weiter Sorgen zu machen, sich aufzuregen, hatte keinen Sinn mehr. Ich gab mich auf, entspannte mich und schlief ein. Seit Wochen hatte ich keine zwei Stunden hintereinander durchgeschlafen. Aber nun, da meine irdischen Sorgen zu Ende gingen, schlummerte ich wie ein kleines Kind. Das zermürbende Angstgefühl ließ nach. Mein Appetit kehrte zurück. Ich nahm zu.

Nach ein paar Wochen konnte ich schon wieder mit Krücken laufen. Sechs Wochen später war ich imstande, mir Arbeit zu suchen. Ich hatte zwanzigtausend Dollar im Jahr verdient, doch nun mußte ich froh sein, daß ich einen Job fand, der dreißig Dollar die Woche einbrachte. Ich verkaufte Bremsklötze, mit denen die Räder der Autos für den Transport festgekeilt werden. Inzwischen hatte ich meine Lektion gelernt. Angst kannte ich nicht mehr, noch spürte ich Bedauern über die vergangenen Ereignisse oder machte mir Sorgen um die Zukunft. Ich konzentrierte mich mit meiner ganzen Zeit, Energie und Begeisterung auf den Verkauf dieser Bremsklötze.»

Jetzt ging es mit Edward S. Evans' Karriere steil nach oben. Nach ein paar Jahren war er Generaldirektor der Firma Evans Products. Seit Jahren werden die Aktien des Unternehmens an der New Yorker Börse gehandelt. Sollten Sie einmal nach Grönland reisen wollen, landen Sie vielleicht auf dem Flughafen Evans, der ihm zu Ehren so getauft wurde. Doch Edward S. Evans würde seine Siege nicht errungen haben, wenn er nicht gelernt hätte, «das Leben in Einheiten von Tagen zu gliedern».

Sie werden sich sicherlich erinnern, was die Weiße Königin zu Alice sagte: «In der Regel gibt es morgen Marmelade, und gestern gab es welche, bloß heute gibt es nie Marmelade.» Die meisten von uns sind so – sie ärgern sich über die Marmelade von gestern oder machen sich wegen der von morgen Sorgen, statt sie heute dick aufs Brot zu streichen.

Sogar der große französische Philosoph Montaigne machte diesen Fehler. «Mein Leben», sagte er, «war voll von fürchterlichem Unglück, das meistens gar nicht passiert ist.» So war es auch bei mir – und so ist es auch bei Ihnen.

«Bedenkt, daß dieser Tag niemals wieder heraufdämmern wird», sagte schon Dante. Das Leben entschlüpft uns mit unglaublicher Schnelligkeit. Wir rasen mit einer Geschwindigkeit von mehr als dreißig Kilometern pro Sekunde durch das All. Das Heute ist unser kostbarster Besitz. Das einzige, was wir ganz sicher besitzen.

Das ist auch Lowell Thomas' Maxime. Ich verbrachte kürzlich ein Wochenende auf seiner Farm, und da sah ich, daß er einen Spruch aus dem 118. Psalm gerahmt und im Aufnahmestudio aufgehängt hatte, so daß er ihn immer wieder sehen konnte: «Das ist der Tag, den der Herr macht. Lasset uns uns freuen und fröhlich darinnen sein.»

Der Schriftsteller John Ruskin hatte auf seinem Schreibtisch einen einfachen Stein liegen, in den nur ein einziges Wort eingemeißelt stand: HEUTE. Ich habe zwar keinen solchen Stein auf meinem Schreibtisch liegen, doch dafür habe ich mir ein Blatt Papier mit einem Gedicht an den Spiegel geklebt. Ich lese es jeden Morgen, wenn ich mich rasiere. Es ist ein Gedicht, das Sir William Osler immer auf seinem Schreibtisch liegen hatte und das von dem berühmten indischen Dramatiker Kalidasa stammt:

Gruß an die Morgendämmerung

Sieh diesen Tag!
Denn er ist Leben, ja das Leben selbst.
In seinem kurzen Lauf
Liegt alle Wahrheit, alles Wesen deines Seins:

Die Seligkeit zu wachsen,
Die Freude zu handeln,
Die Pracht der Schönheit,
Denn gestern ist nur noch ein Traum,
Und morgen ist nur ein Bild der Phantasie,
Doch heute, richtig gelebt, verwandelt jedes Gestern
in einen glückseligen Traum
Und jedes Morgen in ein Bild der Hoffnung.
So sieh denn diesen Tag genau!
Das ist der Gruß der Morgendämmerung.

Das erste, was Sie über Ihre Sorgen und Ängste also wissen sollten, ist dies: Wenn Sie sie von Ihrem Leben fernhalten wollen, machen Sie es wie Sir William Osler: *Schließen Sie die eisernen Türen zur Vergangenheit und Zukunft. Gliedern Sie Ihr Leben in Einheiten von Tagen.*

Warum stellen Sie sich nicht einmal die folgenden Fragen und schreiben die Antworten auf?

1. Neige ich dazu, das Leben in der Gegenwart auf später zu verschieben, mir über die Zukunft Sorgen zu machen und mich nach einem «verzauberten Rosengarten hinter dem Horizont» zu sehnen?
2. Mache ich mir manchmal die Gegenwart schwer, weil ich Dinge bedaure, die in der Vergangenheit geschehen sind und die längst vorbei und erledigt sind?
3. Stehe ich morgens mit dem Vorsatz auf, «den Tag zu nützen» – das heißt, das meiste aus diesen vierundzwanzig Stunden herauszuholen?
4. Kann ich mehr aus meinem Leben machen, wenn ich es in «Einheiten von Tagen gliedere»?
5. Wann soll ich damit anfangen? Nächste Woche . . . morgen . . . *heute?*

2 Eine Zauberformel für Situationen, die Angst erzeugen

Hätten Sie gern ein schnelles, sicheres Rezept, wie Sie Ihre Sorgen richtig anpacken müssen – eine Methode, die Sie sofort anwenden können, noch ehe Sie das Buch ganz durchgelesen haben?

Dann möchte ich Ihnen von dem Verfahren erzählen, das Willis Carrier für sich erfand. Er war ein hervorragender Ingenieur, der die Klimatechnik revolutionierte und das weltberühmte Unternehmen Carrier Corporation in Syracuse im Staat New York leitete. Es ist die beste Methode, um schwierige Situationen in den Griff zu bekommen, von der ich je hörte, und ich habe sie von Carrier persönlich. Er erzählte sie mir, als wir mal zusammen in New York im «Engineers' Club» zu Mittag aßen.

«Als junger Mann arbeitete ich für die Buffalo Forge Company», berichtete Carrier. «Ich bekam den Auftrag, in einer Fabrik im Staat Missouri eine Gasreinigungsanlage zu installieren. Der Bau dieser Fabrik hatte Millionen Dollar gekostet. Mit dem Einbau des Reinigungssystems sollte es möglich sein, die Unreinheiten im Gas zu entfernen, damit es verbrannt werden konnte, ohne die Maschinen zu beschädigen. Dieses Verfahren der Gasreinigung war neu. Es war erst einmal ausprobiert worden und dazu unter anderen Bedingungen. Diesmal tauchten unvorhergesehene Schwierigkeiten auf. Das System funktionierte zwar, aber nicht so gut, wie wir das garantiert hatten.

Ich war über mein Versagen wie niedergeschmettert. Ich hatte das Gefühl, als habe mir jemand einen Schlag auf den Kopf gegeben. Mein Magen, meine Därme verkrampften sich und schmerzten. Eine Zeitlang konnte ich vor Sorgen kaum schlafen.

Schließlich meldete sich mein gesunder Menschenverstand:

Sich Sorgen zu machen, war keine Lösung. Da überlegte ich mir eine Möglichkeit, wie ich mein Problem in den Griff bekommen könnte. Es funktionierte großartig. Ich wende jetzt seit mehr als dreißig Jahren dieselbe Antisorgentechnik an. Sie ist ganz einfach. Jeder kann es so machen. Sie besteht aus drei Stufen.

1. *Ich analysierte die Situation ohne Angst, offen und ehrlich, und überlegte, was die schlimmste Folge meines Versagens sein könnte.* Keiner würde mich ins Gefängnis stecken oder mich erschießen. Das stand fest. Natürlich bestand auch die Möglichkeit, daß ich meine Arbeit verlor. Und vielleicht mußten meine Arbeitgeber auch die Anlage abmontieren und würden die zwanzigtausend Dollar verlieren, die wir investiert hatten.
2. *Nachdem ich mir die schlimmstmöglichen Folgen klargemacht hatte, beschloß ich, mich gegebenenfalls damit abzufinden.* Ich sagte mir: Dieser Fehler wird für meine Karriere ein Schlag sein, und vermutlich werde ich deshalb meinen Job verlieren. Aber dann kann ich immer eine andere Stelle finden. Die Umstände könnten noch viel schwieriger sein. Und was meine Arbeitgeber betrifft – nun, sie werden einsehen, daß wir ein neues Reinigungsverfahren ausprobiert haben, und wenn sie dieses Experiment zwanzigtausend Dollar kostet, können sie es verkraften. Sie belasten damit die Entwicklungsabteilung, denn schließlich ist die Sache ja noch im Versuchsstadium.
   Nachdem ich mir die schlimmsten Folgen überlegt und mich mit der Möglichkeit, daß sie sich bewahrheiten könnten, abgefunden hatte, geschah etwas sehr Wichtiges: Ich beruhigte mich sofort und spürte ein Gefühl des Friedens, das ich seit Tagen nicht gehabt hatte.
3. *Von dem Zeitpunkt an blieb ich gelassen und verwendete meine ganze Zeit und meine ganze Energie auf den Versuch, die schlimmstmöglichen Folgen, die ich geistig bereits akzeptiert hatte, abzumildern.*
   Nun versuchte ich, Mittel und Wege zu finden, um den zu erwartenden Verlust von zwanzigtausend Dollar zu verringern. Ich machte verschiedene Tests und stellte schließlich fest, daß wir durch weitere fünftausend Dollar für zusätzliche Geräte

unsere Schwierigkeiten beseitigen könnten. So geschah es dann auch. Statt daß die Firma zwanzigtausend verlor, verdienten wir fünfzehntausend.

Vermutlich hätte ich dies nie geschafft, wenn ich mir weiter Sorgen gemacht haben würde, denn eine der übelsten Folgen einer solchen Geistesverfassung ist die Zerstörung der Konzentrationsfähigkeit. Wenn wir Angst haben, springen unsere Gedanken hierhin und dorthin, und wir verlieren alle Entscheidungskraft. Doch wenn wir uns zwingen, das Schlimmste ins Auge zu fassen und in Gedanken zu akzeptieren, schalten wir damit alle diese vagen Grübeleien aus und versetzen uns in eine Lage, in der wir uns auf unser Problem konzentrieren können.

Der Zwischenfall, von dem ich erzählte, ereignete sich schon vor vielen Jahren. Doch meine Methode funktionierte so hervorragend, daß ich sie seitdem immer anwende. Und das Ergebnis? Mein Leben ist fast völlig frei von Sorgen.»

Warum ist Willis Carriers Zauberformel nun so wertvoll und psychologisch gesehen so nützlich? Weil sie uns aus den großen grauen Wolken herausholt, in denen wir blind vor Angst und Sorgen herumtappen. Sie stellt uns mit den Füßen fest und sicher auf die Erde. Wir wissen, wo wir stehen. Und wenn wir keinen soliden Boden unter uns haben, wie in aller Welt können wir dann hoffen, eine Sache richtig durchzudenken?

Wenn Professor William James, der Vater der angewandten Psychologie, heute noch leben und von dieser Methode, sich auf das Schlimmste gefaßt zu machen, hören würde, fände sie sicherlich seine völlige Billigung. Wieso ich das weiß? Weil er zu seinen eigenen Studenten sagte: «Seid gewillt, die Dinge zu nehmen, wie sie sind!» Denn: «... die Annahme der Ereignisse ist der erste Schritt zur Überwindung der Folgen jedes Unglücks.»

Lin Yutang hat in seinem vielgelesenen Buch *Die Weisheit des lächelnden Lebens* denselben Gedanken. «Wahrer innerer Frieden entsteht», schreibt dieser chinesische Philosoph, «wenn wir das Schlimmste hinnehmen können. Psychologisch gesehen, bedeutet dies, glaube ich, daß Energien freigesetzt werden.»

Ja, genau das ist es! Es bedeutet das Freisetzen neuer Energien!

Wenn wir uns auf das Schlimmste gefaßt machen, haben wir nichts mehr zu verlieren. Und das bedeutet automatisch – daß wir *alles* zu gewinnen haben! «Nachdem ich mich auf das Schlimmste gefaßt gemacht hatte», erzählte auch Willis H. Carrier, «beruhigte ich mich sofort und spürte ein Gefühl des Friedens, das ich seit Tagen nicht gehabt hatte. Von nun an konnte ich klar *denken!*»

Klingt vernünftig, nicht wahr? Und trotzdem haben Millionen Menschen ihr Leben durch Wut und Angst ruiniert, weil sie sich weigerten, das Schlimmste zu akzeptieren. Weil sie sich weigerten, etwas dagegen zu tun. Weil sie sich weigerten, zu retten, was noch zu retten war. Statt ihr Glück noch einmal zu probieren, verzettelten sie sich in einem erbitterten und heftigen Kampf mit ihren Erfahrungen und wurden schließlich Opfer von Zwangsideen und Melancholie.

Möchten Sie noch erfahren, wie jemand anders Willis Carriers Zauberformel nahm und auf sein eigenes persönliches Problem anwandte? Also, hier ist so ein Beispiel. Es handelt von einem New Yorker Ölhändler, der meine Abendkurse besuchte.

«Ich wurde erpreßt!» erzählte er. «Ich dachte, so etwas gäbe es in Wirklichkeit nicht, so etwas passiere nur im Kino – aber es stimmte. Ich wurde tatsächlich erpreßt. Die Sache war so: Die Ölfirma, die ich leitete, besaß eine Anzahl von Tankwagen. Natürlich hatten wir auch die notwendigen Fahrer dazu. Damals waren die Kriegsbeschränkungen noch voll in Kraft, und wir erhielten nur eine bestimmte Ölmenge zugeteilt, die wir an unsere Kunden liefern konnten. Was ich nicht wußte, war, daß einige Fahrer unseren Stammkunden weniger Öl gebracht hatten und den Überschuß an ihre eigene Kundschaft abgaben.

Den ersten Hinweis auf diese ungesetzlichen Transaktionen erhielt ich, als eines Tages ein angeblicher Regierungsbeauftragter bei mir auftauchte und Schweigegeld verlangte. Er besaß, wie er behauptete, hieb- und stichfeste Beweise über das, was die Fahrer angestellt hatten, und drohte mir, sie dem Staatsanwalt zu geben, wenn ich nichts ausspuckte.

Natürlich wußte ich, daß ich nichts zu befürchten hatte – zumindest persönlich nicht. Aber ich wußte auch, daß dem Gesetz nach eine Firma für die Handlungen ihrer Mitarbeiter verantwortlich ist. Außerdem war ich überzeugt, daß eine Gerichtsverhandlung und Berichte in der Presse schlechte Reklame für mein Geschäft sein und es ruinieren würden. Ich war nämlich sehr stolz auf das Unternehmen – es war von meinem Vater vor vierundzwanzig Jahren gegründet worden.

Ich machte mir solche Sorgen, daß ich krank wurde. Drei Tage und Nächte konnte ich weder essen noch schlafen. Ich drehte mich mit meinen Gedanken immer wieder wie verrückt im Kreis. Sollte ich bezahlen – fünftausend Dollar – oder sollte ich dem Mann sagen, daß er sich zum Teufel scheren könne? Ich wußte nicht, wie ich mich entscheiden sollte. Es war wie in einem Alptraum.

Dann, am Sonntag abend, fiel mir das Heft *Wie man aufhört, sich Sorgen zu machen* in die Hände, das ich im Carnegie-Kurs über freie Rede erhalten hatte. Ich fing an, darin zu lesen, und stieß auf die Geschichte von Willis Carrier. ‹Machen Sie sich auf das Schlimmste gefaßt›, hieß es da einmal. Und da fragte ich mich: Was kann als Schlimmstes passieren, wenn ich mich weigere zu zahlen und der Erpresser seine Beweise an den Staatsanwalt weiterleitet?

Die Antwort lautete: Das bedeutet meinen geschäftlichen Ruin – schlimmstenfalls. Ins Gefängnis komme ich nicht. Es kann nur passieren, daß mich das Aufsehen, das die Geschichte macht, ruiniert.

Dann überlegte ich weiter. Na schön, mein Geschäft ist also kaputt. Ich finde mich damit ab. Wie geht es weiter?

Nun, wenn mein Geschäft ruiniert ist, werde ich mir vermutlich einen Job suchen müssen. Das war nicht schlimm. Ich wußte eine Menge über Öl – es gab verschiedene Firmen, die mich mit Freuden einstellen würden. Ich fing an, mich wohler zu fühlen. Die irrsinnige Angst, die mich drei Tage und Nächte gewürgt hatte, wurde schwächer. Meine Gefühle wurden friedlicher ... Und zu meiner Verblüffung war ich plötzlich in der Lage zu *denken.*

Ich hatte wieder einen klaren Kopf und konnte Punkt drei in Angriff nehmen – das Schlimmste abzuwenden versuchen. Als ich mir mögliche Lösungen überlegte, tauchte ein völlig neuer Gesichtspunkt auf. Wenn ich meinem Anwalt die ganze Geschichte erzählte, würde der vielleicht einen Ausweg finden, an den ich nicht gedacht hatte. Ich weiß, es ist verrückt, daß ich auf diesen Einfall nicht früher gekommen war – aber da hatte ich natürlich noch nicht nachgedacht. Da hatte ich mir nur Sorgen gemacht! Ich beschloß, sofort am nächsten Morgen mit meinem Anwalt zu sprechen; dann ging ich ins Bett und schlief wie ein Stein.

Wie ging die Sache aus? Nun, am nächsten Morgen riet mir mein Anwalt, den Staatsanwalt aufzusuchen und ihm die Wahrheit zu erzählen. Und genau das tat ich. Dann erfuhr ich zu meinem Erstaunen, daß dieser Erpresserring bereits seit Monaten in der Stadt arbeitete und der Mann, der sich als ‹Regierungsbeauftragter› ausgab, ein von der Polizei gesuchter Verbrecher war. Das war eine große Erleichterung nach den drei schlimmen Tagen und Nächten, in denen ich mich mit der Frage herumgequält hatte, ob ich dem Schwindler die fünftausend Dollar geben sollte oder nicht.

Diese Geschichte hat mir eine Lehre erteilt, die ich nie vergessen werde. Wenn ich jetzt ein Problem habe, das mich zu überwältigen droht, wende ich die ‹gute, alte Willis-Carrier-Formel› an, wie ich sie nenne.»

Wenn Sie finden, daß Willis Carrier Probleme hatte, kennen Sie folgende Geschichte noch nicht. Es ist die Geschichte von Earl Haney aus Winchester in Massachusetts. Er erzählte sie mir einmal im Hotel «Statler» in Boston.

«Damals in den zwanziger Jahren», sagte er, «hatte ich so viel Sorgen, daß mir die Geschwüre den Magen zerfraßen. Eines Abends bekam ich eine schreckliche Blutung und wurde schleunigst ins Krankenhaus gefahren. Mein Gewicht ging von 79 Kilo auf 40 Kilo runter. Ich war so krank, daß man mir sogar verbot, auch nur die Hand zu heben. Drei Ärzte, darunter ein berühmter Magenspezialist, erklärten meinen Fall für ‹unheilbar›. Ich lebte von Alkalipulver und einem Eßlöffel halb Milch, halb Sahne alle Stunde. Eine Schwester schob jeden Morgen und jeden Abend einen Gummischlauch in meinen Magen hinunter und pumpte ihn aus.

So ging das Monate ... Schließlich sagte ich zu mir: ‹Hör mal, Earl Haney, wenn du nichts anderes mehr zu erwarten hast als einen langsamen Tod, kannst du mit der Zeit, die dir noch bleibt, genausogut was Richtiges anfangen. Du wolltest immer schon eine Weltreise machen, ehe du stirbst. Wenn du also verreisen möchtest, wird es höchste Zeit.›

Als ich den Ärzten erzählte, ich würde eine Weltreise unternehmen und mir den Magen selbst zweimal am Tag auspumpen, waren sie entsetzt. Unmöglich! So was hatte es noch nie gegeben! Sie warnten mich, daß ich wahrscheinlich auf See begraben werden müßte. ‹Nein, unmöglich›, antwortete ich. ‹Ich habe meiner Familie versprochen, daß ich im Familiengrab beigesetzt werde. Am besten nehme ich meinen Sarg mit.›

Ich besorgte einen Sarg, nahm ihn mit aufs Schiff und vereinbarte mit der Schiffsgesellschaft, daß man meine Leiche gegebenenfalls in einem Tiefkühlfach aufbewahrte, bis das Schiff seinen Heimathafen wieder anlaufen werde.

Ich reiste ab, beflügelt von einem Gedicht des alten Omar Chayyam.

Ah, genieße, was dir noch vergönnt,
Eh' auch wir zu Staub zergeh'n.
Staub zu Staub, und unterm Staub zu liegen,
Ohn' Wein, Gesang, ohn' Sänger und – ohn' End!

Von dem Augenblick an, da ich in Los Angeles an Bord der *President Adams* ging, die in den Orient fahren sollte, fühlte ich mich besser. Allmählich hörte ich auf, Alkalipulver zu essen und meinen Magen auszupumpen. Bald aß ich alles mögliche, sogar seltsame einheimische Gerichte, die mich eigentlich hätten umbringen müssen. Nach ein paar Wochen rauchte ich sogar lange schwarze Zigarren und trank Highballs. Ich genoß mein Leben wie seit Jahren nicht mehr! Wir gerieten in den Monsun, in Taifune, die schon allein genügt hätten, mich in meinen Sarg zu befördern, und sei es auch nur aus Angst – doch mir machten alle diese Abenteuer riesigen Spaß.

Ich spielte Bordspiele, sang Lieder, schloß neue Freundschaften, blieb halbe Nächte auf. Als wir China und Indien erreichten, stellte ich fest, daß im Vergleich zu Hunger und Elend in diesen

Ländern meine Geschäftssorgen ein Paradies waren. Ich hörte auf, mich sinnlos zu ängstigen, und fühlte mich großartig. Bei meiner Rückkehr in die Staaten hatte ich 40 Kilo zugenommen und meine Magengeschwüre fast vergessen. Es war mir noch nie im Leben so gut gegangen. Ich fing wieder an zu arbeiten und war seither keinen Tag mehr krank.»

Earl Haney erzählte mir, daß er unbewußt die Zauberformel angewandt hatte, die Willis Carrier bei der Bekämpfung seiner Sorgen geholfen hatte. Es wurde ihm erst nach seiner Genesung richtig klar.

«Erst fragte ich mich: Was könnte als Schlimmstes passieren? Die Antwort war: Tod.

Zweitens bereitete ich mich darauf vor, meinen Tod anzunehmen. Das mußte ich. Ich hatte keine Wahl. Die Ärzte hatten mir erklärt, daß mein Fall hoffnungslos sei.

Drittens versuchte ich, meine Lage zu verbessern. Die kurze Zeit, die mir noch verblieb, wollte ich genießen. Wenn ich mir aber», fuhr er fort, «wenn ich mir aber auch nach Antritt meiner Reise weiter Sorgen gemacht hätte, wäre ich bestimmt im Sarg zurückgekehrt. Aber ich entspannte mich – und vergaß alle meine Schwierigkeiten. Und diese innere Ruhe, dieser innere Frieden verlieh mir neue Energie, die mir buchstäblich das Leben rettete.»

Also vergessen Sie nicht: Wenn Sie Sorgen haben, nehmen Sie Willis Carriers Zauberformel und tun Sie folgendes:

1. Fragen Sie sich: Was könnte als Schlimmstes passieren?
2. Seien Sie bereit, dies notfalls zu akzeptieren.
3. Dann machen Sie sich in aller Ruhe daran, es nach besten Kräften zu ändern.

3 Was Sorgen mit uns machen können

Wer nicht weiß, wie man Angst und
Sorgen bekämpft, stirbt früh.
Dr. Alexis Carrel

Vor vielen Jahren klingelte eines Abends ein Nachbar an meiner Tür und wollte meine Familie und mich überreden, uns gegen Pocken impfen zu lassen. Er war nur einer der vielen tausend Freiwilligen, die überall in New York von Tür zu Tür gingen. Verängstigte Menschen standen stundenlang Schlange, um geimpft zu werden. Impfstellen wurden eingerichtet, nicht nur in allen Krankenhäusern, sondern auch bei der Feuerwehr, auf Polizeiwachen und in großen Industriebetrieben. Mehr als zweitausend Ärzte und Schwestern arbeiteten fieberhaft Tag und Nacht und impften die Massen. Die Ursache der ganzen Aufregung? Acht Menschen in New York hatten die Pocken – zwei waren gestorben. Zwei Tote bei einer Bevölkerung von fast acht Millionen!

Nun hatte ich schon viele, viele Jahre in New York gelebt, und noch nie hatte jemand bei mir geklingelt und mich vor den durch Angst und Sorgen verursachten Gemütskrankheiten gewarnt – eine Krankheit, die im gleichen Zeitraum zehntausendmal mehr Schaden angerichtet hatte als die Pocken.

Keiner ist je auf meiner Schwelle gestanden, um mir zu erzählen, daß jeder zehnte im Augenblick in den Vereinigten Staaten lebende Mensch einen Nervenzusammenbruch erleiden wird – in der überwiegenden Mehrzahl der Fälle verursacht durch Angst und Sorgen und Gefühlskonflikte. Deshalb schreibe ich dieses Kapitel, weil ich Sie warnen möchte und nicht an Ihrer Tür läuten kann.

Der große Nobelpreisträger für Medizin, Dr. Alexis Carrel, sagte einmal: «Geschäftsleute, die nicht wissen, wie sie Angst und

Sorgen bekämpfen, sterben früh.» Und Hausfrauen auch und Tierärzte und Maurer.

Vor einigen Jahren fuhr ich während meines Urlaubs mit Dr. O. F. Gober, einem der leitenden Ärzte der Santa-Fé-Eisenbahn, mit dem Wagen durch Texas und New Mexico. Wir kamen auch darauf zu sprechen, wie sich Angst und Sorgen beim Menschen auswirken, und er sagte: «Siebzig Prozent aller Kranken, die zum Arzt gehen, könnten sich selbst heilen, wenn sie ihre Ängste und Sorgen loswürden. Damit meine ich natürlich keinen Augenblick, daß sie sich ihre Krankheit nur einbilden. Die ist so real wie Zahnschmerzen und manchmal hundertfach schlimmer. Ich spreche von Krankheiten wie nervösen Verdauungsstörungen, bestimmten Magengeschwüren, Herzrhythmusstörungen, Schlaflosigkeit, gewissen Kopfschmerzen und einigen Arten von Lähmungen. Diese Krankheiten sind alle sehr real. Ich kann das beurteilen, denn ich habe selbst zwölf Jahre lang ein Magengeschwür gehabt.

Angst schafft Sorgen. Sorgen machen einen nervös und verspannt und schlagen sich auf die Magennerven. Dadurch verändern sich die Verdauungssäfte negativ, und das führt oft zu Magengeschwüren.»

Dr. Joseph F. Montague, Verfasser des Buches *Nervöse Magenleiden*, schreibt ungefähr das gleiche: «Von Ihrem Essen bekommen Sie kein Magengeschwür. Sie bekommen es von dem, was an Ihnen frißt.»

Dr. W. C. Alvarez von der Mayo-Klinik sagte: «Häufig brechen Geschwüre aus oder vergehen, entsprechend dem Auf und Ab der emotionalen Spannung.»

Diese Aussage wurde durch eine Untersuchung von fünfzehntausend Patienten bestätigt, die wegen Magenbeschwerden in der Mayo-Klinik behandelt wurden. Bei vier von fünf Patienten fand man keine körperliche Ursache für ihre Beschwerden. Angst, Sorgen, Haß, übersteigerte Egozentrik und die Unfähigkeit, sich der Realität des Lebens anzupassen – dies waren zum größten Teil die Ursachen ihrer Magenleiden und -geschwüre ... Magengeschwüre können tödlich sein. Laut der Illustrierten *Life* stehen sie heute auf der Liste der tödlichen Krankheiten an zehnter Stelle.

Ich stand auch in brieflichem Kontakt mit Dr. Harold C. Habein von der Mayo-Klinik. Bei der Jahresversammlung des Verbandes der Betriebsärzte sprach er über eine Studie, die er mit 176 höheren Angestellten im Durchschnittsalter von 44,3 Jahren durchgeführt hatte. Er berichtete, daß etwas mehr als ein Drittel dieser Männer an einer von drei für Streßsituationen typischen Krankheiten litt – Herzleiden, Geschwüre im Verdauungstrakt, zu hoher Blutdruck. Überlegen Sie einmal – ein Drittel unserer Manager richten sich körperlich durch Herzkrankheiten, Geschwüre und hohen Blutdruck zu Grunde, noch ehe sie fünfundvierzig sind! Was für ein Preis für den Erfolg! Und dabei stimmt es ja gar nicht. Kann man noch von Erfolg sprechen, wenn ein Angestellter eine Beförderung mit Magengeschwüren oder Herzbeschwerden bezahlt? Was hat ein Mensch davon, wenn er die ganze Welt gewinnen könnte und dafür seine Gesundheit verlöre? Selbst wenn einem die ganze Welt gehörte – man kann doch nur in einem einzigen Bett schlafen und auch nur dreimal am Tag essen. Sogar ein Lehrling ist dazu in der Lage – und er schläft wahrscheinlich besser und hat mehr Freude an seinem Essen als ein Spitzenmann. Offen gestanden wäre ich lieber ein sorgloser Mensch ohne Verantwortung, als daß ich mit fünfundvierzig als Direktor einer Eisenbahngesellschaft oder Zigarettenfabrik meine Gesundheit ruiniert habe.

Einer der bekanntesten Zigarettenhersteller der Welt starb plötzlich an einem Herzinfarkt, als er sich in den kanadischen Wäldern ein wenig erholen wollte. Er scheffelte Millionen – und fiel mit einundsechzig tot um. Vermutlich verkaufte er Jahre seines Lebens gegen das, was man «geschäftlichen Erfolg» nennt.

In meinen Augen war dieser Zigarettenmillionär nicht halb so erfolgreich wie mein Vater – ein Bauer in Missouri –, der mit neunundachtzig starb, ohne einen Dollar.

Die berühmten Mayo-Brüder erklärten, daß mehr als die Hälfte unserer Krankenhausbetten von Nervenkranken belegt sind. Aber wenn man die Nerven dieser Menschen bei einer Autopsie unter einem hochempfindlichen Mikroskop betrachtet, scheinen diese in den meisten Fällen so gesund zu sein wie die des Boxers Jack Dempsey. Ihre «Nervenstörungen» werden nicht durch physische Schäden hervorgerufen, sondern durch Gefühle der Hoffnungslosigkeit, der Frustration, der Angst, Sorgen, Niedergeschlagenheit und Verzweiflung. Plato sagte, daß «der größte Irrtum der Ärzte darin besteht, den Körper heilen zu wollen, ohne an den Geist zu denken. Doch Körper und Geist sind eins und sollten nicht getrennt behandelt werden.»

Die Medizin brauchte zweitausenddreihundert Jahre, um diese große Wahrheit zu erkennen. Und erst jetzt beginnen wir eine neue Behandlungsmethode zu entwickeln: die psychosomatische Medizin, die sich sowohl um den Geist als auch um den Körper kümmert. Es wird auch höchste Zeit, denn die Wissenschaft hat gegen fast alle durch stoffliche Krankheitserreger verursachten Krankheiten ein Mittel entdeckt – sei es gegen Cholera, Gelbfieber, die Pocken oder andere Geißeln der Menschheit, die unzählige Millionen von Menschen vorzeitig ins Grab brachten. Doch die medizinische Wissenschaft war nicht imstande, all den Menschen zu helfen, die nicht durch nachweisbare Krankheitserreger, sondern durch Angst, Sorge, Haß, Frustration und Verzweiflung zu körperlichen und seelischen Wracks wurden. An Gemütserkrankungen sterben immer mehr Menschen. Ihre Zahl steigt mit katastrophaler Schnelligkeit an. Einer von sechs jungen Männern, die im Zweiten Weltkrieg einen Einberufungsbefehl erhielten, wurde aus psychischen Gründen zurückgestellt.

Was ist die Ursache von Geisteskrankheiten? Niemand weiß alle Antworten darauf. Doch es ist äußerst wahrscheinlich, daß in vielen Fällen Angst und Sorgen maßgebende Faktoren sind. Das verängstigte und gequälte Individuum kann die harte Welt der Wirklichkeit nicht mehr ertragen und bricht alle Kontakte zu seiner Umgebung ab. Es zieht sich in das Reich seiner eigenen Träume zurück, und damit sind seine Probleme gelöst.

Auf meinem Schreibtisch liegt ein Buch von Dr. Edward Podolsky. Es heißt *Gesund ohne Sorgen.* Hier ein paar Kapitelüberschriften daraus:

- Wie das Herz auf Angstgefühle reagiert
- Sorgen führen zu hohem Blutdruck
- Probleme können Rheumatismus verursachen

- Weniger Aufregungen tun dem Magen gut
- Wie Ängste Schnupfen fördern
- Schilddrüse und Sorgen
- Zuckerkrank aus Angst

Ein anderes interessantes Buch zu diesem Thema ist *Der Mensch – sein eigener Feind* von Dr. Karl Menninger, einem Psychotherapeuten der Mayo-Klinik. In Menningers Buch werden Sie keine Ratschläge finden, wie man Angst und Sorgen vermeiden kann. Aber Sie können darin erstaunliche Berichte darüber lesen, wie wir unseren Körper und unseren Geist durch Angst, Frustration, Haß, Unlust, Auflehnung zerstören. Sicherlich steht in Ihrer Stadtbücherei ein Exemplar.

Sorgen können selbst den unerschütterlichsten Menschen krank machen. General Grant entdeckte dies in den letzten Tagen des amerikanischen Bürgerkriegs. Folgendes geschah: Grant belagerte seit neun Monaten Richmond. Die zerlumpten und hungrigen Truppen General Lees waren geschlagen. Ganze Regimenter liefen gleichzeitig über. Andere beteten in ihren Zelten, schrien und weinten und hatten Visionen. Das Ende war nahe. Lees Männer zündeten die Baumwoll- und Tabaklager in Richmond an, steckten das Arsenal in Brand und flohen aus der Stadt, während riesige Flammen in den dunklen Nachthimmel loderten. Grant verfolgte sie und griff die Konföderierten von beiden Seiten und von hinten an, während Sheridans Kavallerie vorausritt, Bahnschienen zerstörte und Versorgungszüge abfing.

Grant war halbblind vor Kopfweh, blieb hinter seiner Armee zurück und hielt bei einem Bauernhaus. «Ich blieb dort über Nacht», schreibt er in seinen Memoiren, «und badete die Füße in heißem Senfwasser, legte mir an den Handgelenken und im Nacken Senfpflaster auf und hoffte, daß ich am nächsten Morgen gesund sein würde.»

Am nächsten Vormittag wurde er von einer Sekunde zur andern gesund. Und nicht etwa ein Senfpflaster heilte ihn, sondern ein Reiter, der mit einem Brief von Lee angaloppierte. Lee wollte sich ergeben.

«Als der Offizier mit dem Brief eintraf», erzählte Grant, «hatte ich immer noch scheußliche Kopfschmerzen, doch in dem Augenblick, wo ich die Nachricht gelesen hatte, war ich gesund.»

Es waren eindeutig die Sorgen und Aufregungen gewesen, die Grant krank gemacht hatten. Er war in der Sekunde gesund, in der seine Gefühle sich änderten und in Erleichterung, Zuversicht und Überlegenheit umschlugen.

Siebzig Jahre später fand Henry Morgenthau jr., Finanzminister in Franklin D. Roosevelts Kabinett, heraus, daß ihn Sorgen schwindlig machen konnten. Als der Präsident zur Anhebung des Weizenpreises an einem einzigen Tag riesige Weizenmengen aufkaufen ließ, regte sich Morgenthau schrecklich auf. Er schreibt in sein Tagebuch: «Ich fühlte mich richtig schwindlig, während die Sache lief, und mußte nach Hause fahren. Nach dem Mittagessen legte ich mich zwei Stunden ins Bett.»

Wenn ich wissen möchte, was Sorgen und Ängste aus den Menschen machen können, muß ich nicht in eine Bücherei gehen oder einen Arzt aufsuchen. Ich brauche nur aus dem Fenster des Zimmers zu sehen, in dem ich dieses Buch schreibe. Ich kann innerhalb des nächsten Blocks ein Haus sehen, in dem jemand einen Nervenzusammenbruch hatte, und nebenan wohnt ein Mann, der vor Sorgen zuckerkrank wurde. Als die Aktien fielen, stieg der Zuckergehalt in seinem Blut und in seinem Urin.

Nachdem Montaigne, der berühmte französische Philosoph, zum Bürgermeister seiner Heimatstadt Bordeaux gewählt worden war, sagte er zu seinen Mitbürgern: «Ich bin bereit, Ihre Angelegenheiten in meine Hände zu nehmen, nicht aber in meine Leber und Lungen.»

Der Nachbar, den ich weiter oben erwähnte, sog die Schwankungen am Aktienmarkt mit seinem Blut auf – und brachte sich dadurch beinahe um.

Wenn ich mir ins Gedächtnis rufen möchte, was mit Menschen passiert, die sich ängstigen und Sorgen machen, brauche ich nicht das Haus meines Nachbarn zu betrachten. Es genügt schon, wenn ich mich hier in diesem Zimmer umsehe, in dem ich sitze und an meinem Buch schreibe, und mir fällt ein, daß ein früherer Besitzer dieses Hauses sich durch Sorgen und Ängste vorzeitig ins Grab brachte.

Vor Angst und Sorgen können Sie auch mit Rheumatismus und Arthritis im Rollstuhl landen. Dr. Russel L. Cecil, eine weltweit anerkannte Autorität auf dem Gebiet der Arthritis, führt vier Gründe auf, die für die Entstehung von Arthritis am häufigsten sind:

1. Schiffbruch in der Ehe
2. Finanzielle Sorgen und Katastrophen
3. Einsamkeit und Sorgen
4. Anhaltender Haß

Natürlich sind diese vier Punkte nicht die einzigen Ursachen für Arthritis. Es gibt viele verschiedene Arten dieser Krankheit – und auch die verschiedensten Gründe für sie. Doch ich wiederhole noch einmal: Die häufigsten Ursachen sind die von Dr. Russel Cecil angegebenen. Ein Freund von mir wurde zum Beispiel von der Wirtschaftskrise so hart betroffen, daß das Gaswerk ihm das Gas abstellte und die Bank die Hypothek auf sein Haus kündigte. Seine Frau erlitt plötzlich einen schmerzhaften Arthritisanfall, und trotz aller Medikamente, trotz strenger Diät wurde sie erst wieder gesund, als sich ihre finanzielle Situation besserte.

Vor Sorgen kann man sogar kranke Zähne bekommen. In einem Vortrag vor dem amerikanischen Zahnärzteverband sagte Dr. William I. L. McGonigle, daß «negative Gefühle, wie sie durch Sorgen, Angst, Unzufriedenheit hervorgerufen werden, den Kalziumhaushalt des Körpers stören und Zahnverfall verursachen können». Dr. McGonigle erzählte von einem Patienten mit einem tadellosen Gebiß, dessen Frau plötzlich krank wurde. Während der drei Wochen, die sie im Krankenhaus war, bekamen seine Zähne neun Löcher – Löcher, an denen seine Sorgen schuld waren.

Haben Sie einmal einen Menschen erlebt mit einer plötzlich auftretenden Überfunktion der Schilddrüse? Mir ist dies einmal passiert, und ich kann Ihnen sagen, so jemand zittert und bebt und sieht aus, als sei er halbtot vor Angst – und darauf läuft es eigentlich auch hinaus. Die Schilddrüse, die Drüse, die die Körperfunktionen reguliert, funktioniert dann nicht richtig. Die

Herztätigkeit steigert sich – der ganze Körper arbeitet unter Volldampf wie ein Hochofen bei voller Luftzufuhr. Und wenn der Patient nicht mit Medikamenten behandelt oder operiert wird, kann er sozusagen inwendig verbrennen.

Vor einiger Zeit fuhr ich mit einem Freund, der eine Überfunktion der Schilddrüse hatte, nach Philadelphia. Wir suchten Dr. Israel Bram auf, einen bekannten Spezialisten mit jahrzehntelanger Erfahrung auf dem Gebiet des Stoffwechsels. Hier ist der Rat, der auf ein großes Stück Holz gemalt bei ihm im Wartezimmer an der Wand hing. Während ich wartete, schrieb ich ihn auf die Rückseite eines Briefumschlags.

> Wahre Gesundheit
> Die größten und wirksamsten Heilkräfte liegen in festem Glauben, Schlaf, Musik und Lachen. Glauben Sie an Gott, lernen Sie, richtig zu schlafen, lieben Sie gute Musik, sehen Sie die komischen Seiten des Lebens – dann werden Sie gesund und glücklich!

Die erste Frage, die er meinem Freund stellte, war: «Was für Probleme beunruhigen Sie?» Er warnte meinen Freund: Wenn er nicht aufhörte, sich Sorgen zu machen, könnten noch weitere Komplikationen auftreten – Herzbeschwerden, Magengeschwüre, Diabetes. «Alle diese Krankheiten», sagte jener berühmte Arzt, «sind miteinander verwandt, direkt verwandt.»

Als ich einmal den Filmstar Merle Oberon interviewte, erzählte sie mir, daß sie sich das Sorgenmachen einfach verbiete, weil Sorgen das zerstörten, was für sie als Filmschauspielerin ihr größtes Kapital sei: ihr gutes Aussehen.

«Am Anfang meiner Karriere war ich unsicher und hatte Angst», sagte sie. «Ich war gerade aus Indien angekommen und kannte in London keinen Menschen. Ich bemühte mich, beim Film unterzukommen und sprach auch mit ein paar Produzenten, aber keiner gab mir einen Vertrag. Und das bißchen Geld, das ich hatte, schmolz zusammen. Zwei Wochen lang lebte ich nur von Wasser und Keksen. Jetzt machte ich mir nicht nur Sorgen, jetzt hatte ich auch Hunger. ‹Vielleicht machst du eine große Dummheit›, sagte ich zu mir selbst. ‹Vielleicht schaffst du den Durchbruch niemals! Schließlich hast du keine Erfahrung, du bist noch nie vor der Kamera gestanden – was hast du zu bieten außer einem ziemlich hübschen Gesicht?›

Ich stellte mich vor den Spiegel. Und als ich mich darin betrachtete, entdeckte ich, wie meine Sorgen meinem Aussehen geschadet hatten. Die ersten Spuren von Kummerfalten waren zu erkennen. Was für ein ängstliches Gesicht ich machte! Du mußt sofort damit aufhören, überlegte ich. Sorgen kannst du dir nicht leisten. Das einzige, was du zu bieten hast, ist dein gutes Aussehen, und Sorgen machen es kaputt!»

Es gibt wenig, was eine Frau so schnell altern läßt und so häßlich macht wie Sorgen. Das Gesicht wirkt wie erstarrt, man preßt die Kiefer zusammen, und Falten erscheinen. Die Stirn ist ständig gerunzelt. Das Haar kann grau werden, manchmal sogar ausgehen, der Teint wird schlecht, Ausschlag und Pickel entstehen.

Herzerkrankungen sind heute in Amerika der Killer Nummer eins. Im Zweiten Weltkrieg fielen mehr als dreihunderttausend Soldaten, aber im gleichen Zeitraum starben zwei Millionen Zivilisten, die Hälfte davon wurde Opfer von Herzkrankheiten, die Angst und Sorgen und ein Leben unter Hochspannung verursachen. Ja, diesen Killer Nummer eins meinte Dr. Alexis Carrel vor allem, als er sagte: «Wer nicht weiß, wie man Angst und Sorgen bekämpft, stirbt früh.»

Hier noch eine verblüffende, fast nicht zu glaubende Tatsache: Mehr Amerikaner begehen jedes Jahr Selbstmord, als an den fünf weitestverbreiteten Infektionskrankheiten sterben.

Der Grund? Die Antwort ist meistens: «Sorgen.»

Wenn grausame chinesische Krieger ihre Gefangenen martern wollten, fesselten sie sie an Händen und Füßen und legten sie unter einen Sack mit Wasser, aus dem es tropfte und tropfte und tropfte – Tag und Nacht. Die unaufhörlich auf den Kopf fallenden Wassertropfen klangen schließlich wie Hammerschläge – die Menschen wurden verrückt. Auch während der Inquisition in Spanien wurde diese Foltermethode angewandt.

Sorgen und Angst sind wie ständiges Wassertropfen, es tropft und tropft und tropft, und diese unaufhörlichen Sorgentropfen treiben die Menschen oft in Wahnsinn und Selbstmord.

Als junger Mann, als ich in Missouri auf dem Land lebte, fürchtete ich mich halb zu Tode, wenn Billy Sunday, der Prediger, das Höllenfeuer im Jenseits beschrieb. Aber er sprach nie von den Höllenqualen, die wir hier und jetzt auf dieser Erde erleiden können. Wenn Sie zum Beispiel chronische Angst haben, ist es gut möglich, daß Sie eines Tages die fürchterlichsten Schmerzen überfallen, die ein Mensch überhaupt aushalten kann: durch Angina pectoris.

Lieben Sie das Leben? Möchten Sie lange leben und gesund bleiben? Hier ist ein Rezept, wie Sie das schaffen können. Wieder muß ich Dr. Alexis Carrel zitieren. Er sagte: *«Wer noch im schlimmsten Großstadttrubel seine innere Ruhe bewahrt, ist gegen Nervenkrankheiten immun.»*

Können Sie selbst im Großstadttrubel noch Ihren inneren Frieden bewahren? Wenn Sie ein normaler Mensch sind, ist die Antwort: «Ja, unbedingt!» Die meisten von uns sind stärker, als wir glauben. Wir besitzen innere Reserven, die wir wahrscheinlich noch nie angezapft haben. Der große Thoreau drückt das in seinem Buch *Walden* so aus: «Ich kenne nichts Ermutigenderes als die unbestreitbare Fähigkeit des Menschen, sein Leben durch bewußtes Streben erhöhen zu können . . . Wenn man vertrauensvoll in Richtung seiner Träume voranschreitet und sich bemüht, das Leben zu verwirklichen, das man sich vorstellt, werden sich Erfolge einstellen, die man in gewöhnlichen Stunden nicht für möglich hielt.»

Sicherlich haben viele Leser dieses Buches ebensoviel Willenskraft und innere Reserven wie Olga Jarvey, die entdeckte, daß sie sogar in der tragischsten Zeit ihres Lebens fähig war, ihre Ängste zu bekämpfen. Ich bin fest davon überzeugt, daß Sie und ich dies auch können – wenn wir die alten Weisheiten in die Tat umsetzen, über die ich in diesem Buch spreche. Hier ist also Olga Jarveys Geschichte, wie ich sie für mich aufschrieb: «Vor achteinhalb Jahren war ich zum Sterben verurteilt – zu einem langsamen, qualvollen Tod. Ich hatte Krebs. Die größten Fachleute des Landes, die Gebrüder Mayo, bestätigten das Urteil. Ich war in einer Sackgasse, das Nichts gähnte mich an. Ich war jung, ich wollte nicht sterben! Verzweifelt rief ich meinen Arzt an und weinte mich bei ihm aus. Er unterbrach mich ziemlich ungeduldig. ‹Was ist mit dir los, Olga?› fragte er vorwurfsvoll. ‹Hast du denn keinen Mut zum Kämpfen? Natürlich stirbst du, wenn du weiter so heulst! Ja, ja, du machst Schlimmes durch, okay! Aber sieh den Tatsachen ins Auge! Hör auf, Angst zu haben! Und dann tu was dagegen!› In jenem Augenblick, genau in jenem Augenblick schwor ich mir, schwor ich mir so feierlich, daß sich meine Nägel tief in die Handballen gruben und mir kalte Schauer den Rücken hinunterliefen: ‹Ich habe keine Angst mehr! Ich weine nicht mehr! Und wenn es stimmt, daß der Geist der Materie überlegen ist, werde ich siegen! Ich werde LEBEN!›

Bei so schweren Fällen wie meinem wird normalerweise 10½ Minuten hintereinander am Tag bestrahlt, 30 Tage lang. Mich bestrahlte man 14 ½ Minuten, und das 49 Tage lang. Und obwohl mir die Knochen aus dem abgemagerten Leib standen wie Steine in der Wüste und obwohl meine Füße wie Blei waren, *hatte ich keine Angst!* Ich weinte nie! *Ich lächelte!* Ja, ich zwang mich tatsächlich dazu zu lächeln!

Ich bin nicht so dumm, mir einzubilden, daß man mit Lachen Krebs heilen kann. Doch ich glaube felsenfest, daß Fröhlichkeit, ein positives Gefühl, dem Körper helfen, mit der Krankheit fertig zu werden. Jedenfalls erlebte ich ein Wunder, ich wurde geheilt. Ich bin nie gesünder gewesen als in den letzten paar Jahren, und das nicht zuletzt dank jener energischen Worte: ‹Sieh den Tatsachen ins Auge! Hör auf, Angst zu haben! Und dann tu was dagegen!›»

Ich schließe dieses Kapitel mit der Wiederholung von Dr. Alexis Carrels Worten: «Wer nicht weiß, wie man Angst und Sorgen bekämpft, stirbt früh.»

Die Anhänger des Propheten Mohammed ließen sich häufig Koranverse auf die Brust tätowieren. Am liebsten würde ich jedem meiner Leser dieses Motto auf die Brust tätowieren: *«Wer nicht weiß, wie man Angst und Sorgen bekämpft, stirbt früh.»*

Meinte Dr. Carrel etwa *Sie* damit?

Könnte schon sein.

Zusammenfassung des ersten Teils

Was Sie über Ihre Sorgen und Ängste wissen sollten

Regel 1 Wenn Sie Angst und Sorgen vermeiden wollen, folgen Sie Sir William Oslers Rat: Gliedern Sie Ihr Leben in Einheiten von Tagen. Grübeln Sie nicht über die Zukunft nach. Leben Sie einfach nur jeden Tag bis zum Zubettgehen.

Regel 2 Wenn Sie sich das nächstemal von Ihren Problemen in die Enge getrieben fühlen, probieren Sie Willis Carriers Zauberformel aus:
a. Fragen Sie sich: Was kann mir als Schlimmstes passieren, wenn ich es nicht schaffe, mein Problem zu lösen?
b. Bereiten Sie sich in Gedanken darauf vor, das Schlimmste zu akzeptieren – falls nötig.
c. Nun versuchen Sie ruhig und gelassen, das Schlimmste abzuwenden – mit dem Sie sich im Geist bereits abgefunden haben.

Regel 3 Denken Sie immer an den hohen Preis, den Ihre Sorgen und Ängste von Ihrer Gesundheit fordern können. «Wer nicht weiß, wie man Angst und Sorgen bekämpft, stirbt früh.»

Zweiter Teil

Die wichtigsten Methoden zum Analysieren von Angst

4 Wie man durch Angst und Sorgen geschaffene Probleme analysiert und löst

> Sechs ehrliche Diener hab ich,
> Sie lehrten mich, was ich kann.
> Sie heißen Was und Wie und Wo,
> Sie heißen Warum und Wer und Wann.
>
> Rudyard Kipling

Kann man mit der im zweiten Kapitel beschriebenen Zauberformel von Carrier *alle* durch Angst und Sorgen geschaffenen Probleme lösen? Nein, natürlich nicht.

Aber was dann? Die Antwort ist ganz einfach: Wir brauchen uns nur das geistige Rüstzeug zu beschaffen, um mit den verschiedenen Arten von Ängsten fertig zu werden. Wir müssen die drei wichtigsten Punkte der Problemanalyse lernen:

1. Die Tatsachen sammeln.
2. Die Tatsachen analysieren.
3. Eine Entscheidung treffen – und danach handeln.

Alles ganz einleuchtend? Ja, schon Aristoteles lehrte diese Dinge – und handelte danach. Und Sie und ich – wir müssen auch danach handeln, wenn wir die Probleme in den Griff bekommen wollen, die uns bedrängen und unsere Tage und Nächte zu einer wahren Hölle machen.

Nehmen wir Punkt eins: die Tatsachen sammeln. Warum ist dies so wichtig? Weil wir ohne diese Fakten nicht einmal versuchen können, unsere Probleme auf intelligente Art und Weise zu lösen. Ohne Tatsachen bleibt alles wirr, tasten wir herum im Nebel. Ob diese Idee von mir stammt? Nein, das sagte seinerzeit der verstorbene Herbert E. Hawkes von der Columbia-Universität. Er half zweihunderttausend Studenten bei der Lösung ihrer durch Sorgen und Ängste entstandenen Probleme. Er erklärte mir, daß «Verwirrung und Unklarheiten Hauptursachen der Angst» seien. Er drückte sich so aus:

«Die Hälfte aller Sorgen auf der Welt wird von Leuten verursacht, die eine Entscheidung treffen wollen, ehe sie genug Wissen angesammelt haben, auf das sie diese Entscheidung stellen können. Wenn ich zum Beispiel ein Problem habe, mit dem ich mich erst am nächsten Dienstag auseinandersetzen muß, dann weigere ich mich, vor diesem Zeitpunkt eine Lösung auch nur zu versuchen. Aber inzwischen konzentriere ich mich darauf, alle für dieses Problem wichtigen Informationen zu bekommen. Ich bin nicht besorgt, ich grüble nicht darüber nach. Ich habe deswegen keine schlaflosen Nächte. Ich konzentriere mich einfach darauf, die notwendigen Fakten zu erlangen. Und wenn dann der Dienstag schließlich da ist und ich alle Informationen habe, löst sich das Problem gewöhnlich von allein.»

Ich fragte Rektor Hawkes, ob dies bedeute, daß er keine Sorgen mehr kenne. «Ja», antwortete er, «ich glaube, ich kann ehrlich behaupten, daß mein Leben jetzt fast völlig frei von Angst und Sorge ist. Ich habe herausgefunden», fuhr er fort, «daß, wenn man sich die Zeit nimmt, unparteiisch und objektiv die Fakten zu sammeln, die Sorgen und Nöte im Licht dieses Wissens meist verschwinden.»

Lassen Sie mich wiederholen: *Wenn man sich also genug Zeit nimmt und alle Fakten unparteiisch und objektiv sammelt, verschwinden Sorgen und Nöte im Licht dieses Wissens in den meisten Fällen.*

Aber was tun wir gewöhnlich? Wenn wir uns überhaupt um die Tatsachen kümmern – und Thomas Edison behauptete allen Ernstes: «Dem Menschen ist jedes Mittel recht, um Gedankenarbeit zu vermeiden.» –, wenn wir uns also überhaupt um die Fakten kümmern, jagen wir die Hühnerhunde hinter denen her, die uns in unserer Meinung bestärken, und ignorieren alle andern! Wir wollen nur die Tatsachen wissen, die unsere Handlungen rechtfertigen, die zu unserem Wunschdenken gut passen und uns in unseren Vorurteilen bestärken.

André Maurois, der französische Schriftsteller, drückte das so aus: «Alles, was mit unseren persönlichen Wünschen übereinstimmt, erscheint uns als wahr. Alles andere macht uns wütend.»

Ist es da ein Wunder, daß wir nur schwer eine Antwort auf

unsere Probleme finden? Hätten wir nicht die gleichen Probleme mit einer Rechenaufgabe, wenn wir von der Voraussetzung ausgingen, daß zwei und zwei fünf ist? Trotzdem gibt es eine Menge Leute auf dieser Welt, die sich und anderen das Leben zur Hölle machen, weil sie darauf bestehen, daß zwei und zwei fünf ist – oder vielleicht fünfhundert!

Was können wir dagegen tun? Wir müssen unsere Gefühle aus dem Spiel lassen und wirklich «unparteiisch und objektiv die Fakten sammeln».

Wenn wir Angst haben, uns Sorgen machen, ist das jedoch nicht so einfach. Dann werden wir von Gefühlen bedrängt. Hier sind nun zwei Gedanken, die ich nützlich gefunden habe bei dem Versuch, von einem Problem Abstand zu bekommen, um die Fakten in klarem, objektivem Licht betrachten zu können.

1. Beim Sammeln der Fakten tue ich so, als seien diese Informationen nicht für mich selbst, sondern für jemand anders bestimmt. Es hilft mir, das Material kühl und sachlich auszuwerten. Es hilft mir, Gefühle auszuschalten.

2. Wenn ich Unterlagen zu dem Problem, das mir Angst macht, zusammentrage, bilde ich mir manchmal einfach ein, daß ich ein Anwalt der Gegenpartei sei, mit anderen Worten, ich bemühe mich, alle Fakten zu bekommen, die gegen mich sprechen – alle Fakten, die meinen Wünschen schaden, alle Fakten, die ich am liebsten nicht wissen würde.

Dann schreibe ich beide Gruppen auf – die Punkte, die für mich sprechen, und die Punkte, die gegen mich sprechen, und stelle hinterher im allgemeinen fest, daß die Wahrheit irgendwo zwischen diesen zwei Extremen liegt.

Damit wollte ich Ihnen eigentlich nur folgendes klarmachen: Weder Sie noch ich, noch Einstein noch der Oberste Gerichtshof der Vereinigten Staaten – keiner ist so klug, daß er eine intelligente Entscheidung treffen könnte, ohne vorher die Fakten zu kennen. Auch Thomas Edison wußte das. Als er starb, hatte er 2500 Notizbücher voll Material über die Probleme gesammelt, die ihn beschäftigten.

Regel eins für die Lösung Ihrer Probleme ist also: Sammeln Sie die notwendigen Fakten. Befolgen wir Rektor Hawkes' Vorschlag:

Versuchen wir nicht, ein Problem klären zu wollen, ohne auf unparteiische, objektive Art alle Informationen dazu zusammengetragen zu haben.

Allerdings nützen uns alle Fakten dieser Erde nichts, wenn wir sie nicht analysieren und interpretieren.

Bittere Erfahrungen haben mich gelehrt, daß sich die Informationen leichter analysieren lassen, wenn man sie aufgeschrieben hat. Allein alle Punkte auf einem Blatt Papier zu notieren und das Problem schriftlich klar darzustellen, bringt uns ein gutes Stück weiter und hilft uns, eine vernünftige Entscheidung zu treffen. Schon Charles Kettering sagte: *«Ein klar und sachlich dargestelltes Problem ist schon halb gelöst.»*

Jetzt möchte ich Ihnen zeigen, wie all dies in der Praxis aussieht. Die Chinesen sagen, ein Bild ist zehntausend Worte wert. Ich will Ihnen daher die Geschichte eines Mannes schildern, der genau das, was wir gerade besprachen, in die Tat umsetzte.

Nehmen wir den Fall von Galen Litchfield. Ich kenne Galen Litchfield schon seit mehreren Jahren. Er gehört zu den erfolgreichsten amerikanischen Geschäftsleuten im Fernen Osten. Er war 1942 in China, als die Japaner Shanghai eroberten. Und dies ist seine Geschichte. Er erzählte sie mir, als er einmal in meinem Haus zu Gast war.

«Kurz nach dem Angriff auf Pearl Harbor wimmelte es in Shanghai von Japanern. Ich war damals Direktor der Asiatischen Lebensversicherungsgesellschaft von Shanghai. Man schickte uns einen Armeeoffizier, der die Firma liquidieren sollte. In Wirklichkeit war er Admiral. Er befahl mir, seinen Leuten bei der Aufstellung einer Bilanz zu helfen. Ich hatte keine andere Wahl in dieser Sache. Ich konnte mich fügen – oder auch nicht. Und dieses ‹auch nicht› bedeutete den sicheren Tod.

Ich half also, die Unterlagen zu sichten, weil es keine Alternative für mich gab. Aber einen Teil der Sicherheiten im Wert von 750000 Dollar notierte ich nicht auf der Liste, die ich dem Admiral gab. Ich ließ diese Vermögensanteile weg, weil sie zur Filiale in Hongkong gehörten und mit der Firma in Shanghai nichts zu tun hatten. Trotzdem wußte ich, daß ich ins Schwitzen geraten würde, wenn die Japaner es herausfanden. Und sie fanden es bald heraus.

Ich war gerade nicht im Büro, nur mein Hauptbuchhalter. Er erzählte mir hinterher, daß der japanische Admiral einen Wutanfall bekam, mit dem Fuß aufstampfte und fluchte und mich einen Dieb und Verräter nannte. Ich hatte versucht, die japanische Armee zu betrügen! Ich wußte, was das bedeutete. Man würde mich ins Bridgehouse stecken!

Das Bridgehouse war die Folterkammer der japanischen Gestapo. Freunde von mir hatten sich umgebracht, weil sie nicht in dieses Gefängnis kommen wollten. Andere Freunde waren nach tagelangen Verhören und Folterungen dort gestorben. Und jetzt würde man mich selbst ins Bridgehouse schicken.

Was tat ich also? Ich erfuhr die Neuigkeit am Sonntag nachmittag. Vermutlich hätte ich zu Tode erschrocken sein sollen. Sicherlich hätte ich auch mit Entsetzen reagiert, wenn ich nicht eine sichere Methode zur Lösung von Problemen gehabt hätte. Schon vor Jahren hatte ich mir angewöhnt, mich an meine Schreibmaschine zu setzen und zwei Fragen auf ein Blatt Papier zu tippen, wenn ich mir Sorgen machte. Und natürlich auch die Antworten auf diese Fragen.

1. Worüber mache ich mir Sorgen?
2. Was kann ich tun?

Früher versuchte ich oft, diese Fragen zu beantworten, ohne sie vorher zu notieren. Doch das ließ ich bald sein. Denn ich stellte fest, daß das Aufschreiben meine Gedanken klärte. Deshalb ging ich an jenem Sonntag nachmittag direkt auf mein Zimmer im CVJM von Shanghai und holte meine Reiseschreibmaschine hervor. Ich schrieb:

Worüber mache ich mir Sorgen? Ich habe Angst, daß ich morgen ins Bridgehouse gesteckt werde.

Dann tippte ich die zweite Frage: *Was kann ich dagegen tun?*

Ich überlegte stundenlang und schrieb dann vier Lösungsvorschläge auf – und ihre möglichen Folgen.

a) Ich kann versuchen, dem japanischen Admiral die Sache zu erklären. Aber er spricht nicht Englisch. Wenn ich einen Dolmetscher verwende, regt ihn das vielleicht wieder auf. Das könnte meinen Tod bedeuten, denn er ist grausam und würde mich lieber ins Bridgehouse stecken, als die Lage durchzusprechen.

b) Ich kann zu fliehen versuchen. Unmöglich! Ich werde die ganze Zeit beobachtet. Im CVJM muß ich mich an- und abmelden. Bei einem Fluchtversuch werde ich wahrscheinlich gestellt und erschossen.

c) Ich kann hier in meinem Zimmer bleiben und nicht mehr ins Büro gehen. Dann wird der japanische Admiral mißtrauisch und schickt wahrscheinlich ein paar Soldaten, um mich zu holen und ins Bridgehouse zu bringen. Dann habe ich keine Chance mehr, auch nur ein Wort noch zu sagen.

d) Ich kann ins Büro fahren wie jeden Montag. Möglicherweise ist der japanische Admiral so beschäftigt, daß er die ganze Geschichte vergessen hat. Und wenn er doch daran denkt, hat er sich inzwischen vielleicht beruhigt und kommt gar nicht mehr auf die Sache zurück. In diesem Fall kann mir nichts mehr passieren. Andererseits habe ich noch die Chance, ihm alles zu erklären. Am Montag ins Büro zu fahren wie üblich, als sei nichts passiert, läßt mir also zwei Möglichkeiten, wie ich dem Bridgehouse entgehen könnte.

Sobald ich die ganze Geschichte genau durchdacht und beschlossen hatte, ins Büro zu fahren, fühlte ich mich ungeheuer erleichtert.

Als ich am nächsten Vormittag dort erschien, saß der japanische Admiral schon da, eine Zigarette im Mundwinkel. Er starrte mich an, wie ich das bereits gewohnt war – und sagte nichts. Sechs Wochen später kehrte er nach Tokio zurück – Gott sei's gedankt –, und meine Sorgen hatten ein Ende.

Mich hinzusetzen und die verschiedenen Lösungsmöglichkeiten und ihre Folgen durchzudenken und niederzuschreiben und dann sachlich eine Entscheidung zu treffen, hat mir wahrscheinlich das Leben gerettet. Wenn ich nicht so vorgegangen wäre, hätte ich womöglich aus Unsicherheit gezögert und aus einem Impuls heraus das Falsche getan. Ich wäre den ganzen Sonntag nachmittag halb tot vor Angst gewesen. Ich hätte nachts nicht geschlafen. Am Morgen wäre ich mit eingefallenen Wangen und besorgter Miene im Büro aufgetaucht. Und das allein schon hätte bei dem japanischen Admiral Verdacht erregen und ihn zu irgendwelchen Reaktionen veranlassen können.

Die Erfahrung hat mich immer wieder gelehrt, wie enorm wichtig es ist, eine Entscheidung zu treffen. Die Menschen bekommen Nervenzusammenbrüche oder machen sich das Leben zur Hölle, weil sie nicht imstande sind, klar auf ein Ziel hin zu denken, und nicht aufhören können, sich mit ihren Gedanken wie verrückt im Kreis zu drehen. Ich habe festgestellt, daß bereits fünfzig Prozent meiner Nöte verschwunden sind, wenn ich zu einer sauberen und definitiven Entscheidung gelangt bin. Und noch einmal vierzig Prozent lösen sich auf, wenn ich daran gehe, diese Entscheidung auszuführen.

Also sind bereits neunzig Prozent meiner Sorgen zu Ende, nur weil ich mir die folgenden vier Fragen stelle und beantworte:

1. Worüber mache ich mir Sorgen?
2. Was kann ich tun?
3. Wie entscheide ich mich?
4. Wann setze ich meine Entscheidung in die Tat um?»

Galen Litchfield wurde Direktor der Fernostabteilung einer wichtigen amerikanischen Versicherungsfirma mit großen finanziellen Interessen in Asien, und damit einer der einflußreichsten amerikanischen Geschäftsleute in diesem Teil der Erde. Er gestand mir, daß er einen großen Teil seines Erfolges dieser Methode verdanke, Sorgen zu analysieren und zu bewältigen.

Warum erzielt man mit seiner Technik so hervorragende Ergebnisse? Weil sie gründlich und sachlich ist und direkt auf den Kern des Problems losgeht. Und weil sie zum dritten Punkt hinführt, ohne den alles in sich zusammenfiele wie ein Kartenhaus: *Wir sollen handeln. Wenn wir unseren Entschluß nicht ausführen, ist das Faktensammeln und Analysieren völlig umsonst gewesen –* nichts als Energieverschwendung.

«Wenn man eine Entscheidung getroffen hat und sie in die Tat umsetzen soll», sagte William James einmal, «darf man auf keinen Fall über das Ergebnis nachgrübeln.» Er meinte damit, daß Sie *nach einer auf Grund der vorhandenen Fakten getroffenen Ent-*

scheidung gleich etwas unternehmen sollen. Nicht noch einmal zu zweifeln beginnen. Nicht zögern, überlegen und wieder von vorn anfangen. Verlieren Sie sich nicht in Selbstzweifeln, die zu weiteren Zweifeln führen. Blicken Sie nicht mehr zurück.

Ich fragte einmal Waite Phillips, einen der größten Ölmagnaten von Oklahoma, wie er sich in solchen Fällen verhält. «Wie ich herausgefunden habe», sagte er, «schafft es Verwirrung und Ängste, wenn man über einen bestimmten Punkt hinaus weiter über ein Problem nachdenkt. Es kommt der Moment, wo alle weiteren Nachforschungen und Überlegungen nur schaden. Irgendwann ist der Augenblick da, wo wir uns entscheiden und handeln müssen und nicht mehr zurückblicken dürfen.»

Warum fangen Sie nicht gleich an, ein Problem mit Galen Litchfields Methode anzupacken? Hier sind noch einmal die vier Punkte:

1. Worüber mache ich mir Sorgen?
   (Bitte, schreiben Sie Ihre Antwort auf der nachfolgenden freien halben Seite auf.)

2. Was kann ich tun?

3. Wie entscheide ich mich?

4. Wann setze ich meine Entscheidung in die Tat um?

5 Wie Sie fünfzig Prozent Ihrer geschäftlichen Sorgen streichen können

Wenn Sie Geschäftsmann sind, werden Sie jetzt wahrscheinlich denken: Diese Kapitelüberschrift ist lächerlich. Ich führe meinen Betrieb seit zwanzig Jahren, und wenn jemand darüber Bescheid weiß, dann ich. Schon allein der Gedanke, mir einreden zu wollen, ich könnte fünfzig Prozent meiner geschäftlichen Probleme abschaffen, ist völlig verrückt.

Sehr richtig – ich hätte vor ein paar Jahren genauso reagiert. Die Überschrift klingt verheißungsvoll – und Versprechen kosten nichts.

Also seien wir ganz ehrlich: *Vielleicht schaffe ich es nicht*, Ihnen dabei zu helfen, daß Ihre Sorgen um fünfzig Prozent abnehmen. Schließlich und endlich hängt alles von einem selbst ab. Aber ich *kann* folgendes tun: Ich erzähle Ihnen, wie es andere Leute gemacht haben – und überlasse den Rest Ihnen!

Sie erinnern sich sicherlich noch an das Motto des dritten Kapitels: «Wer nicht weiß, wie man Angst und Sorgen bekämpft, stirbt früh.»

Da Sorgen so gefährlich sind – würden Sie nicht schon zufrieden sein, wenn ich Ihnen zehn Prozent abnähme ...? Gut! Also schön. Ich erzähle Ihnen jetzt, wie ein Manager nicht nur fünfzig Prozent seiner Sorgen loswurde, sondern fünfundsiebzig Prozent der Zeit einsparte, die er früher mit Besprechungen über geschäftliche problematische Themen verbrachte.

Außerdem ist es keine Geschichte über einen «Mr. X» oder «einen Mann, den ich in Ohio mal kennenlernte» – kein unverbindliches Beispiel, das Sie nicht nachprüfen können. Es handelt sich um einen Menschen aus Fleisch und Blut – Leon Shimkin, den früheren Teilhaber und Generaldirektor eines der berühmtesten Verlage in den Vereinigten Staaten: Simon and Schuster, Rockefeller Center, New York.

Am besten lasse ich Leon Shimkin selbst berichten:

«Fünfzehn Jahre lang verbrachte ich den halben Bürotag in Konferenzen, um anstehende Fragen zu besprechen. Sollten wir dies tun oder das – oder gar nichts? Wir wurden nervös und unruhig, liefen auf und ab, stritten und bewegten uns im Kreis. Abends war ich immer völlig erschöpft. Ich dachte, daß dies ewig so weitergehen würde, für den Rest meines Lebens. Ich hatte es fünfzehn Jahre so gemacht, und mir kam nie der Gedanke, daß es eine bessere Methode geben könnte. Wenn mir jemand erzählt hätte, ich könnte drei Viertel meiner in diesen anstrengenden Konferenzen verbrachten Zeit einsparen und drei Viertel der nervlichen Anspannung dazu – ich hätte den Betreffenden für einen armen Irren gehalten, einen weltfremden Optimisten. Doch dann stellte ich einen Plan auf, mit dem ich genau dies erreichte. Ich arbeite jetzt seit acht Jahren danach. Er zeitigt wahre Wunder, was meine Arbeitsleistung, meine Gesundheit und meine Zufriedenheit betrifft.

Es klingt wie Zauberei – doch wie bei allen Zaubertricks ist die Geschichte äußerst einfach, wenn man weiß, wie's gemacht wird.

Und dies ist das ganze Geheimnis: Als erstes schaffte ich die Prozedur ab, nach der wir fünfzehn Jahre lang in meinen Konferenzen gearbeitet hatten und die stets damit begann, daß meine besorgten Mitarbeiter genau schilderten, was nicht geklappt hatte, und zum Schluß fragten: ‹Was sollen wir machen?› Zweitens erließ ich eine neue Vorschrift: Wer mit mir ein Problem besprechen wollte, mußte vorher ein Memorandum ausarbeiten und zu folgenden vier Punkten Stellung nehmen:

Frage eins: Was ist das Problem?

(Früher redeten wir ein oder zwei Stunden aufeinander ein, ohne daß irgend jemand wußte, worum es bei dem Problem genau ging. Wir steigerten uns in eine große Erregung hinein und hatten uns nicht einmal die Mühe gemacht, das zur Diskussion stehende Problem überhaupt schriftlich zu fixieren.)

Frage zwei: Was ist die Ursache des Problems?

(Wenn ich jetzt auf mein Berufsleben zurückblicke, bin ich entsetzt darüber, wieviel Zeit wir in schwierigen Konferenzen vergeudeten, ohne auch nur zu versuchen, uns über die Ursachen klarzuwerden, die zu dem fraglichen Problem führten.)

Frage drei: Welche Lösungen sind möglich?

(Früher schlug zum Beispiel ein Konferenzteilnehmer eine Lösung vor. Ein anderer stritt sich dann mit ihm darüber. Die Temperamente prallten aufeinander. Häufig schweiften wir ganz vom Thema ab, und zum Schluß hatte kein Mensch irgendwelche Lösungsvorschläge notiert.)

Frage vier: Welche Lösung schlagen Sie vor?

(Manchmal hatte ich eine Besprechung mit einem Mitarbeiter, der sich stundenlang über die Lage Gedanken gemacht und sich immer wieder im Kreis gedreht hatte, ohne auch nur ein einziges Mal alle Lösungsmöglichkeiten durchzudenken und dann zu notieren: Ich schlage Lösung soundso vor.)

Jetzt kommen meine Mitarbeiter kaum noch mit ihren Problemen zu mir. Warum? Weil sie entdeckten, daß sie alle erreichbaren Fakten sammeln und das Thema durchdenken müssen, um die bewußten vier Fragen beantworten zu können. Und wenn sie soweit sind, stellen sie in drei Viertel aller Fälle fest, daß sie mich nicht brauchen, weil die richtige Lösung ihnen ins Auge springt wie der Toast aus dem Toaster. Und selbst wenn eine Rücksprache notwendig ist, dauert das Gespräch im Vergleich zu früher nur noch ein Drittel der Zeit, weil es in logischen, geordneten Bahnen verläuft, die zu einem vernünftigen Schluß führen.

Im Hause Simon and Schuster wird heute viel weniger Zeit mit Überlegungen und Gesprächen darüber verbraucht, was nicht stimmt oder falsch ist. Und es wird viel mehr zielstrebig gehandelt, um die Dinge wieder richtigzustellen.»

Mein Freund Frank Bettger, einer der Topmanager im Versicherungswesen, erzählte mir einmal, daß er nicht nur seine geschäftlichen Sorgen verringert, sondern sogar sein Einkommen verdoppelt habe, weil er eine ähnliche Methode anwandte.

«Vor vielen Jahren», so berichtete er, «als ich in meinem Beruf anfing und Versicherungen verkaufte, war ich voll grenzenlosem Enthusiasmus und liebte meine Arbeit. Dann passierte etwas

Seltsames. Ich wurde so mutlos, daß ich meinen Job zu hassen begann und mit dem Gedanken spielte, aufzuhören. Ich glaube, das hätte ich auch getan, wenn ich nicht an einem Sonnabend vormittag die Idee gehabt hätte, mich hinzusetzen und darüber nachzudenken, was eigentlich die Wurzel allen Übels war.

1. Ich fragte mich: Was ist eigentlich dein Problem? Die Antwort war: Meine Abschlüsse standen in keinem Verhältnis zu der ungeheuren Menge von Besuchen, die ich machte. Meistens fing es vielversprechend an, doch wenn der Moment zur Unterschrift gekommen war, sagte der Kunde häufig: ‹Gut, Mr. Bettger, ich überleg's mir noch. Kommen Sie doch einfach wieder vorbei.› Die viele Zeit, die ich mit diesen Zweitbesuchen vergeudete, war schuld an meiner Mutlosigkeit.

2. Da fragte ich mich: Was für Lösungsmöglichkeiten gibt es? Um darauf eine Antwort zu finden, mußte ich die Tatsachen kennen. Ich holte meine Buchführung über die letzten zwölf Monate hervor und überprüfte die Zahlen.

Ich machte eine verblüffende Entdeckung! Da stand schwarz auf weiß, daß ich siebzig Prozent aller Verträge gleich beim ersten Besuch abschloß, dreiundzwanzig Prozent beim zweiten, und nur sieben Prozent erst beim dritten, vierten oder fünften Mal. Und nur diese sieben Prozent machten mich so fertig und fraßen meine Zeit. Mit anderen Worten, ich verschwendete den halben Arbeitstag voll und ganz auf den Teil meiner Arbeit, der mir nur sieben Prozent Abschlüsse brachte!

3. Was war die Lösung? Sie lag auf der Hand. Von da an machte ich nie mehr als zwei Besuche und verwendete die dadurch gewonnene Zeit, neue Geldquellen zu erschließen. Das Ergebnis war phantastisch. In ganz kurzer Zeit hatte sich der Nettowert jedes Besuches verdoppelt.»

Wie ich schon sagte, Frank Bettger ist einer der bekanntesten Versicherungskaufleute des Landes. Und doch war er einmal nahe daran aufzugeben. Er hielt sich für einen Versager – bis er durch die Analyse seiner Schwierigkeiten den Schwung erhielt, den er für den Weg nach oben brauchte.

Lassen sich diese Fragen auf *Ihre* geschäftlichen Probleme auch anwenden? Ich möchte meine kühne Behauptung noch einmal wiederholen: Mit dieser Methode können Sie sie um fünfzig Prozent reduzieren.

Also vergessen Sie nicht:

1. Wie lautet das Problem?
2. Was ist die Ursache?
3. Welche Lösungen sind möglich?
4. Welche Lösung wähle ich?

Zusammenfassung des zweiten Teils

Die wichtigsten Methoden zum Analysieren von Angst

Regel 1 Sammeln Sie die Fakten. Denken Sie an das, was Rektor Hawkes von der Columbia-Universität sagte: «Die Hälfte aller Sorgen auf der Welt wird von Leuten verursacht, die eine Entscheidung treffen wollen, ehe sie genug Wissen angesammelt haben, auf das sie diese Entscheidung stellen können.»

Regel 2 Wägen Sie sorgfältig alle Fakten gegeneinander ab und treffen Sie dann eine Entscheidung!

Regel 3 Wenn Sie eine gründlich überlegte Entscheidung getroffen haben, handeln Sie! Machen Sie sich eifrig daran, sie zu verwirklichen – und lassen Sie Grübeleien über das Ergebnis sein!

Regel 4 Wenn Sie oder einer Ihrer Mitarbeiter versucht sind, sich über ein Problem viele Sorgen zu machen, schreiben Sie die folgenden Fragen auf und beantworten Sie sie:
a) Wie lautet das Problem?
b) Was ist die Ursache?
c) Welche Lösungen sind möglich?
d) Welche Lösung ist die beste?

Dritter Teil

Wie man mit der Gewohnheit bricht, sich Sorgen zu machen, ehe man selbst daran zerbricht

6 Wie man Sorgen aus seinen Gedanken verscheucht

Ich werde nie den Abend vergessen, an dem Martin Douglas, einer meiner Studenten, seine Lebensgeschichte erzählte. (Ich habe den Namen geändert, da er aus privaten Gründen anonym bleiben wollte.) Er erzählte von dem Schicksalsschlag, der ihn getroffen hatte. Eigentlich war es nicht nur einer, es waren zwei. Zuerst verlor er seine fünfjährige Tochter, die er angebetet hatte. Er und seine Frau glaubten, daß sie über diesen Verlust niemals hinwegkommen würden. «Aber», so sagte er, «zehn Monate später schenkte uns Gott ein anderes kleines Mädchen – und nahm es uns nach fünf Tagen wieder.»

Diese beiden Tode waren fast zuviel für sie. «Ich konnte es nicht fassen», erzählte uns der Vater. «Ich konnte nicht schlafen, ich konnte nicht essen, ich konnte mich nicht ausruhen oder entspannen. Meine Nerven waren völlig zerrüttet, meine Zuversicht war weg.» Schließlich ging er zum Arzt. Der erste empfahl Schlaftabletten, der nächste riet zu einer Reise. Er probierte beides, doch weder das eine noch das andere half. «Mein Körper fühlte sich an, als stecke er in einem Schraubstock», sagte er, «dessen Schrauben immer fester angezogen wurden.» Die Trauerstarre – wenn Sie je vor Kummer wie gelähmt waren, wissen Sie, was er meinte.

«Aber Gott sei Dank hatten wir noch ein Kind, einen vierjährigen Jungen. Er fand die Lösung. Eines Nachmittags, als ich herumsaß und mich bemitleidete, fragte er: ‹Baust du mir ein Boot, Daddy?› Ich hatte keine Lust dazu, aber offen gestanden hatte ich zu gar nichts Lust. Doch mein Sohn ist ein hartnäckiger kleiner Kerl. Ich mußte nachgeben.

Das Spielzeugschiff zu basteln dauerte etwa drei Stunden. Als es fertig war, stellte ich fest, daß ich mich in diesen drei Stunden zum erstenmal seit Monaten entspannt und friedlich gefühlt hatte.

Diese Entdeckung riß mich aus meiner Lethargie und veranlaßte mich, ein wenig nachzudenken – was ich seit Monaten nicht mehr getan hatte. Ich entdeckte, daß es schwierig ist, sich Sorgen zu machen, während man etwas tut, das Planung und Überlegung verlangt. In meinem Fall hatte das Basteln des Bootes meinen Kummer vertrieben. Deshalb beschloß ich, nicht mehr müßig zu sein.

Am folgenden Abend ging ich im Haus von Zimmer zu Zimmer und stellte eine Liste mit den Arbeiten zusammen, die erledigt werden mußten. Viele Dinge waren reparaturbedürftig: Bücherregale, Treppenstufen, Sturmfenster, Läden, Türgriffe, Schlösser, tropfende Wasserhähne. Es mag erstaunlich erscheinen, aber im Verlauf von zwei Wochen umfaßte meine Aufstellung 242 verschiedene Posten.

In den letzten zwei Jahren habe ich fast alles repariert. Außerdem habe ich mein Leben mit reizvollen anderen Aufgaben angefüllt. Zweimal in der Woche besuche ich in New York Abendkurse für Erwachsenenfortbildung. In meinem Heimatort kümmere ich mich mit um das Gemeinwohl und bin auch Vorsitzender der Schulverwaltung. Es gibt noch eine Menge anderer Sitzungen, zu denen ich gehen muß. Ich helfe, für das Rote Kreuz zu sammeln und vieles mehr. Ich bin jetzt so beschäftigt, daß ich keine Zeit mehr habe, meinen Sorgen und meinem Kummer nachzuhängen.»

Keine Zeit für Sorgen! Genau das sagte auch Winston Churchill, als der Zweite Weltkrieg tobte und er achtzehn Stunden am Tag arbeitete. Als man ihn fragte, ob er nicht Angst habe, weil er eine so irrsinnige Verantwortung tragen müsse, meinte er: «Ich bin zu beschäftigt. Ich habe keine Zeit, mir Sorgen zu machen.»

Charles Kettering war in der gleichen Lage, als er den Wagenanlasser erfand. Später wurde er Vizepräsident von General Motors und leitete bis zu seiner Pensionierung die weltberühmte Forschungsabteilung General Motors Research Corporation. Aber in jenen Tagen, als er noch ein besessener Erfinder war, war er so arm, daß er den Heuboden eines Schuppens als Versuchswerkstatt benutzen mußte. Um Lebensmittel kaufen zu können, mußten sie die fünfzehnhundert Dollar aufbrauchen, die seine Frau mit dem Geben von Klavierunterricht verdient hatte. Später war er gezwungen, seine Lebensversicherung mit fünfhundert Dollar zu beleihen. Ich fragte seine Frau, ob sie sich damals große Sorgen gemacht habe. «Ja», erwiderte sie, «ich konnte vor Angst nicht schlafen, im Gegensatz zu meinem Mann, der so in seine Arbeit vertieft war, daß er keine Zeit hatte, sich Sorgen zu machen.»

Der große Forscher Pasteur sprach einmal von «dem Frieden, den man in Bibliotheken und Laboratorien findet». Warum gerade dort? Weil die Menschen, die in Bibliotheken oder Labors arbeiten, meistens in ihre Aufgabe so vertieft sind, daß sie alles andere völlig vergessen. Forscher haben selten einen Nervenzusammenbruch. Sie haben keine Zeit für derartigen Luxus.

Wie kommt es, daß eine so einfache Sache wie Beschäftigung hilft, unsere Sorgen und Nöte zu vertreiben? Weil das ein Gesetz ist – eines der wichtigsten Gesetze, die die Psychologie je entdeckte. Es handelt sich dabei um folgendes: Es ist völlig unmöglich, daß irgendein menschlicher Verstand, und sei er noch so brillant, mehr als einen Gedanken auf einmal denken kann. Sie glauben mir nicht ganz? Na schön, dann machen wir einmal einen Versuch.

Wie wäre es, wenn Sie sich jetzt zurücklehnen, die Augen schließen und gleichzeitig an die Freiheitsstatue und Ihre Arbeit morgen vormittag denken würden! (Nur zu, probieren Sie's!)

Sie haben herausgefunden, daß Sie *nur der Reihe nach* an diese beiden Dinge denken können, nie gleichzeitig, nicht wahr? Nun, dasselbe gilt auch für die Welt der Gefühle. Sie können nicht im selben Augenblick wegen irgendeiner aufregenden Sache begeistert und in Hochstimmung sein und sich andererseits Sorgen machen, die Sie hinunterziehen. Diese einfache Wahrheit war es auch, die es den Armeepsychiatern ermöglichte, im Zweiten Weltkrieg wahre Wunder zu vollbringen.

Den Soldaten, die ihre Fronterfahrungen nicht verarbeiten konnten, die psychoneurotisch wurden, verschrieben die Armeeärzte als Kur: ständig beschäftigt halten.

Jede wache Minute dieser Männer, die einen Nervenschock

erlitten hatten, war ausgefüllt – gewöhnlich mit Tätigkeiten im Freien wie Angeln, Jagen, Ballspielen, Golf, Fotografieren, Umgraben oder Tanzen. Man ließ ihnen keine Zeit, über ihren schrecklichen Erfahrungen zu brüten.

Beschäftigungstherapie nennt man dies heute, wenn Psychiater ihren Patienten Arbeit verschreiben, als sei sie ein Medikament. Das ist gar nicht neu. Die Ärzte der alten Griechen traten schon fünfhundert Jahre vor Christi Geburt dafür ein.

Von den Quäkern wurde diese Therapie in Philadelphia bereits zur Zeit von Benjamin Franklin angewandt. Ein Mann, der im Jahre 1774 ein Heim der Quäker besuchte, war schockiert darüber, daß geisteskranke Patienten mit Flachsspinnen beschäftigt wurden. Er hielt das für Ausbeutung, bis die Quäker ihm erklärten, daß sich ihre Patienten bei leichter Arbeit wohler fühlten. Sie wirkte nervenberuhigend.

Jeder Psychiater wird Ihnen bestätigen, daß Arbeit – Beschäftigtsein – eines der wirksamsten bekannten Beruhigungsmittel für kranke Nerven ist. Als Henry W. Longfellow seine junge Frau verlor, fand er dies auf eigene Faust heraus. Seine Frau hatte Siegelwachs an einer brennenden Kerze schmelzen wollen, da fing ihr Kleid Feuer. Longfellow hörte sie schreien und versuchte, sie zu retten. Doch sie starb an ihren Verbrennungen. Eine Zeitlang quälte Longfellow die Erinnerung an jenes schreckliche Erlebnis so, daß er fast verrückt geworden wäre. Doch zum Glück waren noch seine drei kleinen Kinder da, die ihn brauchten. Trotz seines Kummers bemühte er sich, ihnen Vater und Mutter zugleich zu sein. Er ging mit ihnen spazieren, erzählte ihnen Geschichten, spielte mit ihnen und verewigte diese Zeit in seinem Gedicht *Die Kinderstunde*. Außerdem übersetzte er Dante. Und alle diese Pflichten hielten ihn so in Atem, daß er sich selbst darüber völlig vergaß. Er fand seinen Seelenfrieden wieder. Wie sagte doch noch der englische Dichter Tennyson, als er seinen besten Freund verlor: «Ich muß mich durch Beschäftigung betäuben, oder ich sterbe an Verzweiflung.»

Die meisten haben wenig Schwierigkeiten, «sich durch Beschäftigung zu betäuben», während sie die Nase in der Tretmühle haben und sich ihr tägliches Brot verdienen. Aber die Zeit nach der Arbeit – die ist gefährlich. Gerade wenn wir frei haben und das Leben genießen und am glücklichsten sein sollten, fallen uns die trübsinnigen Angstteufel an. Das ist dann der Augenblick, wo wir uns fragen, ob wir es im Leben mal zu etwas bringen werden. Ob wir nicht in einer Sackgasse stecken, ob der Chef mit seiner Bemerkung von heute irgend etwas «gemeint» hat, ob wir schon alt und grau werden.

Wenn wir nicht beschäftigt sind, neigen wir dazu, in uns eine Art geistiger Leere entstehen zu lassen. Aber schon jeder Physikstudent weiß, daß «die Natur eine Abscheu vor dem leeren Raum hat». Das, was für uns einem Vakuum am nächsten kommt und Sie und ich sehen können, ist das Innere einer elektrischen Glühbirne. Wenn Sie sie zerbrechen, läßt die Natur Luft in den theoretisch leeren Raum strömen.

Die Natur füllt auch unseren leeren Geist. Mit was? Gewöhnlich mit Emotionen. Warum? Weil Gefühle wie Angst, Furcht, Haß, Eifersucht und Neid von Urgewalten und den dynamischen Kräften des Dschungels angetrieben werden. Derartige Gefühle sind so stark, daß sie alle friedvollen, glücklichen Gedanken und positiven Energien aus unserem Kopf verdrängen können.

James Mursell, Pädagogikprofessor an der Lehrerhochschule in Columbia, drückte das sehr gut aus, als er sagte: «Sorgen und Ängste überfallen uns am heftigsten nach der Arbeit und nicht, wenn wir beschäftigt sind. Dann kann die Phantasie Amok laufen und sich alle möglichen lächerlichen Dinge ausmalen und die unbedeutendsten Kleinigkeiten ins Riesenhafte vergrößern. In solchen Augenblicken ist der Geist wie ein Motor, der keine Last zu befördern hat. Er arbeitet wie wild und kann sich unter Umständen aus seiner Befestigung losreißen oder sogar zerspringen. In seiner Arbeit aufzugehen und etwas Positives zu tun, ist das beste Mittel gegen Sorgen und Angst.»

Aber man muß kein Universitätsprofessor sein, um dies zu begreifen und danach zu handeln. Während des Zweiten Weltkriegs lernte ich eine Hausfrau aus Chicago kennen, die mir erzählte, wie sie herausfand, daß «in seiner Arbeit aufzugehen und etwas Positives zu tun das beste Mittel gegen Angst sei».

Ich traf diese Frau und ihren Mann im Speisewagen, als ich von New York zu meiner Farm in Missouri fuhr.

Die beiden erzählten mir, daß ihr Sohn sich einen Tag nach Pearl Harbor freiwillig gemeldet habe. Die Frau sagte, sie habe vor Sorgen um ihren einzigen Sohn beinahe ihre Gesundheit ruiniert. Wo war er? War er in Sicherheit? Oder an der Front? Würde er verwundet werden? Getötet?

Als ich sie fragte, wie sie mit ihren Sorgen fertig geworden sei, erwiderte sie: «Ich beschäftigte mich.» Sie berichtete, daß sie als erstes ihr Mädchen entlassen habe und alle Hausarbeit selbst erledigte. Doch das nützte nicht viel. «Das Problem dabei war», sagte sie, «daß ich alle Arbeiten im Haus fast automatisch tat, ohne viel überlegen zu müssen. Während ich also die Betten machte oder abwusch, grübelte ich weiter. Ich erkannte, daß ich neue Arbeit brauchte, die mich geistig und körperlich jede Stunde des Tages in Atem hielt. Deshalb wurde ich Verkäuferin in einem großen Warenhaus.

Es wirkte», sagte sie. «Ich tauchte unter in einem Wirbel von Aktivität. Kunden standen in Scharen herum, fragten nach Preisen, wollten Größen wissen, suchten bestimmte Farben. Nicht eine einzige Sekunde hatte ich Zeit, an etwas anderes als an meine Arbeit zu denken. Und wenn es Abend wurde, hatte ich nur noch den einen Gedanken: die schmerzenden Füße hochzulegen. Kaum hatte ich gegessen, fiel ich auch schon ins Bett und schlief sofort ein. Ich hatte weder Zeit noch Kraft, mir Sorgen zu machen.»

Sie entdeckte für sich selbst, was John Cowper Powys in *Die Kunst, Unangenehmes zu vergessen* so beschreibt: «Ein gewisses angenehmes Gefühl der Sicherheit, eine Art tiefer innerer Friede, so etwas wie glückselige Betäubtheit beruhigt die Nerven des menschlichen Tieres, wenn es in die ihm übertragene Aufgabe vertieft ist.»

Was für ein Segen, daß es so ist! Eine der berühmtesten weiblichen Forschungsreisenden, Osa Johnson, erzählte mir, wie sie ihre Sorgen und Ängste los wurde. Vielleicht haben Sie ihre Autobiographie gelesen. Sie heißt *Ich heiratete das Abenteuer*. Wenn je eine Frau mit dem Abenteuer verheiratet war, dann bestimmt sie. Martin Johnson wurde ihr Mann, als sie sechzehn Jahre war. Er hob sie von einem Gehweg in Chanute, Kansas, auf und setzte sie auf einem Dschungelpfad in Borneo wieder ab. Ein Vierteljahrhundert lang reiste das Paar aus Kansas durch die ganze Welt und drehte Filme über gefährdete Tierarten in Asien und Afrika. Einige Jahre später unternahmen sie eine Vortragsreise und führten ihre berühmten Filme vor. In Denver nahmen sie ein Flugzeug zur Küste. Es prallte gegen einen Berg. Martin Johnson kam dabei ums Leben. Die Ärzte erklärten Osa, daß sie ihr Bett nie wieder verlassen würde. Doch sie kannten Osa Johnson schlecht. Drei Monate später saß sie bereits im Rollstuhl und hielt Vorträge vor einem großen Publikum. In jenem Jahr zeigte sie ihre Filme über hundertmal – immer vom Rollstuhl aus. Als ich sie fragte, warum sie das mache, antwortete sie: «Weil ich dann keine Zeit habe, nachzudenken.»

Osa Johnson hatte für sich die alte Wahrheit entdeckt, die Tennyson schon hundert Jahre früher besang: «Ich muß mich durch Beschäftigung betäuben, oder ich sterbe an Verzweiflung.»

Admiral Byrd machte die gleiche Erfahrung, während er fünf Monate allein in einer Hütte lebte, die buchstäblich unter der riesigen Gletscherdecke des Südpols begraben war, einer Decke aus ewigem Eis, die die ältesten Geheimnisse der Natur enthält, einer Eisdecke, die einen unbekannten Kontinent bedeckt, der größer ist als die Vereinigten Staaten und Europa zusammen. Dort lebte Admiral Byrd fünf Monate lang völlig allein. Im Umkreis von hundert Kilometern existierte kein anderes Lebewesen. Die Kälte war so groß, daß er hörte, wie sein Atem gefror und in feinen Körnern vom Wind an seinen Ohren vorbeigeblasen wurde. In seinem Buch *Allein* beschreibt er genau, wie er diese fünfmonatige furchterregende Dunkelheit ertrug. Die Tage waren so schwarz wie die Nächte. Er mußte sich ständig beschäftigen, um nicht verrückt zu werden.

«Abends», berichtet er, «ehe ich die Laterne ausmachte, legte ich die Arbeit für den folgenden Tag fest. Das wurde zu einer guten Gewohnheit. Ich teilte meine Zeit zum Beispiel so ein: eine Stunde im Nottunnel arbeiten, eine halbe Stunde Schneewehen abtragen, eine Stunde Brennstofftonnen aufstellen, eine Stunde

Bücherregalbretter für die Wände im Lebensmitteltunnel zurechtschneiden, und zwei Stunden einen gebrochenen Steg am Passagierschlitten reparieren...

Es war herrlich», schreibt er, «die Zeit auf diese Weise verteilen zu können. Es verschaffte mir ein großartiges Gefühl der Selbstbeherrschung...» Und er fügt hinzu: «Ohne dieses oder etwas Ähnliches wären die Tage ohne Sinn gewesen. Und ohne Sinn hätten sie geendet, wie solche Tage immer enden, in Auflösung.»

Merken Sie es sich gut: «Ohne Sinn hätten die Tage geendet, wie solche Tage immer enden, in Auflösung.»

Wenn Sie oder ich Sorgen haben, wollen wir uns daran erinnern, daß wir die gute altmodische Arbeit als Heilmittel gebrauchen können. Das sagte kein geringerer als der verstorbene Dr. Richard C. Cabot, ehemaliger Professor für klinische Medizin in Harvard. In seinem Buch *Wovon der Mensch lebt* schreibt Cabot: «Als Arzt hatte ich das Glück, zu beobachten, wie Arbeit viele Menschen heilte, die an Schüttellähmung litten, verursacht durch tiefen Zweifel, Unentschlossenheit, Unsicherheit und Angst... Der Mut, den uns unsere Arbeit gibt, gleicht dem Selbstvertrauen, das Emerson für alle Ewigkeit verherrlicht hat.»

Wenn Sie und ich uns nicht beschäftigen, wenn wir dasitzen und brüten, erzeugen wir eine ganze Schar von «Wibbergibbern», wie Charles Darwin sie nannte. Und Wibbergibber sind nichts anderes als die Kobolde von einst, die uns aushöhlen und unsere Tatkraft, unseren Willen zerstören.

Ich kannte einmal in New York einen Geschäftsmann, der gegen die Wibbergibber ankämpfte und so beschäftigt war, daß er keine Zeit zum Grübeln hatte. Er hieß Tremper Longman und war ein Student von mir. Seine Geschichte war so interessant, so beeindruckend, daß ich ihn einmal nach dem Abendkurs zum Essen einlud. Wir saßen bis weit nach Mitternacht in einem Restaurant und sprachen über seine Erfahrungen. Doch lassen wir ihn selbst zu Wort kommen: «Vor achtzehn Jahren hatte ich solche Sorgen, daß ich an Schlaflosigkeit litt. Ich war nervös, gereizt, fahrig. Ich hatte das Gefühl, kurz vor einem Nervenzusammenbruch zu stehen.

Ich hatte auch Grund, mir Sorgen zu machen. Damals war ich

kaufmännischer Direktor bei Crown Fruit and Extract, also für die Finanzen zuständig. Wir hatten eine halbe Million Dollar in Erdbeerkonserven investiert. Zwanzig Jahre lang hatten wir diese Vierliterdosen an Speiseeishersteller verkauft. Plötzlich stagnierte der Absatz, weil die großen Eisfirmen ihre Produktion stark erweiterten und nur noch Erdbeeren in Fässern kauften, um Zeit und Geld zu sparen.

Da saßen wir nicht nur mit einer halben Million unverkäuflicher Konserven da, sondern wir hatten uns auch verpflichtet, innerhalb der nächsten zwölf Monate noch mehr Erdbeeren zu kaufen, für eine Million Dollar. Von den Banken war uns ein Kredit von 350000 Dollar gegeben worden. Wir konnten weder die alten Kredite zurückzahlen noch neue aufnehmen. Kein Wunder, daß ich mir Sorgen machte.

Ich eilte nach Watsonville in Kalifornien, wo unsere Fabrik stand, und versuchte, unseren Generaldirektor davon zu überzeugen, daß sich die Lage verändert hatte, daß wir Bankrott machen würden. Er weigerte sich, mir zu glauben. Er gab unserem New Yorker Büro an allem die Schuld – dort sei man eben völlig geschäftsuntüchtig.

Nach tagelangem Hin und Her schaffte ich es schließlich, ihn dazu zu überreden, die Konservenproduktion zu stoppen und unsere neuen Lieferungen auf dem Frischbeerenmarkt von San Francisco zu verkaufen. Damit waren unsere Schwierigkeiten zum größten Teil aus dem Weg geräumt. Ich hätte also aufhören können, mir Sorgen zu machen. Aber ich konnte es nicht mehr. Es war mir zur Gewohnheit geworden.

Nach meiner Rückkehr nach New York begann ich, mir über alles und jedes Sorgen zu machen: über die Kirschen, die wir in Italien kauften, über die Ananas aus Hawaii und so weiter. Ich war nervös, fahrig, konnte nicht schlafen. Und wie ich schon sagte – ich steuerte auf einen Nervenzusammenbruch zu.

In meiner Verzweiflung änderte ich meine Lebensweise, und das heilte mich von meiner Schlaflosigkeit und meinen Grübeleien – ich erhöhte mein Arbeitspensum. Ich packte so viele Probleme an, daß ich mein ganzes Können einsetzen mußte, um sie zu bewältigen, und mir keine Zeit zum Sorgenmachen blieb. Früher hatte ich sieben Stunden am Tag gearbeitet, jetzt schuftete ich fünfzehn, sechzehn. Jeden Morgen war ich um acht Uhr im Büro und blieb dort bis fast gegen Mitternacht. Ich übernahm neue Aufgaben, neue Verantwortung. Wenn ich spät nachts nach Hause kam, war ich völlig erschöpft und fiel wie Blei ins Bett.»

George Bernard Shaw faßte das Ganze einmal sehr richtig zusammen. Er sagte: *«Man ist nur unglücklich, weil man Zeit hat, zu überlegen, ob man unglücklich ist oder nicht. Das ist das ganze Geheimnis.»* Also grübeln Sie nicht darüber nach! Spucken Sie in die Hände und machen Sie sich ans Werk! Ihr Blut wird schneller in den Adern kreisen, Ihr Verstand wird klarer denken – und schon sehr bald wird ein großes positives Lebensgefühl Ihren Körper durchströmen und alle Sorgen aus Ihren Gedanken vertreiben. Also, beschäftigen Sie sich, arbeiten Sie, bleiben Sie am Ball! Das ist die billigste Arznei, die es auf der Welt gibt – und eine der besten.

> Dies ist also Regel eins, wenn man die Gewohnheit, sich Sorgen zu machen, abschütteln will:
> Tun Sie etwas! Ein Mensch, der sich Sorgen macht, muß sich beschäftigen, oder er stirbt an Verzweiflung.

7 Lassen Sie sich von Käfern nicht besiegen

Hier ist eine spannende Geschichte, die ich wohl in meinem ganzen Leben nicht vergessen werde. Sie wurde mir von Robert Moore aus Maplewood in New Jersey erzählt.

«Die wichtigste Lektion meines Lebens erhielt ich während des Krieges», sagte er. «Ich lernte sie unter Wasser, in etwa hundert Metern Tiefe, vor der Küste von Indochina. Ich gehörte zu den 88 Mann Besatzung des U-Bootes *Baya S. S. 318*. Im Horchgerät war zu hören, daß Schiffe in unsere Richtung fuhren. Bei Tagesanbruch gingen wir auf Sehrohrtiefe, um anzugreifen. Ich sah durch das Periskop einen japanischen Geleitzerstörer, einen Tanker und einen Minenleger. Wir feuerten drei Torpedos auf den Geleitzerstörer ab, trafen aber daneben. Die Zielmechanik der Torpedos mußte durcheinandergeraten sein. Der Zerstörer, der von dem Angriff nichts gemerkt hatte, fuhr weiter. Gerade als wir das letzte Schiff, den Minenleger, angreifen wollten, drehte dieser bei und hielt direkt auf uns zu. (Ein japanisches Flugzeug hatte uns zwanzig Meter unter dem Meeresspiegel ausgemacht und unsere Position an den japanischen Minenleger gemeldet.) Wir tauchten auf fünfzig Meter, damit er uns nicht fand, und machten das Boot klar für den Angriff von Wasserbomben. Wir sicherten die Luken mit Zusatzbolzen und stellten die Ventilatoren, das Kühlsystem und alle elektrischen Geräte ab, um jedes Geräusch zu vermeiden.

Drei Minuten später war der Teufel los. Sechs Wasserbomben detonierten um uns herum und drückten uns bis auf den Meeresboden – in eine Tiefe von knapp hundert Metern. Wir waren alle wie erstarrt. In einer Tiefe von etwa dreihundert Metern angegriffen zu werden, ist gefährlich – weniger als etwa hundertfünfzig ist tödlich. Und jetzt hatte der Gegner uns sozusagen in seichtem Wasser erwischt – höchstens knietief, wenn man es aus der Perspektive der Sicherheit betrachtete. Fünfzehn Stunden lang bombardierten uns die Japaner. Wenn in etwa drei Metern Entfernung eine Wasserbombe explodiert, reißt der Druck ein Loch ins U-Boot. Unmengen dieser Wasserbomben explodierten etwa zwanzig Meter weit weg. Wir erhielten den Befehl, uns in unsere Kojen zu legen und Ruhe zu bewahren. Ich war vor Entsetzen wie erstarrt und konnte kaum atmen. ‹Das ist der Tod!› sagte ich immer wieder zu mir. ‹Das ist der Tod! Das ist der Tod!› Da die Ventilatoren und das Kühlsystem ausgeschaltet waren, hatte die Luft im U-Boot mehr als vierzig Grad. Doch ich fror buchstäblich vor Angst und zog einen Pullover und eine pelzgefütterte Jacke an. Und immer noch zitterte ich vor Kälte. Mir klapperten die Zähne. Dann brach mir ein kalter, klebriger Schweiß aus. Der Angriff dauerte fünfzehn Stunden. Dann hörte er plötzlich auf. Offenbar war der Wasserbombenvorrat des japanischen Minenlegers zu Ende, und er dampfte ab. Jene fünfzehn Stunden erschienen mir wie fünfzehn Millionen Jahre. Mein ganzes Leben zog an meinem inneren Auge vorüber. Ich erinnerte mich an alle schlimmen Dinge, die ich getan, an all die Nichtigkeiten, über die ich mich aufgeregt hatte. Bevor ich zur Marine ging, war ich Bankangestellter gewesen. Ich hatte mir wegen der langen Arbeitszeit, des schlechten Gehalts, der geringen Aufstiegschancen Sorgen gemacht. Ich hatte darüber nachgegrübelt, warum ich kein Haus kaufen konnte, keinen neuen Wagen, keine hübschen Kleider für meine Frau. Wie ich meinen früheren Chef gehaßt hatte, der nichts als nörgelte und schimpfte! Ich erinnerte mich, wie ich häufig abends nach Hause gekommen war und schlecht gelaunt und gereizt gewesen war und mich mit meiner Frau wegen Kleinigkeiten gestritten hatte. Ich hatte mir wegen einer Narbe auf meiner Stirn Sorgen gemacht, die von einem Autounfall stammte, bei dem ich eine tiefe Fleischwunde abbekommen hatte.

Wie wichtig mir alle diese Sorgen und Probleme früher erschienen waren! Und wie unsinnig sie einem erscheinen, wenn man jeden Augenblick durch eine Wasserbombe ins Jenseits geblasen werden kann. Damals versprach ich mir: Wenn ich je die Sonne, wenn ich je die Sterne wiedersah, würde ich mir nie wieder Sorgen machen. Nie wieder! Nie wieder!! Nie wieder!!! In jenen entsetzlichen fünfzehn Stunden im Bauch des U-Bootes lernte ich mehr über Lebenskunst als in allen vier Jahren zusammen, die ich an der Universität studierte.»

Häufig verhalten wir uns bei großen Tragödien in unserem Leben ganz tapfer – und dann lassen wir uns von Kleinigkeiten, von irgendeinem Ärger, unterkriegen, die nicht schlimmer sind als Halsweh. Ein hübsches Beispiel dafür gibt es in Samuel Pepys' *Tagebuch*. Pepys war dabei, als Sir Harry Vane in London geköpft wurde. Als Sir Harry auf der Tribüne stand, bat er nicht um sein Leben, sondern zeigte dem Henker nur einen schmerzhaften Furunkel am Hals, den er mit seinem Beil nicht treffen sollte.

Das war auch eine Erfahrung, die Admiral Byrd in der schrecklichen Kälte und Dunkelheit der Polarnächte machte – daß seine Leute sich mehr über Kleinigkeiten erregten als über die großen Dinge. Ohne zu jammern ertrugen sie Gefahren, Strapazen und die Kälte, die häufig über dreißig Grad unter Null betrug. «Aber», schreibt Admiral Byrd, «ich kenne Schlafkameraden, die nicht mehr miteinander sprachen, weil jeder vom anderen glaubte, er brauche für seine Sachen mehr Platz, als ihm zustünde. Und einer war dabei, der nur essen konnte, wenn er in der Messe einen Platz fand, von dem aus er den Langsamesser nicht sehen mußte. Der Langsamesser kaute jeden Bissen feierlich achtundzwanzigmal, ehe er ihn hinunterschluckte.

In einer Polarstation können Kleinigkeiten wie diese sogar beherrschte Männer bis an den Rand des Wahnsinns treiben.»

Und Sie hätten auch noch hinzufügen können, Admiral Byrd, daß solche «Kleinigkeiten» Ehepartner bis an den Rand des Wahnsinns treiben können und an der Hälfte der gebrochenen Herzen auf der Welt schuld sind.

Zumindest behaupten dies die zuständigen Fachleute. Zum Beispiel sagte Richter Joseph Sabath aus Chicago, nachdem er mehr als vierzigtausend unglückliche Ehen geschieden hatte: «Meist sind die nebensächlichsten Dinge am Scheitern einer Beziehung schuld.» Und Frank S. Hogan, ein ehemaliger Staatsanwalt in New York County, meinte: «Die Hälfte aller zur Verhandlung kommenden Kriminalfälle beruht auf Nichtigkeiten: Angeberei in einer Bar, häusliche Streitereien, eine Beleidigung, eine verächtliche Bemerkung, eine Grobheit – das sind die kleinen Dinge, die zu Mord und Totschlag führen. Sehr wenigen von uns wird grausam und schmerzhaft Unrecht getan. Es sind die kleinen Schläge gegen unsere Selbstachtung, die Würdelosigkeiten, die verletzte Eitelkeit, die die Hälfte allen Kummers auf dieser Welt verursachen.»

Als Eleanor Roosevelt frisch verheiratet war, kam sie tagelang nicht darüber hinweg, daß ihre neue Köchin ein schlechtes Essen gekocht hatte. «Wenn das heute passierte», sagte Mrs. Roosevelt später, «würde ich nur die Achseln zucken und es vergessen.» Sehr schön. So handelt man, wenn man auch in seinen Gefühlen erwachsen geworden ist. Sogar Katharina die Große, eine absolutistische Herrscherin, nahm es nicht weiter tragisch, wenn der Koch ein Essen verdarb.

Meine Frau und ich waren einmal bei Freunden in Chicago zum Abendessen eingeladen. Der Herr des Hauses sollte den Braten schneiden und machte dabei irgend etwas falsch. Mir fiel das nicht auf. Und selbst wenn es mir aufgefallen wäre, hätte ich es nicht weiter wichtig genommen. Aber seine Frau sah es und sprang ihm vor uns anderen an die Kehle: «John!» rief sie. «Paß doch auf, was du tust! Wirst du denn nie lernen, richtig vorzulegen!»

Dann sagte sie, zu uns gewandt: «Er macht immer so viele Fehler. Er bemüht sich eben nicht.» Vielleicht gab er sich tatsächlich keine große Mühe. Aber ich muß es ihm hoch anrechnen, daß er mit so einer Frau seit zwanzig Jahren zusammenlebte. Offen gestanden hätte ich lieber ein paar Würstchen mit Senf in Frieden gegessen, als bei einer Pekingente oder Haifischflossensuppe ihrem Gemecker zuzuhören.

Kurz darauf hatten meine Frau und ich ein paar Freunde in unser Haus eingeladen. Ein paar Minuten ehe sie eintreffen sollten, entdeckte meine Frau, daß drei Servietten nicht zum Tischtuch paßten.

«Ich lief zur Köchin», erzählte sie mir später, «und hörte, daß die passenden drei in der Wäscherei waren. Die Gäste mußten jeden Augenblick da sein. Zeit, um die ganze Garnitur auszuwechseln, hatte ich nicht mehr. Am liebsten hätte ich losgeheult. Ich konnte immer nur das eine denken: ‹Warum muß mir so ein dummer kleiner Fehler den ganzen Abend verderben?› Plötzlich kam mir der Gedanke – ja, warum läßt du das zu? Ich empfing meine Gäste mit dem festen Entschluß, uns allen einen schönen Abend zu bereiten. Und so war es dann auch. Mir ist es lieber, unsere Freunde halten mich für eine unordentliche Hausfrau als für eine nervöse, schlechtgelaunte. Außerdem hat meiner Meinung nach keiner was gemerkt.»

In der Rechtsprechung handelt man nach dem Grundsatz: *De minimis non curat lex* – das Gesetz kümmert sich nicht um Kleinigkeiten. Das sollten auch die Menschen bedenken, die sich ständig über irgend etwas Sorgen machen, wenn sie inneren Frieden finden wollen.

In den meisten Fällen brauchen wir nur unseren Blickwinkel zu verändern, und der Ärger über Kleinigkeiten verschwindet. Wir müssen die Sache nur neu und positiv sehen. Mein Freund Homer Croy, der *Sie mußten nach Paris* verfaßt hat und noch ein Dutzend anderer Bücher, erzählte mir einmal ein gutes Beispiel. Während er in New York an einem Buch schrieb, wurde er vom Geräusch der Heizung halb verrückt. Der Dampf knackte und zischte in den Heizkörpern – und er saß an seinem Schreibtisch und kochte fast vor Wut.

«Dann fuhr ich einmal mit Freunden zum Campen», erzählte er. «Abends machten wir ein Feuer, und während ich so dasaß und auf das Knacken der Scheite lauschte, fiel mir plötzlich auf, daß es ähnlich klang wie meine Heizung. Wieso mochte ich hier diese Geräusche und haßte sie in meiner New Yorker Wohnung? Später, als ich wieder zu Hause war, sagte ich zu mir: ‹Das Knistern der Scheite im Feuer hat dir gefallen. Die Heizung macht ungefähr die gleichen Geräusche – ich geh jetzt schlafen und laß mich nicht davon stören.› Und so war es dann auch. Ein paar Tage lang waren mir die Geräusche noch bewußt, dann vergaß ich sie völlig.

Und so ist es mit vielen anderen kleinen Ärgernissen. Wir mögen sie nicht und regen uns darüber auf, weil wir sie zu wichtig nehmen . . .»

Disraeli sagte einmal: «Das Leben ist zu kurz für Nebensächlichkeiten.» – «Dieser Ausspruch», schrieb André Maurois in der Illustrierten *This Week*, «hat mir bei vielen schmerzlichen Erfahrungen geholfen. Oft lassen wir es zu, daß wir uns über Kleinigkeiten erregen, die wir nicht beachten und vergessen sollten ... Da sind wir auf dieser Erde, haben nur noch einige Jahrzehnte zu leben und vergeuden viele unersetzliche Stunden damit, über Ärgernissen zu brüten, die in einem Jahr von uns und allen anderen vergessen worden sind. Nein, wir wollen unser Leben lebenswerten Handlungen und Gefühlen widmen, großen Gedanken, wahrer Zuneigung und Aufgaben, die uns überdauern. Denn das Leben ist zu kurz für Nebensächlichkeiten.»

Selbst ein so berühmter Mann wie Rudyard Kipling vergaß manchmal, daß «das Leben für Nebensächlichkeiten zu kurz ist». Das Resultat? Er und sein Schwager fochten vor Gericht den berühmtesten Streit in der Geschichte von Vermont aus.

Die Geschichte war folgende: Kipling heiratete ein Mädchen aus Vermont, Caroline Balestier, und baute in Brattleboro, Vermont, ein schönes Haus. Er und seine junge Frau zogen ein und dachten, daß sie für den Rest ihres Lebens dort wohnen bleiben würden. Sein Schwager Beatty Balestier wurde Kiplings bester Freund. Die beiden waren unzertrennlich.

Dann kaufte Kipling ein Stück Land von Balestier unter der Vereinbarung, daß Balestier jedes Jahr das Gras schneiden und Heu machen konnte. Eines Tages entdeckte Balestier, daß Kipling einen Blumengarten auf der Wiese anlegen wollte. Sein Blut begann zu kochen. Er ging an die Decke. Kipling schoß sofort zurück. Die Luft über den grünen Bergen von Vermont wurde dick.

Ein paar Tage später fuhr Kipling mit dem Fahrrad eine Straße entlang, als plötzlich sein Schwager mit einem Pferdefuhrwerk aus einer Seitenstraße angerast kam. Kipling fiel vom Fahrrad. Und Kipling verlor den Kopf – der Mann, der einmal schrieb: «Wenn Sie einen klaren Kopf behalten können, wenn die andern ihn verlieren und Ihnen dafür die Schuld geben ...» Also Kipling verlor den Kopf und erstattete Strafanzeige. Es kam zur Gerichtsverhandlung. Es war eine Sensation. Reporter aus allen großen

Städten strömten in den Ort. Die Nachricht ging um die ganze Welt. Doch es kam zu keiner Klärung. Der Streit veranlaßte Kipling und seine Frau, aus ihrem amerikanischen Haus auszuziehen. Sie sahen es nie wieder. Soviel Ärger und Streit wegen einer Kleinigkeit – wegen einem bißchen Heu.

Schon Perikles sagte vor zweitausendvierhundert Jahren: «Hören Sie, meine Herren, wir beschäftigen uns zu lange mit Nebensächlichkeiten!» Ja, das tun wir wirklich!

Eine der interessantesten Geschichten, die Dr. Harry Emerson Fosdick je erzählte, ist die Parabel von einem Baumriesen und seinem Untergang.

«Auf einem Hang am Long's Peak in Colorado liegt der verwitterte Stamm eines riesigen Baumes. Fachleute behaupten, daß er weit mehr als vierhundert Jahre alt ist. Als Columbus auf San Salvador landete, war er vermutlich erst ein Sämling, bei der Einschiffung der Pilgerväter in Plymouth noch lange nicht ausgewachsen. Vierzehnmal in seinem langen Leben schlug der Blitz in ihn ein, und zahllose Lawinen und Stürme schüttelten ihn. Er überdauerte alles. Doch schließlich kam eine Armee von Käfern und fällte ihn. Die Insekten fraßen sich durch die Rinde und zerstörten mit ihrem unaufhörlichen Knabbern und Beißen die Kraft des Baumes. Ein Riese des Waldes, den weder Alter noch Blitze oder Stürme hatten fällen können, stürzte unter den Angriffen von Käfern, so klein, daß ein Mensch sie zwischen Daumen und Zeigefinger zerdrücken könnte.»

Gleichen wir nicht alle diesem tapferen Waldriesen? Schaffen wir es nicht irgendwie immer wieder, die Blitze und Stürme und Lawinen des Lebens zu überstehen, nur damit unsere Herzen von den kleinen Käfern der Sorge, des Ärgers, zerfressen werden – kleinen Käfern, die man zwischen Zeigefinger und Daumen zerdrücken könnte?

Ich fuhr einmal mit Charles Seifred, dem obersten Mann des Straßenbauamts von Wyoming, und ein paar Freunden von ihm durch den Teton National Park, der zu Wyoming gehört. Wir wollten John D. Rockefellers Besitztum besichtigen, das auch in diesem Nationalpark liegt. Aber der Wagen, in dem ich saß, bog einmal falsch ab, wir verfuhren uns und kamen erst eine Stunde nach den anderen am Tor an. Mr. Seifred hatte auf uns gewartet, weil er einen Schlüssel zum Privateingang besaß, seine Freunde waren schon zum Haus gefahren. Also wartete er in dem heißen Wald voller Moskitos, die sogar einen Heiligen in den Wahnsinn hätten treiben können. Doch Charles Seifred konnten sie nicht erschüttern. Um sich die Zeit zu vertreiben, schnitt er einen Ast von einer Espe ab und schnitzte eine Flöte. Als wir eintrafen, schimpfte er da etwa auf die Moskitos? Nein, er spielte auf seiner Flöte. Ich habe sie aufgehoben als Erinnerung an einen Menschen, der Nebensächlichkeiten als das behandelte, was sie sind.

> Um mit der Gewohnheit, sich Sorgen zu machen, zu brechen, ehe man selbst daran zerbricht, hier Regel zwei:
> Lassen wir es nicht zu, daß wir uns über Nebensächlichkeiten aufregen, die wir nicht beachten, sondern schnellstens vergessen sollten. Denken Sie immer daran: «Das Leben ist zu kurz für Kleinlichkeit!»

8 Ein Mittel, das viele Ihrer Ängste und Sorgen abbaut

Ich wuchs auf einer Farm in Missouri auf. Eines Tages, während ich meiner Mutter beim Kirschenentsteinen half – ich war noch klein –, fing ich an zu weinen. «Warum, um Gottes willen, weinst du denn, Dale!» rief meine Mutter. «Ich hab' solche Angst, lebendig begraben zu werden», schluchzte ich.

Damals war ich voller Ängste und Sorgen. Wenn ein Gewitter kam, hatte ich Angst, der Blitz würde mich treffen. Wenn schwere Zeiten kamen, hatte ich Angst, wir hätten nicht genug zu essen. Ich hatte Angst, nach dem Tod in die Hölle zu kommen. Ich hatte Todesangst vor einem älteren Jungen, Sam White, weil er mir die großen Ohren abschneiden würde – wie er es mir angedroht hatte. Ich hatte Angst, die Mädchen würden lachen, wenn ich vor ihnen den Hut zog. Ich hatte Angst, daß mich kein Mädchen heiraten würde. Ich grübelte darüber nach, was ich zu meiner Frau nach der Hochzeit sagen sollte. Ich malte mir aus, daß wir in einer kleinen Kirche auf dem Land heiraten, in eine kleine Kutsche mit Fransen am Dach steigen und zur Farm zurückfahren würden . . . aber was sollte ich während der Fahrt sagen? Was? Ja, was? Während ich hinter dem Pflug herging, grübelte ich über dieses welterschütternde Problem stundenlang nach.

Mit den Jahren entdeckte ich schließlich, daß 99 Prozent aller Dinge, über die ich mir Sorgen machte oder vor denen ich Angst hatte, nie passierten.

Wie ich schon erzählte, hatte ich früher entsetzliche Angst vor dem Blitz. Jetzt weiß ich, daß die Möglichkeit, vom Blitz erschlagen zu werden, laut den Angaben des nationalen Sicherheitsrates eins zu dreihundertfünfzigtausend ist, aufs Jahr gerechnet.

Meine Angst, lebendig begraben zu werden, war sogar noch unsinniger: Ich glaube nicht, daß einer von zehn Millionen auf diese Art und Weise starb, nicht einmal in jenen vergangenen Zeiten, als man die Leichen noch nicht einbalsamierte. Und doch weinte ich deswegen vor Angst.

Jeder achte stirbt an Krebs. Wenn ich mir schon wegen irgend etwas Sorgen machen wollte, dann eher deswegen – statt Angst vor Blitzschlag zu haben oder vor dem Lebendig-begraben-Werden.

Bis jetzt habe ich nur von den Sorgen und Nöten eines kleinen Jungen oder Halbwüchsigen gesprochen. Doch viele unserer Sorgen als Erwachsene sind fast genauso absurd. Sie und ich könnten wahrscheinlich augenblicklich neun Zehntel unserer Sorgen und Nöte streichen, wenn wir einen Augenblick unsere Grübeleien sein lassen und uns darüber informieren würden, ob wir nach der Wahrscheinlichkeitsrechnung überhaupt einen echten Grund für sie haben.

Die berühmteste Versicherungsgesellschaft der Welt – Lloyd's in London – hat unzählige Millionen mit der Schwäche der Menschen verdient, sich über Dinge Sorgen zu machen, die fast nie passieren. Lloyd's wettet mit seinen Kunden, daß der Notfall, das Unglück nicht geschieht, das sie befürchten. Nur nennt man es dort nicht wetten. Man nennt es versichern. Aber eigentlich ist es ein Wettsystem, das nach der Wahrscheinlichkeitsrechnung funktioniert. Diese große Versicherungsfirma blüht und gedeiht seit mehr als zweihundert Jahren. Und wenn sich die menschliche Natur nicht ändert, dann wird sie noch tausend Jahre und länger florieren und Schuhe und Schiffe und Siegelwachs gegen Katastrophen versichern, die nach der Wahrscheinlichkeitsrechnung nicht im mindesten so oft passieren, wie die Leute glauben.

Wenn wir der Sache einmal auf den Grund gehen, werden wir staunen, was für Tatsachen zum Vorschein kommen. Wenn ich zum Beispiel wüßte, daß ich in den nächsten fünf Jahren bei einer Schlacht mitkämpfen müßte, die so blutig war wie die von Gettysburg, wäre ich entsetzt. Ich würde mein Leben so hoch wie irgend möglich versichern, ein Testament machen und alle meine irdischen Angelegenheiten ordnen. Außerdem würde ich mir sagen: «Vermutlich werde ich diese Schlacht nicht überleben, genieße ich also lieber die Zeit, die mir noch bleibt!» Und doch sprechen die Tatsachen dafür, daß es nach dem Gesetz der Wahrscheinlichkeit genauso gefährlich, der Tod genauso sicher ist, wie in Friedenszeiten als Fünfzigjähriger fünfundfünfzig werden zu wollen. Was ich damit sagen möchte: In Friedenszeiten sterben pro Tausend genauso viele Menschen zwischen 50 und 55 Jahren wie von den 163000 Soldaten in der Schlacht von Gettysburg fielen, auch pro Tausend gerechnet.

Ein paar Kapitel dieses Buches schrieb ich in der Sommerfrische in den kanadischen Rockies. Dort lernte ich das Ehepaar Salinger aus San Francisco kennen. Mrs. Salinger, eine ruhige, ernste Frau, machte den Eindruck, als kenne sie Angst und Sorgen nicht. Eines Abends, als wir vor dem lodernden Kaminfeuer saßen, fragte ich sie, ob sie sich schon jemals über irgend etwas Sorgen gemacht oder wirklich beunruhigt habe. «Beunruhigt?» sagte sie. «Ich hätte mich beinahe umgebracht. Ehe ich lernte, meine Sorgen in den Griff zu bekommen, hatte ich mir das Leben elf Jahre lang selbst zur Hölle gemacht. Ich war gereizt und aufbrausend. Ich stand unter schrecklichen Spannungen. Einmal in der Woche fuhr ich von unserem Haus in San Mateo mit dem Bus nach San Francisco zum Einkaufen. Und selbst da steigerte ich mich noch in das große Zittern hinein: Vielleicht hatte ich vergessen, das elektrische Bügeleisen auszumachen. Hatte ich es etwa auf dem Bügelbrett stehen gelassen? Wenn das Haus nun abbrannte? Oder das Mädchen davongelaufen war und die Kinder allein gelassen hatte? Oder waren sie mit den Fahrrädern weggefahren und ein Auto hatte sie überrollt? Mitten beim Einkaufen steigerte ich mich in solche Ängste, in solche Sorgen hinein, daß mir der kalte Schweiß ausbrach. Ich stürzte zur Bushaltestelle und fuhr mit dem nächsten Bus nach Hause, um nachzusehen, ob alles in Ordnung war. Kein Wunder, daß meine erste Ehe ein totales Fiasko war.

Mein zweiter Mann ist Anwalt – ein ruhiger Mensch mit einem analytischen Verstand, der sich nie die geringsten Sorgen macht. Wenn ich ängstlich und nervös wurde, sagte er: ‹Beruhige dich! Überlegen wir mal gründlich ... Worüber machst du dir eigentlich Sorgen? Prüfen wir doch, ob wir nach der Wahrscheinlichkeitsrechnung überhaupt befürchten müssen, daß es eintrifft.›

Zum Beispiel erinnere ich mich an unsere Fahrt von Albuquerque in New Mexico zu den Carlsbad-Höhlen. Wir fuhren über eine Staubstraße, und plötzlich begann es heftig zu stürmen und zu regnen.

Der Wagen rutschte und schleuderte, mein Mann konnte ihn kaum noch unter Kontrolle halten. Ich war überzeugt, daß wir im Straßengraben landen würden, doch mein Mann wiederholte wieder und wieder: ‹Ich fahre sehr langsam. Es wird nichts Schlimmes passieren. Und wenn der Wagen doch in den Graben rutscht, wird uns nach der Wahrscheinlichkeitsrechnung nichts passieren.› Seine Gelassenheit, sein Selbstvertrauen beruhigten mich.

Einmal im Sommer machten wir eine Campingtour in den kanadischen Rockies. Wir zelteten eine Nacht in über zweitausend Metern Höhe, als ein Sturm losbrach und unsere Zelte in Fetzen zu zerreißen drohte. Die Zelte waren mit Spannschnüren auf einem Holzboden befestigt. Das Außenzelt zitterte und bebte und ächzte und quietschte im Wind. Ich dachte, daß unser Zelt jeden Augenblick losgerissen und durch den Nachthimmel davongewirbelt würde. Ich war vor Schreck wie versteinert! Aber mein Mann sagte immer wieder: ‹Hör zu, Liebling, wir reisen mit Führern von Brewsters. Brewsters hat viel Erfahrung. Seit sechzig Jahren stellen sie hier in den Bergen Zelte auf. Schon viele Sommer hat unser Zelt hier gestanden. Es wurde nie weggeblasen, und nach den Gesetzen der Wahrscheinlichkeit wird es auch jetzt stehen bleiben. Und selbst wenn, können wir uns in ein anderes flüchten. Also beruhige dich ...› Ich gehorchte und schlief schließlich sogar ein, als der Sturm nachgelassen hatte.

Vor ein paar Jahren brach in unserer Gegend eine Kinderlähmungsepidemie aus. Früher wäre ich hysterisch geworden. Doch mein Mann brachte mich dazu, gelassen zu bleiben. Wir trafen alle nötigen Vorsichtsmaßnahmen. Wir ließen unsere Kinder nicht in die Schule, sie durften nicht ins Kino und mußten sich vor Menschenansammlungen fernhalten. Wir fragten beim Gesundheitsamt nach und stellten fest, daß selbst bei der schlimmsten

Kinderlähmungsepidemie in ganz Kalifornien, also nicht nur in unserem Teil, nur 1835 Kinder erkrankten. Gewöhnlich waren es nur zwei- bis dreihundert. Natürlich sind auch solche Zahlen noch traurig, trotzdem wußten wir nun, daß der Wahrscheinlichkeitsrechnung nach eine Erkrankung unserer Kinder fast nicht zu erwarten war.

‹Nach der Wahrscheinlichkeitsrechnung wird es nicht passieren.› Dieser Ausspruch hat neunzig Prozent meiner Ängste und Sorgen zum Verschwinden gebracht. Und durch ihn sind die letzten zwanzig Jahre schön und friedlich gewesen, wie ich es in meinen kühnsten Träumen nicht zu hoffen gewagt hätte.»

Es wird behauptet, daß fast alle unsere Ängste und Sorgen, unser Unglücklichsein, von unserer Einbildungskraft verursacht werden und mit der Realität nichts zu tun haben. Wenn ich auf die letzten Jahrzehnte zurückblicke, stelle ich fest, daß dies bei mir tatsächlich so war. Jim Grant erzählte mir, daß er die gleiche Erfahrung gemacht habe. Er war Obstgroßhändler und besaß eine eigene Firma in New York. Manchmal orderte er zehn bis fünfzehn Wagenladungen Florida-Orangen oder Grapefruits auf einmal. Er sagte zu mir, daß er sich ständig mit sorgenvollen Gedanken herumschlug wie zum Beispiel: Was passiert, wenn es einen Zusammenstoß gibt? Wenn die Früchte über die ganze Gegend verstreut werden? Wenn meine Wagen über eine Brükke fahren und sie einstürzt? Natürlich war er versichert. Doch er befürchtete, sein Obst nicht rechtzeitig liefern zu können oder Kunden zu verlieren. Er machte sich so viele Sorgen, daß er dachte, er habe ein Magengeschwür, und zum Arzt ging. Der Arzt stellte fest, daß ihm nichts fehle, er sei nur etwas nervös. «Da ging mir ein Licht auf», sagte er. «Und ich fing an, mir Fragen zu stellen. Ich fragte zum Beispiel: ‹Also, Jim Grant, wie viele Obstlaster sind in all den Jahren für dich gefahren?› Die Antwort war: ‹Ungefähr fünfundzwanzigtausend.› Dann fragte ich: ‹Wie viele hatten einen Unfall?› Antwort: ‹Ach, vielleicht fünf.› Da sagte ich zu mir: ‹Nur fünf – von fünfundzwanzigtausend! Weißt du, was das bedeutet? Das ist ein Verhältnis von eins zu fünftausend! Anders ausgedrückt, nach der Wahrscheinlichkeitsrechnung stehen die Chancen, daß du eine

Ladung verlierst, eins zu fünftausend! Also, weshalb machst du dir Sorgen?›

Dann sagte ich zu mir: ‹Aber eine Brücke könnte einstürzen!› Nun fragte ich: ‹Wie viele Wagen hast du durch einen Brückeneinsturz tatsächlich verloren?› Die Antwort war: ‹Keinen.› Da sagte ich zu mir: ‹Was bist du für ein Idiot! Du machst dir Sorgen wegen einer Brücke, die nie eingestürzt ist, und einem Unfall, der nur alle fünftausendmal passiert, und kriegst beinahe ein Magengeschwür davon!›

Als ich soweit war», erzählte mir Jim Grant, «kam ich mir ziemlich dumm vor. Da beschloß ich, daß sich von nun an die Wahrscheinlichkeitsrechnung um alle meine Sorgen kümmern sollte – und seitdem habe ich nie wieder Magenschmerzen gehabt, ob sie nun eingebildet waren oder nicht.»

Als Al Smith Gouverneur von New York war, hörte ich immer wieder, wie er auf die Attacken seiner politischen Gegner sagte: «Mal sehen, was wir darüber an Informationen haben ... Mal sehen, was wir darüber an Informationen haben!» Und dann nannte er genaue Zahlen und Daten. Das nächstemal, wenn Sie und ich uns über etwas Sorgen machen, halten wir uns an die Worte des klugen alten Al Smith: «Mal sehen, was wir darüber an Informationen haben ...» Prüfen wir nach, was für Gründe es für unsere Grübeleien und Ängste geben könnte, falls überhaupt welche da sind. Genau das machte auch Frederick Mahlstedt, als er dachte, er läge schon in seinem Grab. Hier ist seine Geschichte, die er in einem meiner Abendkurse in New York erzählte:

«Anfang Juni 1944 steckte ich in einem Splittergraben im Abschnitt Omaha Beach. Ich gehörte zur 999sten Nachrichtenkompanie, und wir hatten uns gerade in der Normandie festgesetzt. Während ich mich in diesem Splittergraben umsah – nicht mehr als ein rechteckiges Loch im Boden –, sagte ich zu mir: ‹Sieht genau aus wie ein Grab.› Als ich mich abends hinlegen und schlafen wollte, hatte ich plötzlich das Gefühl, tatsächlich in einem Grab zu liegen. Unwillkürlich dachte ich: Vielleicht ist es ja auch dein Grab! Um elf Uhr nachts griffen die deutschen Bomber an, und die ersten Bomben fielen. Ich war vor Angst wie erstarrt. Zwei oder drei Nächte konnte ich überhaupt nicht schlafen. In der vierten oder fünften war ich mit den Nerven völlig fertig. Ich wußte, daß ich verrückt werden würde, wenn ich nicht etwas unternahm. Ich machte mir klar, daß fünf Nächte verstrichen waren und ich immer noch lebte. Und die anderen Männer meiner Einheit auch. Nur zwei Leute waren verwundet worden, nicht etwa durch die Deutschen, sondern durch Splitter unserer eigenen Flakgeschosse. Ich beschloß, mir keine Gedanken mehr zu machen, sondern etwas Positives zu tun. Und so baute ich mir als Splitterschutz ein solides Holzdach auf mein Loch. Dann überlegte ich, daß meine Einheit über ein ziemlich großes Gebiet verteilt war. Ich sagte mir, daß es mich nur durch einen Volltreffer wirklich erwischen könnte. Meiner Berechnung nach standen die Chancen dafür eins zu zehntausend. Nachdem ich ein paar Nächte immer wieder bewußt solche Gedanken gedacht hatte, beruhigte ich mich und schlief schließlich sogar bei den Angriffen durch.»

Die Marine der Vereinigten Staaten verwendete Statistiken über Mittelwerte als moralische Schützenhilfe für ihre Flottenangehörigen. Ein ehemaliger Matrose erzählte mir, daß er einmal auf einen Tanker mit Flugbenzin abkommandiert worden sei. Die ganze Mannschaft hatte Todesangst, weil sie glaubte, das Schiff würde bei einem Torpedotreffer explodieren und die Explosion sie alle ins Jenseits befördern.

Doch die Marine wußte es besser und veröffentlichte genaue Statistiken. Die Zahlen bewiesen, daß von hundert getroffenen Tankern sechzig seetüchtig blieben und von den vierzig, die tatsächlich sanken, nur fünf in weniger als zehn Minuten untergingen. Und dies bedeutete wiederum, daß noch genug Zeit zum Verlassen des Schiffs war – und daß die Verluste äußerst gering waren. Nützte das Ganze etwas? «Diese Wahrscheinlichkeitsrechnung half enorm. Ich hatte keine Angst mehr», sagte Clyde W. Maas aus St. Paul in Minnesota, der Erzähler dieser Geschichte. «Die Mannschaft fühlte sich besser. Wir wußten, daß wir noch eine Chance hatten und dem Gesetz der Durchschnittswerte nach nicht sterben würden.»

Um mit der Gewohnheit, sich Sorgen zu machen, zu brechen, ehe man selbst daran zerbricht – hier Regel drei:

Prüfen wir unsere Informationen. Fragen wir uns immer: Wie groß ist die Wahrscheinlichkeit, daß die Dinge, über die ich mir Sorgen mache, auch tatsächlich passieren?

9 Akzeptieren Sie das Unvermeidliche

Als kleiner Junge spielte ich mit ein paar Freunden einmal auf dem Dachboden eines alten leeren Holzhauses. Als ich dann wieder vom Dachboden klettern wollte, blieb ich einen Augenblick auf einem Fensterbrett stehen – und sprang auf den Boden hinunter. Am linken Zeigefinger trug ich einen Ring, und mit diesem Ring blieb ich an einem Nagel hängen und riß mir den Finger ab.

Ich schrie. Ich war zu Tode erschrocken. Ich war überzeugt, daß ich sterben würde. Als dann die Hand verheilt war, habe ich nie wieder daran gedacht. Was hätte es für einen Zweck gehabt...? Ich fügte mich ins Unvermeidliche.

Jetzt vergeht oft ein Monat, bis mir plötzlich wieder einmal bewußt wird, daß ich nur drei Finger und einen Daumen an der linken Hand habe.

Vor ein paar Jahren traf ich einen Mann, der in einem New Yorker Bürohaus den Lastenaufzug bediente. Mir fiel auf, daß ihm die linke Hand fehlte. Ich fragte ihn, ob ihn das störte. «O nein», sagte er. «Ich denke selten daran. Nur wenn ich eine Nadel einfädeln will – ich bin nämlich nicht verheiratet –, fällt es mir auf.»

Es ist erstaunlich, wie schnell wir uns mit fast jeder Situation abfinden – wenn wir dazu gezwungen werden. Wir passen uns an und denken nicht mehr daran.

Oft denke ich an die Inschrift an einer zerfallenen Kirche in Amsterdam aus dem fünfzehnten Jahrhundert. Auf flämisch heißt es da: «So ist es. Es kann nicht anders sein.»

Im Laufe der Jahrzehnte werden wir viele unangenehme Situationen erleben, die einfach «so sind». Sie «können nicht anders sein». Wir haben die Wahl: Entweder akzeptieren wir sie als unvermeidlich und passen uns an, oder wir rebellieren und machen uns das Leben schwer und bekommen schließlich vielleicht sogar einen Nervenzusammenbruch.

Hier ist der weise Rat eines meiner Lieblingsphilosophen, William James. *«Nehmt die Dinge, wie sie sind!»* meint er. *«Sich mit den Gegebenheiten abzufinden, ist der erste Schritt, um mit den Folgen eines Unglücks fertig zu werden.»* Elizabeth Connley mußte das auf die harte Art herausfinden. Hier ist der Brief, den sie mir schrieb: «Am selben Tag, an dem Amerika den Sieg seiner Truppen in Nordafrika feierte», steht in dem Brief, «erhielt ich vom Verteidigungsministerium ein Telegramm, daß mein Neffe – der Mensch, den ich am meisten liebte – als vermißt gemeldet sei. Kurz darauf erhielt ich noch ein Telegramm: Er sei gefallen.

Ich war vor Kummer wie von Sinnen. Bis dahin war das Leben immer gut zu mir gewesen. Ich hatte eine Arbeit, die ich mochte. Ich hatte diesen Neffen mit großgezogen. Er symbolisierte für mich alles Gute und Schöne in einem jungen Menschen. Mir war bewußt, daß ich für alles, was ich gab, hundertfach zurückbekam... Und dann traf das Telegramm ein. Meine ganze Welt stürzte ein. Es gab nichts mehr, wofür sich zu leben lohnte. Ich vernachlässigte meine Arbeit, meine Freunde. Ich ließ mich gehen. Ich war voll Bitterkeit und Haß. Warum hatte man mir meinen geliebten Neffen genommen? Warum mußte dieser gute Junge sterben, der noch sein ganzes Leben vor sich gehabt hatte? Ich konnte mich nicht damit abfinden. Mein Kummer war so groß, daß ich meine Arbeit aufgeben, weggehen und mich in meinen Schmerz und meine Tränen verkriechen wollte.

Als ich meinen Schreibtisch aufräumte, fiel mir ein Brief in die Hände, den ich völlig vergessen hatte – ein Brief dieses Neffen, der gefallen war. Er hatte ihn mir ein paar Jahre früher zum Tod meiner Mutter geschrieben. ‹Natürlich werden wir sie alle vermissen›, stand da, ‹vor allem Du. Aber ich weiß, daß Du darüber hinwegkommen wirst. Deine eigene Lebensphilosophie wird Dir dabei helfen. Ich werde nie vergessen, was Du mich Gutes und Schönes gelehrt hast. Wo immer ich bin, wie weit wir auch voneinander getrennt sind – ich werde immer daran denken, daß

Du mich gelehrt hast, zu lächeln und alles, was kommt, anzunehmen wie ein Mann.›

Ich las den Brief wieder und wieder. Ich hatte das Gefühl, als stünde mein Neffe neben mir und sagte: ‹Warum befolgst du nicht selbst das, was du mich gelehrt hast? Weiterzumachen, gleichgültig, was geschieht. Verbirg deinen Kummer unter einem Lächeln und mach weiter.›

Und deshalb kehrte ich zu meiner Arbeit zurück. Ich hörte auf, gegen das Schicksal zu rebellieren. Meine Bitterkeit verschwand. Ich sagte mir immer wieder: ‹Es ist passiert. Ich kann es nicht ändern. Aber ich kann und will weitermachen, wie er das wollte.› Ich stürzte mich mit aller Kraft in meine Arbeit. Ich schrieb Briefe an Soldaten – an die Söhne anderer Leute. Ich belegte Abendkurse, suchte mir neue Anregungen und fand neue Freunde. Ich kann kaum glauben, daß ich mich so verändert habe. Ich habe aufgehört, der Vergangenheit nachzutrauern, die unwiederbringlich vorbei ist. Ich bin jeden Tag froh und glücklich – genau wie es mein Neffe haben wollte. Ich habe mit meinem Leben Frieden geschlossen. Ich habe mein Schicksal akzeptiert. Ich lebe jetzt ein volleres, erfüllteres Leben, als ich je gekannt habe.»

Elizabeth Connley lernte, was wir alle früher oder später lernen müssen: das Unvermeidliche zu akzeptieren und sich mit ihm zu verbünden. «So ist es. Es kann nicht anders sein.» Es ist nicht einfach, sich danach zu verhalten. Sogar Könige mußten sich ständig dazu ermahnen. Georg V. von England hatte folgenden Spruch in seiner Bibliothek an der Wand hängen: «Wünsch dir nicht den Mond vom Himmel, wein nicht über vergossene Milch.» Denselben Gedanken hatte auch Schopenhauer, als er sagte, ein ordentlicher Vorrat an Resignation sei bei unserer Lebensweise mit das wichtigste.

Es ist offensichtlich, daß uns die Umstände allein nicht glücklich oder unglücklich machen. Es ist die Art unserer Reaktion darauf, die unsere Gefühle bestimmt. Jesus sagte, daß das Himmelreich in uns sei. Doch dort ist auch das Reich der Hölle.

Wir alle können Schicksalsschläge aushalten und mit ihnen fertig werden – wenn wir müssen. Vielleicht bezweifeln wir es, doch wir haben erstaunliche innere Kräfte, die uns helfen, wenn wir es nur zulassen. Wir sind stärker, als wir glauben.

Der verstorbene Schriftsteller Booth Tarkington pflegte zu sagen: «Ich könnte alles im Leben aushalten – bis auf eins: blind zu werden. Damit würde ich mich niemals abfinden.»

Dann eines Tages, als er gut in den Sechzigern war, blickte Tarkington auf den Teppich auf dem Boden. Die Farben verschwammen, er konnte das Muster nicht erkennen. Er ging zu einem Spezialisten und erfuhr die traurige Wahrheit: Er würde sein Augenlicht verlieren. Auf einem Auge war er schon fast blind, auf dem anderen würde er es auch bald sein. Wovor er sich am meisten gefürchtet hatte, war wahr geworden.

Und wie reagierte Tarkington auf die Krankheit, mit der er sich «niemals abfinden» würde? Hatte er das Gefühl, jetzt ist es soweit, das ist das Ende? Nein, zu seiner Verblüffung nahm er es gelassen, fast heiter hin. Er machte sogar Witze darüber. Kleine, vorbeischwebende Flecken vor seinen Augen ärgerten ihn. Sie verstellten ihm die Sicht. Aber wenn ein besonders großer dunkler Fleck vorbeizog, sagte er: «Hallo, da ist Großvater wieder! Wo er wohl an so einem schönen Morgen hin will!»

Wie hätte das Schicksal einen so starken Menschen je besiegen können? Die Antwort ist: überhaupt nicht. Als ihn völlige Dunkelheit umgab, sagte Tarkington: «Ich stellte fest, daß ich mich mit dem Verlust meines Sehvermögens abfinden konnte, wie man sich mit allem andern abfinden kann. Wenn ich alle fünf Sinne verlöre, würde ich in mir weiterleben können, in meinem Geist, das weiß ich. Denn es ist der Geist, mit dem wir sehen, und der Geist, durch den wir leben, ob uns dies bewußt ist oder nicht.»

Weil er hoffte, seine Sehkraft wiederzubekommen, ließ sich Tarkington zwölfmal innerhalb eines Jahres operieren, nur mit lokaler Betäubung. Beklagte er sich darüber? Er wußte, daß es notwendig war. Er wußte, daß er es nicht ändern konnte, und so gab es für ihn nur eine Möglichkeit, seine Schmerzen zu ertragen: Er machte gute Miene zum bösen Spiel. Im Krankenhaus wollte er kein Einzelzimmer, sondern lag lieber mit anderen Patienten zusammen, die auch ihre Probleme hatten. Er bemühte sich, sie aufzuheitern. Und als er wieder und wieder operiert werden mußte – bei vollem Bewußtsein, so daß er miterlebte, was die Ärzte mit seinen Augen machten –, klammerte er sich an den Gedanken, was für ein Glückspilz er doch sei. Wie großartig, dachte er, wie großartig, daß die Wissenschaft solche Fortschritte gemacht hat. Heute kann man sogar so etwas Empfindliches wie das menschliche Auge operieren.

Wenn ein normaler Mensch sich zwölfmal hätte operieren lassen müssen und blind gewesen wäre, hätten das seine Nerven sicherlich nicht ausgehalten. Doch Tarkington sagte: «Ich möchte diese Erfahrung gegen keine erfreulichere tauschen.» Sie hatte ihn gelehrt, sein Schicksal anzunehmen. Sie hatte ihn gelehrt, daß nichts, was das Leben noch bringen konnte, über seine Kräfte gehen würde. Sie lehrte ihn, was auch der große englische Dichter John Milton erfuhr: «Es ist nicht traurig, blind zu sein, sondern es ist nur traurig, wenn man Blindsein nicht ertragen kann.»

Margaret Fuller, die bekannte amerikanische Frauenrechtlerin, bekannte einmal: «Ich bin mit dem ganzen Universum einverstanden!»

Als der brummige alte Thomas Carlyle in England das hörte, sagte er bissig: «Bei Gott, das möchte ich ihr auch geraten haben!» Ja, und bei Gott, Sie und ich sollten uns mit dem Unvermeidlichen auch abfinden!

Wenn wir uns dagegen sperren, wenn wir uns wehren und verbittern, ändern wir nichts, nur wir selbst verändern uns. Ich weiß es. Ich habe es nämlich versucht.

Ich weigerte mich einmal, eine Situation als endgültig hinzunehmen, mit der ich konfrontiert wurde. Ich spielte den Verrückten, ich stemmte mich dagegen und rebellierte. Meine schlaflosen Nächte wurden zur Hölle. Ich tat alles, um mir zu schaden. Nach einem Jahr der Selbstquälerei mußte ich mich schließlich mit den Gegebenheiten abfinden. Dabei hatte ich von Anfang an gewußt, daß ich nichts ändern konnte.

Ich hätte schon vor Jahren wie der Dichter Walt Whitman rufen sollen:

Oh, könnte ich Nacht, Stürme, Hunger,

Spott, Zufall und Zurückweisung erleben wie Tiere und Bäume!

Ich habe zwölf Jahre lang Vieh gezüchtet. Aber ich habe nie erlebt, daß eine Jersey-Kuh Fieber bekam, weil das Gras auf der Weide wegen Wassermangel verdorrte oder vor Feuchtigkeit und Kälte verfaulte oder weil ihr Freund einer anderen jungen Kuh schöne Augen machte. Die Tiere begegnen Nacht und Stürmen und Hunger mit Gelassenheit. Sie haben nie einen Nervenzusammenbruch oder bekommen Magengeschwüre. Und sie werden auch nie verrückt.

Empfehle ich Ihnen etwa damit, *alle* Schicksalsschläge, die auf Sie zukommen, einfach hinzunehmen? Ganz sicher nicht! Das wäre reiner Fatalismus. Solange wir eine Chance haben und retten können, was zu retten ist, kämpfen wir! Doch wenn der gesunde Menschenverstand uns sagt, daß eine Sache ist, wie sie ist – und nicht anders –, wollen wir im Namen der Vernunft «nicht vor und hinter uns sehen und uns nicht nach etwas sehnen, das unmöglich ist».

Der verstorbene Rektor Hawkes von der Columbia-Universität erzählte mir, daß er sich einen alten Kindervers zum Wahlspruch genommen habe:

Für jedes Leid auf dieser Welt, so scheint's,
Gibt es ein Mittel oder keins.
Ist eines da, versuch's zu finden!
Ist keines da, mußt du's verwinden!

Während ich an diesem Buch schrieb, interviewte ich einige führende amerikanische Geschäftsleute und war beeindruckt, wie sie das Unvermeidliche akzeptierten und wie frei ihr Leben von Sorgen und Ängsten war. Wenn sie nicht so gelebt hätten, wären sie vor Streß zusammengebrochen. Zur besseren Illustration hier ein paar Beispiele:

J. C. Penney, der Gründer der gleichnamigen Laden-Kette, sagte zu mir: «Ich würde mir keine Sorgen machen, und wenn ich den letzten Dollar verlöre, den ich besitze, weil ich nicht einsehe, was mir das nützen könnte. Ich tue einfach mein möglichstes. Und überlasse alles andere den Göttern.»

Henry Ford erzählte ungefähr das gleiche: «Wenn ich die Dinge nicht beeinflussen kann, dann lasse ich ihnen ihren Lauf.»

Als ich K. T. Keller, den Generaldirektor von Chrysler, fragte, wie er mit seinen Ängsten und Sorgen fertig werde, antwortete er: «Wenn ich vor einem Problem stehe und etwas unternehmen kann, unternehme ich etwas. Wenn ich nichts tun kann, vergesse ich es einfach. Ich mache mir nie Sorgen über die Zukunft, weil ich weiß, daß kein lebendes Wesen vorhersehen kann, was wirklich passiert. So viele unterschiedliche Kräfte beeinflussen sie! Und niemand kann sagen, was diese Kräfte antreibt – oder sie verstehen. Warum sich also darüber den Kopf zerbrechen?» K. T. Keller wäre sicherlich verlegen gewesen, wenn man ihn als Philosophen bezeichnet hätte. Er war einfach ein guter Geschäftsmann, nur stieß er zufällig auf eine Philosophie, die schon Epiktet vor eintausendneunhundert Jahren in Rom lehrte: «Es gibt nur eine Methode, glücklich zu werden», predigte Epiktet den Römern, «wir müssen aufhören, uns über Dinge Sorgen zu machen, die wir mit der Kraft unseres Willens nicht beeinflussen können.»

Die französische Schauspielerin Sarah Bernhardt, die «göttliche Sarah», ist ein berühmtes Beispiel dafür, wie man das Unvermeidliche akzeptieren kann. Ein halbes Jahrhundert lang war sie die Königin des Theaters auf vier Kontinenten, die beliebteste Schauspielerin der Welt. Dann, mit einundsiebzig – sie hatte ihr ganzes Geld verloren –, eröffnete ihr ihr Pariser Arzt Professor Pozzi, daß er ein Bein amputieren müsse. Bei der Fahrt über den Atlantik war sie im Sturm auf Deck gestürzt und hatte sich das Bein schwer verletzt. Die Venen entzündeten sich, das Bein schrumpfte zusammen. Die Schmerzen wurden so heftig, daß der Arzt eine Amputation für notwendig hielt. Er hatte etwas Angst, es der temperamentvollen «göttlichen Sarah» zu sagen. Er war darauf gefaßt, daß diese bei der schrecklichen Nachricht völlig hysterisch werden würde. Doch er täuschte sich. Sarah sah ihn einen Augenblick an und meinte dann gelassen: «Was sein muß, muß sein.» Es war Schicksal.

Als sie in den Operationssaal gerollt wurde, stand ihr Sohn da und weinte. Sie winkte ihm noch einmal fröhlich zu und rief: «Geh nicht weg! Ich bin gleich wieder da.»

Dann sprach sie eine Szene aus einem ihrer Stücke. Jemand fragte sie, ob sie sich damit Mut machen wolle. «Nein», sagte sie, «ich möchte nur die Ärzte und die Schwester etwas ablenken. Es wird für sie ziemlich anstrengend werden.»

Nachdem sie sich von ihrer Operation erholt hatte, reiste sie weiter durch die Welt und verzauberte ihr Publikum noch sieben Jahre lang.

«Wenn wir aufhören, gegen das Unvermeidliche anzukämpfen», schrieb Elsie MacCormick in einem Artikel im *Reader's Digest*, «setzen wir Energien frei, mit denen wir ein besseres Leben gestalten können.»

Kein Mensch hat genug Gefühl und Energie, gegen das Unvermeidliche anzukämpfen, und gleichzeitig noch überschüssige Kraft, das Leben neu zu gestalten. Man muß wählen – das eine oder das andere. Man kann entweder den unvermeidlichen Hagelstürmen des Lebens nachgeben oder sich dagegenstemmen und daran zerbrechen.

Das habe ich auf einer Farm in Missouri beobachtet, die ich einmal besaß. Ich hatte eine Gruppe Bäume gepflanzt, die anfangs erstaunlich schnell wuchs. Dann überzog ein Schneeregen alle Äste mit einer dicken Eisschicht. Statt sich unter ihrer Last anmutig zu beugen, standen diese Bäume stolz und gerade da und splitterten und zerknickten. Wir mußten sie alle fällen. Sie hatten nicht die Weisheit der Wälder im Norden gelernt. Ich bin Hunderte von Kilometern durch die kanadischen Tannenwälder gefahren und habe nie auch nur eine Fichte oder Pinie gesehen, die unter Eis oder nassem Schnee zusammengebrochen war. Diese Bäume wußten, wie sie sich neigen, wie sie ihre Äste nach unten biegen mußten, wie sie das Unvermeidliche ertragen konnten.

Jiu-Jitsu-Meister lehren ihre Schüler, «nachzugeben wie die Weide, nicht festzustehen wie die Eiche».

Warum, glauben Sie, sind Ihre Autoreifen zum Fahren so geeignet und können soviel aushalten? Anfangs wollten die Firmen Reifen produzieren, die den Stößen der Straße widerstanden. Die Dinger zerrissen schnell. Da stellte man einen Reifen her, der alle Stöße und Schläge auffing. Jener Reifen «hielt sie aus». Sie und ich, wir leben länger und können bequemer fahren, wenn wir lernen, die Schläge und Stöße auf dem steinigen Weg unseres Lebens abzufangen.

Was geschieht mit Ihnen und mir, wenn wir uns gegen sie wehren? Was passiert, wenn wir uns weigern, «nachzugeben wie die Weide», und «feststehen wie eine Eiche»? Die Antwort ist leicht. Wir werden viele innere Konflikte heraufbeschwören. Wir werden uns Sorgen machen, verkrampft sein, gekünstelt und neurotisch.

Wenn wir dann noch einen Schritt weitergehen und die rauhe Welt der Wirklichkeit nicht sehen wollen und uns ins Reich unserer selbstgemachten Träume zurückziehen, dann sind wir verrückt.

Während des Krieges mußten sich Millionen entsetzter Soldaten mit dem Unvermeidlichen abfinden oder unter der Anspannung zusammenbrechen. Nehmen wir William H. Casselius' Fall als Beispiel. Hier ist sein Vortrag, den er in einem meiner Abendkurse in New York hielt. Er bekam einen Preis.

«Kurz nachdem ich mich zur Küstenwache gemeldet hatte, wurde ich zu einem der gefährlichsten Orte diesseits des Atlantiks versetzt. Ich sollte Sprengstoff bewachen. Stellen Sie sich das vor! Ausgerechnet ich, ein Keksvertreter, sollte auf Sprengstoff aufpassen! Allein schon der Gedanke, auf Tausenden von Tonnen TNT zu stehen, genügt, daß einem Keksvertreter das Mark in den Knochen gefriert. Nur zwei Tage lang wurde ich geschult. Und was ich da lernte, erfüllte mich nur noch mit mehr abgrundtiefem Entsetzen. Meinen ersten Auftrag werde ich nicht vergessen. An einem trüben, kalten, nebligen Tag bekam ich am offenen Pier von Caven Point in Bayonne, New Jersey, meine Befehle.

Ich wurde nach Laderaum fünf meines Schiffes geschickt. Dort unten sollte ich mit fünf Schauerleuten arbeiten. Sie hatten kräftige Rücken, aber von Sprengstoff keine Ahnung. Und sie verluden Fliegerbomben, jede einzelne hatte eine Tonne TNT – genug, um den ganzen alten Kahn in die Luft zu jagen. Diese Fliegerbomben wurden an zwei Kabelschlingen heruntergelassen. Unaufhörlich dachte ich: Wenn nun eins von den Kabeln abgleitet

– oder zerreißt! O Gott! Was hatte ich Angst! Ich zitterte buchstäblich. Mein Mund war trocken. Die Knie wurden mir weich. Mein Herz klopfte zum Zerreißen. Aber ich konnte nicht weglaufen. Das war Fahnenflucht. Ich würde degradiert, meine Eltern wären entehrt – und vielleicht würde ich sogar erschossen. Ich konnte nicht weglaufen. Also blieb ich da. Ich starrte bloß auf die Hafenarbeiter, die fröhlich und sorglos die Fliegerbomben verluden. Das Schiff konnte jeden Augenblick in die Luft fliegen. Kaltes Entsetzen packte mich. Nach einer Stunde oder mehr begann sich mein gesunder Menschenverstand etwas zu regen. Ich redete auf mich ein wie auf ein kleines Kind. ‹Hör mal!› sagte ich zu mir. ‹Du fliegst also jeden Augenblick in die Luft! Na, und? Du wirst es überhaupt nicht merken. Es geht ganz schnell. Besser als an Krebs zu verrecken. Sei kein solcher Idiot! Du kannst nicht ewig leben! Du mußt es durchstehen – oder du wirst erschossen. Da kannst du deine Arbeit genausogut gern machen!›

So ungefähr redete ich stundenlang auf mich ein. Und allmählich beruhigte ich mich. Schließlich gelang es mir, meine Angst loszuwerden und das Unvermeidliche zu akzeptieren.

Diese Lektion werde ich niemals vergessen! Immer wenn ich versucht bin, mir wegen irgend etwas Sorgen zu machen, das ich wahrscheinlich doch nicht ändern kann, zucke ich mit den Achseln und sage mir: ‹Denk nicht mehr dran!› Es funktioniert – sogar bei einem Keksvertreter!» Hurra! Lassen wir den Keksvertreter von der *Pinafore* hochleben, dreimal hoch und noch einmal hoch!

Abgesehen von der Kreuzigung Jesu ist die berühmteste Sterbeszene der Geschichte der Tod von Sokrates. Noch in zehntausend Jahren werden die Menschen Platos unsterbliche Beschreibung lesen und bewundern – eine der schönsten und bewegendsten Stellen der ganzen Literatur. Gewisse Athener, die auf den alten barfüßigen Sokrates eifersüchtig waren und ihn beneideten, logen sich eine Anklage gegen ihn zusammen und brachten ihn vor Gericht. Er wurde zum Tode verurteilt. Als der freundliche Wärter Sokrates den Schierlingsbecher reichte, sagte er: «Nimm leicht, was sein muß!» Sokrates tat es. Er sah dem Tod mit einer Gelassenheit und Ergebung entgegen, die schon ein Hauch des Göttlichen durchwehte.

«Nimm leicht, was sein muß!» Jene Worte wurden 399 Jahre vor Christi Geburt ausgesprochen. Aber unsere geplagte alte Welt hat sie heute notwendiger denn je. *«Nimm leicht, was sein muß!»*

Ich habe praktisch jedes erreichbare Buch, jeden Artikel gelesen, der auch nur im entferntesten mit der Bekämpfung von Angst und Sorgen zu tun hatte... Möchten Sie wissen, was ich für das Beste halte, das ich bei der ganzen Lektüre fand? Nun, hier ist es – zusammengefaßt in einem Vers von 23 Worten, Worte, die Sie und ich uns an den Badezimmerspiegel kleben sollten, so daß wir jedesmal, wenn wir uns das Gesicht waschen, auch alle Sorgen und Ängste aus unseren Gedanken waschen können. Dieses wunderbare Gebet verfaßte Dr. Reinhold Niebuhr:

Gott gebe mir Gelassenheit,
hinzunehmen, was nicht zu ändern ist.
Mut, zu ändern, was ich ändern kann.
Und Weisheit, zwischen beidem zu unterscheiden.

Hier also Regel vier zu dem Thema, wie man mit der Gewohnheit bricht, sich Sorgen zu machen, ehe man selbst daran zerbricht:
Akzeptieren Sie das Unvermeidliche!

10 Limitieren Sie Ihre Sorgen

Würden Sie gern wissen, wie man an der Börse viel Geld machen kann? Nun, da geht es Ihnen wie Millionen anderen Menschen – und wenn ich die Antwort wüßte, könnte ich dieses Buch für 10000 Dollar pro Exemplar verkaufen. Allerdings kenne ich eine gute Methode, die einige erfolgreiche Finanzmakler anwenden. Die folgende Geschichte wurde mir von Charles Roberts erzählt, einem Anlageberater.

«Ursprünglich kam ich mit 20000 Dollar aus Texas in New York an, die mir meine Freunde als Investitionskapital mitgegeben hatten», erzählte mir Charles Roberts. «Ich dachte», fuhr er fort, «ich würde alle Tricks und Kniffe auf dem Aktienmarkt kennen, aber ich verlor jeden Cent. Zwischendurch machte ich bei einigen Transaktionen ordentliche Gewinne, doch zum Schluß war alles weg.

Daß ich mein eigenes Geld verspekuliert hatte, machte mir nichts aus. Es war mir nur peinlich, daß ich das Geld meiner Freunde verloren hatte, obwohl sie sich so was leisten können. Nach diesem mißglückten Abenteuer hatte ich Angst davor, sie zu treffen. Zu meinem Erstaunen machten sie jedoch gute Miene zum bösen Spiel. Sie waren unverbesserliche Optimisten.

Bisher hatte ich nach dem Prinzip ‹Alles oder nichts› gearbeitet und mich größtenteils auf mein Glück und die Ansichten anderer Leute verlassen. Ich hatte auf dem Aktienmarkt sozusagen vom Blatt gespielt.

Ich fing an, über meine Fehler nachzudenken, und beschloß, der ganzen Sache auf den Grund zu gehen und mich erst dann wieder an neue Geschäfte zu wagen. Also suchte ich mir einen

Lehrer – einen der erfolgreichsten Spekulanten, der je gelebt hat: Burton S. Castles. Ich war überzeugt, daß ich eine Menge von ihm erfahren würde, denn er hatte den Ruf, Jahr um Jahr erfolgreich zu sein, und ich wußte, daß eine solche Karriere kein Produkt des Zufalls oder des Glücks war.

Er stellte mir ein paar Fragen, wie ich bis jetzt gearbeitet hätte, und erzählte mir dann von einem Grundsatz, den ich für den wichtigsten in unserer Branche halte. Er sagte: ‹Jeder Auftrag ist limitiert. Wenn ich zum Beispiel eine Aktie zu sagen wir mal fünfzig Dollar das Stück kaufe, setze ich die Preisgrenze bei fünfundvierzig fest.› Das heißt also, wenn die Aktie fünf Punkte unter den Kaufpreis fällt, würde sie automatisch abgestoßen. Damit ist der Verlust auf fünf Punkte beschränkt.

‹Wenn Sie diese Stop-Loss-Order, wie wir das im Fachjargon nennen, intelligent placieren›, fuhr der alte Meister fort, ‹werden Sie Gewinnspannen von durchschnittlich zehn, fünfundzwanzig oder sogar fünfzig Punkten haben. Wenn Sie Ihre Verluste auf fünf Punkte limitieren, können Sie sich also mehr als die halbe Zeit Irrtümer leisten und trotzdem einen Haufen Geld verdienen.›

Diesen Grundsatz machte ich mir sofort zu eigen und habe ihn seitdem immer angewandt. Er hat meinen Klienten und mir viele tausend Dollar gespart.

Nach einer Weile merkte ich, daß man dieses Prinzip der Limitierung auch auf andere Dinge beziehen konnte, nicht nur auf Aktientransaktionen. Ich begann, nicht nur für meine finanziellen Sorgen eine Grenze festzusetzen, sondern auch für anderes. Ich limitierte jeden und allen Ärger, allen Groll, alle Unlust. Die Wirkung grenzte ans Wunderbare.

Zum Beispiel bin ich häufig mit einem Freund zum Mittagessen verabredet, der selten pünktlich ist. Früher ließ er mich die halbe Mittagszeit schmoren, ehe er auftauchte. Schließlich erzählte ich ihm, daß ich nicht nur meine Käufe und Verkäufe an der Börse limitieren würde, sondern von jetzt an auch meine Sorgen. ‹Bill›, sagte ich, ‹ich begrenze meine Wartezeit auf genau zehn Minuten. Wenn du später kommst, geht unsere Verabredung den Bach hinunter – und ich bin nicht mehr da.›»

Ach, wie sehr wünschte ich, daß ich schon vor Jahren so

vernünftig gewesen wäre, meine Ungeduld zu limitieren, meine Heftigkeit, mein Bedürfnis, mich zu rechtfertigen, meinen Kummer, meine Grübeleien und Gefühlsspannungen. Warum gebrauchte ich nicht meinen gesunden Menschenverstand, warum überprüfte ich nicht jede Situation genau, die meinen Seelenfrieden bedrohte, warum sagte ich nicht zu mir: «Hör zu, Dale Carnegie, diese Geschichte ist nur so und so viel Aufregung wert – und nicht mehr ...» Warum tat ich es nicht?

Allerdings kann ich mir eine Sache zugute halten, bei der ich doch ein wenig Vernunft bewies. Es ging um etwas sehr Wichtiges, ich steckte in meinem Leben in einer Krise. Ich mußte tatenlos mitansehen, wie sich meine Träume und Zukunftspläne und die Arbeit von Jahren in Luft auflösten. Folgendes war geschehen: Als ich Anfang dreißig war, beschloß ich, nur noch Romane zu schreiben. Ich wollte ein zweiter Frank Norris oder Jack London oder Thomas Hardy werden. Mir war es so ernst, daß ich für zwei Jahre nach Europa reiste – wo man in der Inflationszeit mit Dollars billig leben konnte. Ich blieb also zwei Jahre in Europa und schrieb mein ganz großes Meisterwerk und nannte es *Der Blizzard.* Der Titel paßte wie angegossen, denn die Aufnahme, die das Buch bei den Verlegern fand, war so eisig wie der schlimmste Schneesturm, der je über die Ebenen von Dakota geheult hat. Als mein literarischer Agent mir erklärte, daß der Roman schlecht sei, daß ich kein Talent besitze, keine Begabung zum Romanschreiben, setzte mein Herzschlag beinahe aus. Wie im Traum verließ ich sein Büro. Ich war betäubt, als hätte mir der Agent mit einem Stock auf den Kopf geschlagen. Ich war völlig durcheinander. Dann wurde mir klar, daß ich an einem Scheideweg angekommen war und einen unendlich bedeutungsvollen Entschluß fassen mußte. Was sollte ich tun? Wie sollte ich mich entscheiden? Wochen vergingen, ehe ich aus meiner Betäubung wieder auftauchte. Damals hatte ich noch nichts von dem Grundsatz gehört, man solle bei seinen Sorgen und Ängsten eine bestimmte Grenze ziehen. Doch wenn ich jetzt zurückblicke, erkenne ich, daß ich genau nach diesem Grundsatz handelte. Ich schrieb die zwei Jahre, die ich über dem Roman geschwitzt hatte, als das ab, was sie waren – eine großartige Erfahrung –, und kehrte zu meiner alten Arbeit zurück. Ich organisierte wieder Abendkurse für Erwachsenenbildung, unterrichtete und schrieb in meiner Freizeit Biographien – Biographien und Sachbücher wie das, in dem Sie jetzt lesen.

Bin ich heute froh über meinen damaligen Entschluß? Nicht nur froh! Jedesmal, wenn ich daran denke, könnte ich vor Freude durch die Straßen tanzen. Ich kann ehrlich sagen, daß ich nicht einen Tag, nicht eine Stunde bedauerte, kein neuer Thomas Hardy geworden zu sein.

An einem Abend vor hundert Jahren, während eine Zwergohreule im Wald an der Küste von Walden Pond schrie, tauchte der Schriftsteller Henry Thoreau seinen Gänsekiel in die selbstgemachte Tinte und schrieb in sein Tagebuch: «Der Preis einer Sache ist die Menge dessen, was ich Leben nenne, die ich im Austausch dafür früher oder später hergeben muß.»

Anders ausgedrückt – wir sind Dummköpfe, wenn wir für etwas zuviel bezahlen, und zwar mit Lebensqualität.

Doch genau dies taten Gilbert und Sullivan. Sie konnten auf der Bühne eine heitere Welt entstehen lassen mit heiterer Musik, aber sie hatten bedauerlich wenig Ahnung, wie sie ihr eigenes Leben etwas heiterer gestalten konnten. Sie schufen einige der bezauberndsten Musicals, die die Welt je entzückten, wie zum Beispiel *Der Mikado*. Privat dagegen ärgerten sie sich grün und blau. Sie verbitterten sich das Leben wegen einer Lappalie – wegen des Preises für einen Teppich! Sullivan bestellte einen neuen Teppich für das Theater, das die beiden gekauft hatten. Als Gilbert die Rechnung sah, ging er in die Luft. Sie stritten vor Gericht darüber und redeten ihr ganzes Leben kein Wort mehr miteinander. Wenn Sullivan die Musik zu einem neuen Musical komponiert hatte, schickte er Gilbert die Noten mit der Post. Und Gilbert schrieb den Text und schickte ihn an Sullivan. Einmal mußten sie gemeinsam vor den Vorhang treten, jeder stand in einer Ecke der Bühne und verbeugte sich in eine andere Richtung, damit sie sich nicht ansehen mußten. Sie besaßen nicht genug gesunden Menschenverstand, um bei ihren Haßgefühlen eine bestimmte Grenze zu ziehen, wie Präsident Lincoln dies zum Beispiel konnte.

Als einmal während des Bürgerkriegs ein paar seiner Freunde

über seine schlimmsten Feinde schimpften, sagte Lincoln: «Eure Haßgefühle sind viel persönlicher und stärker als meine. Vielleicht hasse ich diese Leute auch gar nicht so sehr. Ich habe nie geglaubt, daß sich das lohnt. Der Mensch hat nicht die Zeit, sein halbes Leben mit Streitereien zu vergeuden. Wenn jemand mit seinen Angriffen auf mich aufhört, wärme ich das nie wieder auf.»

Ich wünschte, eine alte Tante von mir – Tante Edith – wäre so wenig nachtragend gewesen wie Lincoln. Sie und mein Onkel Frank bewirtschafteten eine mit Hypotheken belastete Farm, auf der eigentlich nur Kletten wuchsen. Die Erde war mager und voll Gräben. Sie hatten es schwer und mußten jeden Cent zweimal umdrehen. Nun kaufte Tante Edith gern mal neue Vorhänge oder ein paar andere Kleinigkeiten, um das kahle Haus etwas zu verschönern. Sie kaufte diese Pracht auf Kredit. Onkel Frank machte sich wegen ihrer Schulden Sorgen. Als Farmer hatte er großen Respekt vor unbezahlten Rechnungen, und deshalb bat er den Besitzer des Textiliengeschäfts heimlich, seiner Frau nichts mehr auf Kredit zu geben. Als sie es erfuhr, ging sie an die Decke – und hatte sich fast fünfzig Jahre später immer noch nicht beruhigt. Ich habe erlebt, wie sie die Geschichte erzählte – nicht einmal, sondern oft. Als ich sie das letztemal sah, war sie Ende siebzig. «Tante Edith», sagte ich zu ihr, «Onkel Frank hat dir unrecht getan und dich gedemütigt, das ist wahr. Aber ehrlich, Tante, findest du nicht, daß es unendlich viel schlimmer ist, sich noch ein halbes Jahrhundert später darüber aufzuregen?» (Ich hätte es genausogut dem Mond erzählen können.)

Tante Edith bezahlte teuer für ihren Groll und ihre bitteren Erinnerungen, die sie nicht vergessen wollte. Sie bezahlte mit ihrem eigenen Seelenfrieden.

Als Benjamin Franklin sieben Jahre alt war, machte er einen Fehler, den er siebzig Jahre nicht vergaß. Damals, mit sieben, hatte er sich in eine Pfeife verliebt. Aufgeregt stürzte er in den Spielzeugladen, baute alle seine Kupfermünzen auf der Theke auf und kaufte die Pfeife, ohne nach dem Preis zu fragen. Siebzig Jahre später schrieb er an einen Freund: «Ich kam nach Hause und lief durchs ganze Haus und pfiff voll Begeisterung auf meiner Pfeife.» Seine älteren Brüder und Schwestern fanden heraus, daß er für sie viel zuviel bezahlt hatte, und lachten ihn aus. «Und», schrieb Franklin, «ich weinte vor Scham.»

Jahre später, als er bereits ein weltbekannter Staatsmann und Gesandter in Paris war, erinnerte er sich noch immer daran, daß sein Kummer darüber, daß er für seine Pfeife zuviel bezahlt hatte, größer gewesen war als die Freude an ihr.

Doch am Ende kam Franklin mit dieser Erfahrung noch billig weg. «Als ich erwachsen wurde», erzählte er einmal, «und in die Welt hinausging und die Menschen beobachtete, stellte ich fest, daß viele, sehr viele von ihnen *für ihre Pfeifen zuviel bezahlten.* Kurz und gut, ich erkannte, daß ein großer Teil des Elendes auf dieser Welt von einer falschen Wertschätzung der Dinge herrührt. Weil die Leute *für ihre Pfeifen zuviel bezahlen!»*

Auch Gilbert und Sullivan zahlten zuviel für ihre Pfeife. Tante Edith ebenfalls. Und Dale Carnegie – bei vielen Gelegenheiten. Und auch der unsterbliche Leo Tolstoi, von dem zwei der größten Romane stammen, die es auf der Welt gibt, *Krieg und Frieden* und *Anna Karenina.* In der *Encyclopaedia Britannica* steht, daß Leo Tolstoi in den letzten zwanzig Jahren seines Lebens wohl der meistbewunderte Mensch seiner Zeit war. Zwanzig Jahre lang, bis zu seinem Tod 1910, zog ein nie versiegender Strom von Bewunderern zu seinem Haus, um einen Blick auf sein Gesicht zu erhaschen, seine Stimme zu hören oder seine Jacke zu berühren. Jeder Satz, den er äußerte, wurde mitgeschrieben, beinahe als sei er eine «göttliche Offenbarung». Was allerdings das Leben selbst betraf – das Alltagsleben –, nun, da besaß der siebzigjährige Tolstoi weniger Vernunft als Benjamin Franklin mit sieben! Eigentlich besaß er überhaupt keine.

Ich meine damit folgendes: Tolstoi heiratete ein Mädchen, das er innig liebte. Sie waren sehr glücklich. Oft sanken sie auf die Knie und baten Gott, noch lange ein Leben in solch reiner, himmlischer Ekstase leben zu dürfen. Aber Tolstois Frau war ungewöhnlich eifersüchtig. Sie pflegte sich als Bäuerin zu verkleiden und ihrem Mann nachzuspionieren, sogar draußen im Wald. Sie zankten sich entsetzlich. Ihre Eifersucht wurde so groß – auch auf ihre eigenen Kinder –, daß sie einmal eine Waffe nahm und ein Loch in die Fotografie ihrer Tochter schoß. Sie wälzte sich sogar auf dem Boden, hielt eine Flasche Opium an die Lippen und drohte, sie würde sich umbringen. Ihre entsetzten Kinder verkrochen sich in einer Zimmerecke und schrien.

Und was tat Tolstoi? Na ja, man kann es dem Mann nicht verübeln, wenn er die Einrichtung zertrümmert hätte – Gründe dafür gab es genug. Aber er tat etwas viel Schlimmeres: Er führte ein geheimes Tagebuch! Ja, ein Tagebuch, in dem er schrieb, daß seine Frau an allem die Schuld habe! Das war seine «Pfeife». Er wollte sich vor kommenden Generationen reinwaschen, die seine Frau für die allein Schuldige halten sollten. Und wie reagierte seine Frau? Nun, sie riß natürlich Seiten aus seinem Tagebuch und verbrannte sie. Und sie begann selbst, ein Tagebuch zu führen, und machte ihn zum Sündenbock. Sie verfaßte sogar einen Roman. Er hieß *Wessen Schuld?*. In ihm stellte sie ihren Mann als Haustyrannen dar und sich selbst als Märtyrerin.

Warum das alles? Warum machten diese beiden Menschen das einzige Heim, das sie hatten, zu einem Irrenhaus, wie Tolstoi einmal sagte? Offensichtlich gab es verschiedene Gründe. Einer war der brennende Wunsch, Sie und mich zu beeindrucken. Ja, wir sind die Nachwelt, über deren Meinung sie sich so viele Sorgen machten! Dabei interessiert es uns nicht im geringsten, wer die Schuld hatte und wer nicht. Wir sind mit unseren eigenen Problemen zu beschäftigt und können nicht eine einzige Minute mit Gedanken an Tolstoi und seine Frau verschwenden. Was für einen Preis diese beiden bedauernswerten Menschen für ihre Pfeife bezahlten! Fünfzig Jahre in einer wahren Hölle zu leben – weil keiner der beiden so vernünftig war, «Halt!» zu rufen! Weil keiner der beiden die richtigen Wertvorstellungen besaß und deshalb keiner sagen konnte: «Wir müssen in dieser Sache sofort eine genaue Grenze ziehen! Wir verschwenden nur unsere Zeit. Sagen wir jetzt einfach: ‹Es ist genug!›»

Ja, ich glaube wirklich, daß dies eines der größten Geheimnisse ist, wahren inneren Frieden zu finden – ein gutes Wertgefühl. Und ich glaube auch, wir könnten fünfzig Prozent aller Sorgen sofort abbauen, wenn wir eine Art privater Goldwährung für uns einführten – einen Maßstab, was die Dinge, gemessen an unserer Lebensqualität, wert sind.

Um also mit der Gewohnheit zu brechen, sich Sorgen zu machen, ehe man selbst daran zerbricht – hier Regel fünf: Wenn wir versucht sind, für schlechte Dinge gutes Geld zu vergeuden, das heißt Lebensqualität, wollen wir uns einen Augenblick besinnen und folgende drei Fragen stellen:

1. Wie wichtig ist die Sache eigentlich, über die ich mir Sorgen mache?
2. An welchem Punkt soll ich für meine Sorge eine Grenze setzen, sie limitieren?
3. Wieviel muß ich für diese Pfeife bezahlen? Habe ich etwa schon mehr bezahlt, als sie wert ist?

11 Sägen Sie kein Sägemehl

Während ich dies schreibe, kann ich aus dem Fenster sehen, auf die Dinosaurierspuren in meinem Garten – Spuren von Dinosauriern, eingebettet in Schiefer und Stein. Ich erwarb das Stück vom Peabody-Museum der Yale-Universität. Und ich besitze einen Brief des Museumskonservators, daß diese Spuren vor einhundertachtzig Millionen Jahren entstanden sind. Selbst der größte Dummkopf würde nicht davon träumen, das Rad der Zeit um einhundertachtzig Millionen Jahre zurückdrehen und diese Spuren verändern zu können. Und doch wäre das auch nicht verrückter, als sich darüber Sorgen zu machen, daß wir nicht in der Lage sind, die Uhr zurückzudrehen und zu ändern, was vor einhundertachtzig Sekunden geschah – und eine Menge von uns möchte genau das. Selbstverständlich ist es uns möglich, die Auswirkungen der Ereignisse von vor hundertachtzig Sekunden zu beeinflussen, doch die Ereignisse selbst können wir nicht mehr gut ändern.

Es gibt nur eine Methode auf Gottes grüner Erde, aus der Vergangenheit Nutzen zu ziehen – wenn wir die gemachten Fehler sachlich analysieren, aus ihnen lernen und sie dann vergessen.

Ich weiß, daß es wahr ist. Aber hatte ich immer den Mut und den Verstand, danach zu handeln? Als Antwort auf diese Frage möchte ich Ihnen von einer phantastischen Erfahrung erzählen, die ich vor Jahren machte. Ich ließ mir damals 300000 Dollar durch die Finger schlüpfen, ohne auch nur einen einzigen Cent Gewinn zu machen. Es passierte folgendes: Ich zog meine Abendkurse für Erwachsenenbildung in großem Maßstab auf, richtete in verschiedenen Städten Zweigschulen ein und gab großzügig Geld für Werbung und allgemeine Unkosten aus. Ich war so beschäftigt mit Unterrichten, daß ich keine Zeit und keine Lust hatte, mich um die Finanzen zu kümmern. In meiner Ahnungslosigkeit erkannte ich nicht, daß ich einen tüchtigen Geschäftsführer brauchte, der die Ausgaben überwacht hätte.

Schließlich, nach etwa einem Jahr, machte ich eine erschütternde Entdeckung, die mich ernüchterte. Ich entdeckte, daß wir trotz der riesigen Einnahmen nicht den geringsten Gewinn erzielt hatten. Jetzt hätte ich zwei Dinge tun sollen: Erstens hätte ich den Verstand haben sollen, George Washington Carvers Beispiel zu beherzigen, der bei einem Bankkrach 40000 Dollar verlor, seine lebenslangen Ersparnisse. Als ihn jemand fragte, ob er wisse, daß er bankrott sei, antwortete er: «Ja, ich habe es gehört.» Und unterrichtete weiter. Er löschte jeden Gedanken an den erlittenen Verlust in seinem Gehirn so gründlich, daß er die Sache nie wieder erwähnte.

Als zweites hätte ich folgendes tun sollen: Ich hätte meine Fehler analysieren und gründlich daraus lernen sollen.

Offen gestanden tat ich weder das eine noch das andere. Statt dessen stürzte ich mich in einen Strudel von Sorgen. Monatelang war ich völlig durcheinander. Ich konnte nicht schlafen und nahm ab. Mein großer Fehler war mir keine Lehre, sondern ich ging hin und machte das gleiche noch einmal, wenn auch nicht in ganz so großem Stil.

Es ist mir peinlich, meine Dummheit zugeben zu müssen, doch ich habe schon lange erkannt, daß «es leichter ist, zwanzig Leuten zu sagen, was sie tun sollen, als einer der zwanzig zu sein, die das, was ich in meinen Kursen lehre, beherzigen».

Manchmal wünschte ich mir, ich hätte hier in New York die George-Washington-High-School besuchen können. Dann wäre Dr. Paul Brandwine mein Lehrer gewesen, bei dem auch Allen Saunders in die Klasse ging.

Saunders erzählte mir, daß ihm sein Hygienelehrer, Dr. Paul Brandwine, eine der wichtigsten Lektionen erteilt habe, die er im Leben jemals lernte. «Ich war ungefähr dreizehn, vierzehn Jahre alt», sagte Allen Saunders, als er mir die Geschichte erzählte, «aber schon da machte ich mir Sorgen. Ich grübelte über gemachte Fehler nach und regte mich darüber auf. Wenn ich eine Prüfungsarbeit abgegeben hatte, lag ich schlaflos da und kaute an meinen Fingernägeln, aus Angst, ich könnte eine schlechte Note bekommen. In Gedanken machte ich alles, was ich getan hatte, noch einmal und wünschte, ich hätte es anders gemacht. Ich dachte über die Dinge nach, die ich gesagt hatte, und wünschte, ich hätte sie besser gesagt.

An einem Morgen hatten wir Unterricht im Physiksaal, und da saß unser Lehrer, Dr. Paul Brandwine. Er hatte eine Flasche Milch vor sich auf der Tischkante aufgebaut. Wir setzten uns und starrten auf die Milch und fragten uns, was sie mit Hygieneunterricht zu tun hatte. Plötzlich sprang Dr. Brandwine auf, packte die Milchflasche und schleuderte sie in den Spülstein, daß es krachte, und rief: ‹Weint nie über verschüttete Milch!›

Dann mußten wir alle zum Ausguß kommen und uns die Bescherung ansehen. ‹Prägt euch das Bild gut ein›, befahl er, ‹denn ich möchte, daß ihr euch für den Rest eures Lebens an diese Lektion erinnert! Die Milch ist weg – wie ihr seht, durch den Abfluß verschwunden. Und keine Aufregung, kein Haareraufen bringt auch nur einen einzigen Tropfen wieder zurück. Mit ein wenig Vorsicht und Überlegung hätte man sie vielleicht retten können. Jetzt ist es zu spät, und uns bleibt nur noch eines übrig: sie abzuschreiben, zu vergessen und zur Tagesordnung überzugehen.›

An diese kleine Demonstration erinnerte ich mich noch, als ich die handfeste Geometrie und mein Latein längst vergessen hatte. Eigentlich habe ich dadurch mehr über das praktische Leben gelernt als sonst in den vier Jahren auf der High-School. Ich lernte, daß ich mich bemühen sollte, so wenig Milch wie möglich zu verschütten. Aber wenn ich doch welche vergossen hatte und sie durch den Abfluß abgelaufen war, sollte ich die ganze Sache für immer vergessen.»

Manche Leser werden jetzt die Nase rümpfen, weil sie finden, daß ich ein so abgedroschenes Sprichwort wie «Wein nicht über verschüttete Milch» unnötig viel Wirbel mache. Ich weiß, es ist banal, eine Binsenweisheit, eine Platitüde. Ich weiß, daß Sie es schon tausendmal gehört haben. Doch ich weiß auch, daß diese abgedroschenen Sprichwörter gerade den gefilterten Extrakt aller alten Weisheiten enthalten. Sie sind entstanden aus brennenden Erfahrungen der menschlichen Rasse und sind durch zahllose Generationen hindurch an uns weitergereicht worden. Wenn Sie sich jemals durch alles durchlesen würden, was die großen Gelehrten aller Zeiten über Ängste und Sorgen geschrieben haben, würden sie nirgends auf eine bedeutendere oder tiefere Weisheit stoßen, als sie in so abgedroschenen Sprichwörtern enthalten ist wie «Wein nicht über verschüttete Milch» oder «Kümmer dich nicht um ungelegte Eier». Wenn wir uns allein nach diesen beiden Sprichwörtern richteten – statt über sie die Nase zu rümpfen –, würden wir dieses Buch überhaupt nicht brauchen. Sie könnten allein schon ein fast vollkommenes Leben leben, wenn Sie die meisten alten Sprichwörter beherzigten. Doch leider ist Wissen nur dann Macht, wenn man es anwendet. Und der Zweck dieses Buches ist es nicht, Ihnen etwas Neues zu erzählen. Der Sinn ist vielmehr, Sie an das zu erinnern, was Sie eigentlich schon wissen, Sie ans Schienbein zu treten und zu ermuntern, Ihr Wissen in die Tat umzusetzen.

Den verstorbenen Fred Fuller Shedd habe ich immer bewundert. Er besaß die Gabe, alte Wahrheiten in ein neues, farbenprächtiges Gewand zu kleiden. Als er Herausgeber des *Philadelphia Bulletin* war und vor Studenten im letzten Semester einen Vortrag hielt, fragte er: «Wie viele von Ihnen haben schon mal Holz gesägt? Heben Sie, bitte, die Hand.» Die meisten jungen Leute hatten es schon einmal gemacht. Dann fragte er weiter: «Und wer hat schon mal Sägemehl gesägt?» Keine Hand hob sich.

«Natürlich kann man kein Sägemehl sägen!» erklärte Fred Shedd. «Es ist ja bereits gesägt. Denselben Fall haben wir bei der Vergangenheit. Wenn Sie anfangen, sich über Dinge Sorgen zu machen, die längst passiert sind, versuchen Sie eigentlich nichts anderes, als Sägemehl zu sägen.»

Als Connie Mack, der große alte Mann des Baseballs, einundachtzig Jahre alt war, fragte ich ihn, ob er jemals verlorenen Spielen nachgetrauert habe.

«O ja, früher schon», antwortete Connie Mack, «aber mit diesem Unsinn habe ich schon vor vielen Jahren aufgehört. Ich stellte fest, daß es überhaupt nichts nützte. Man kann kein Korn mahlen», sagte er, «wenn der Bach kein Wasser hat.»

Ja, man kann kein Korn mahlen – und auch kein Holz sägen, wenn der Bach kein Wasser hat, um das Mühlrad anzutreiben. Aber Sie können sich Falten in Ihr Gesicht sägen und Geschwüre in Ihren Magen.

Am Thanksgiving Day aß ich mal mit Jack Dempsey zu Abend. Und er erzählte mir bei Truthahn und Preiselbeeren von dem Kampf, bei dem er den Titel im Schwergewicht an Gene Tunney verlor. Natürlich war es für seine Eitelkeit ein Schlag. «Mitten im Kampf», erzählte er mir, «wurde mir plötzlich klar, daß ich ein alter Mann geworden war... Nach der zehnten Runde war ich immer noch auf den Beinen, mehr aber auch nicht. Mein Gesicht war zugeschwollen, die Haut aufgeplatzt, meine Augen sah man kaum noch... Dann hob der Schiedsrichter Tunneys Hand, er hatte gesiegt... ich war kein Weltmeister mehr. Ich ging durch die Menge davon zu meiner Garderobe. Manche Menschen wollten mir die Hand schütteln, andere hatten Tränen in den Augen.

Ein Jahr später boxte ich wieder gegen Tunney. Aber ich schaffte kein Comeback. Ich war erledigt. Es fiel mir schwer, mich nicht selbst zu bemitleiden, doch dann sagte ich mir: Ich werde nicht in der Vergangenheit leben oder über verschüttete Milch weinen. Ich werde diesen Schlag ans Kinn aushalten und mich nicht davon umhauen lassen.»

Und Jack Dempsey hielt sich genau daran. Wie er das schaffte? Ermahnte er sich etwa ständig, nicht über die Vergangenheit nachzugrübeln? Nein, da wäre er nur gezwungen gewesen, an vergangene Probleme zu denken. Vielmehr akzeptierte er seine Niederlage, fand sich damit ab und konzentrierte sich auf seine Zukunft. Er machte sein «Jack Dempsey Restaurant» am Broadway auf und wurde Direktor des «Great Northern Hotel» in der 57. Straße. Er veranstaltete Amateurboxkämpfe und gab Boxunterricht. Er war so mit positiven Dingen beschäftigt, daß er weder Zeit noch Lust hatte, sich Gedanken über die Vergangenheit zu machen. «In den letzten zehn Jahren war das Leben schöner als als Champion», sagte Dempsey.

Er erzählte mir auch, daß er nicht viele Bücher gelesen habe, doch ohne es zu ahnen, hatte er Shakespeares Rat befolgt: «Weise Menschen sitzen nicht tatenlos da und jammern über das Verlorene, sondern bemühen sich heiter, den Schaden wiedergutzumachen.»

Wenn ich historische Werke lese oder Biographien oder Menschen beobachte, die es im Leben nicht leicht haben, bin ich immer wieder erstaunt und begeistert über die Begabung mancher Leute, sich mit ihren Sorgen und Ängsten und schweren Schicksalsschlägen abzufinden und in ihrem Leben relativ glücklich zu werden.

Ich besuchte einmal Sing-Sing, das Gefängnis des Staates New York, und da erstaunte mich am meisten, daß die Gefangenen auch nicht unglücklicher aussahen als die Leute draußen. Ich unterhielt mich mit einem der Wärter, und er erzählte mir, daß die Verbrecher bei ihrer Ankunft in Sing-Sing meistens voll Haß und Bitterkeit seien. Nach ein paar Monaten findet sich die Mehrzahl der intelligenteren Häftlinge mit ihrer Lage ab und richtet sich in ihrem neuen Leben ein, akzeptiert es und macht das Beste daraus wie jener Häftling – ein Gärtner –, der hinter den Gefängnismauern Gemüse und Blumen großzog und dabei sang.

Dieser singende Gärtner und Gefangene bewies weit mehr gesunden Menschenverstand als die meisten andern Menschen. Er wußte:

Der Finger schreibt und gleitet fort,
Und all dein Frommsein, all dein Sinnen
Lockt nie zurück ihn, daß er lösche eine Zeile,
Noch spülen deine Tränen fort ein einzig Wort.

Warum also Tränen verschwenden? Natürlich haben wir Dummheiten und Fehler gemacht. Na und? Wer hat das nicht? Sogar Napoleon verlor ein Drittel aller seiner großen Schlachten. Vielleicht ist unsere Trefferquote nicht schlechter als seine, wer weiß?

Wie auch immer – «alle Pferde des Königs und alle Mannen des Königs können die Vergangenheit nicht wieder lebendig machen», könnte man in Abwandlung des Kinderreimes vom «Humpty Dumpty» sagen.

Vergessen wir also nie Regel sechs:
Sägen Sie kein Sägemehl!

Zusammenfassung des dritten Teils

Wie man mit der Gewohnheit bricht, sich Sorgen zu machen, ehe man selbst daran zerbricht

Regel 1 Verscheuchen Sie die Sorgen aus Ihren Gedanken, indem Sie sich beschäftigen. Viel zu tun ist eine der besten Therapien gegen «Wibbergibber».

Regel 2 Regen Sie sich nicht über Kleinigkeiten auf! Erlauben Sie nicht, daß unwichtige Dinge – die wahren Termiten des Lebens – Ihr Glück zerstören.

Regel 3 Benützen Sie die Wahrscheinlichkeitsrechnung, um Ihre Sorgen und Ängste abzubauen. Fragen Sie sich immer: «Wie groß ist die Wahrscheinlichkeit, daß diese Sache tatsächlich passiert?»

Regel 4 Akzeptieren Sie das Unvermeidliche. Wenn Sie wissen, daß etwas über Ihre Kräfte geht, daß Sie es nicht ändern oder noch einmal machen können, sagen Sie zu sich selbst: «So ist es. Es kann nicht anders sein.»

Regel 5 Limitieren Sie Ihre Sorgen. Setzen Sie eine Grenze. Wägen Sie genau ab, wieviel Angst und Sorge eine Sache wert ist – und machen Sie auf keinen Fall Zugeständnisse.

Regel 6 Lassen Sie Vergangenes vergangen sein. Sägen Sie kein Sägemehl.

Vierter Teil

Sieben Möglichkeiten zur Entwicklung einer geistigen Haltung, die Ihnen Glück und Frieden bringt

12 Sieben Worte, die unser Leben verwandeln können

Vor ein paar Jahren bat man mich in einer Radiosendung einmal, die Frage zu beantworten: «Welches ist die größte Erfahrung, die Sie bisher im Leben gemacht haben?»

Das war einfach: Bei weitem die wichtigste Lektion, die ich je lernte, war die Entdeckung, welche Bedeutung unsere Gedanken haben. Wenn ich wüßte, was Sie denken, würde ich auch wissen, was Sie sind. Unsere Gedanken machen uns zu dem, was wir sind. Unsere geistige Einstellung ist der Faktor X, der unser Schicksal bestimmt. Der Dichter Emerson sagte: «Ein Mensch ist das, was er den ganzen Tag denkt...» Wie könnte er denn etwas anderes sein?

Heute weiß ich mit unumstößlicher Gewißheit, daß das größte Problem – eigentlich beinahe sogar das *einzige* –, mit dem Sie und ich uns herumschlagen müssen, die Wahl der richtigen Gedanken ist. Wenn wir das schaffen, sind wir auf dem richtigen Weg und können alle unsere Schwierigkeiten bewältigen. Mark Aurel, Kaiser Roms und großer Philosoph, faßte es in sieben Worten zusammen – *sieben Worte, die unser Schicksal bestimmen können: «Unser Leben ist das Produkt unserer Gedanken.»*

Ja, wenn wir glückliche Gedanken denken, sind wir glücklich. Wenn wir unglückliche Gedanken denken, sind wir unglücklich. Wenn wir ängstliche Gedanken denken, werden wir voll Angst sein. Wenn wir Gedanken an Krankheit denken, werden wir wahrscheinlich krank. Wenn wir denken, wir versagen, werden wir bestimmt versagen. Wenn wir uns in Selbstmitleid suhlen, wird jeder uns aufs Abstellgleis schieben und uns meiden. «Sie sind nicht das», sagte Norman Vincent Peale, «was Sie denken, daß Sie sind, sondern Sie sind, was Sie denken.»

Empfehle ich Ihnen jetzt etwa, alle Probleme automatisch durch die optimistische Brille zu betrachten? Nein, unglücklicherweise ist das Leben nicht so einfach. Aber ich bin dafür, daß wir den Dingen positiv gegenüberstehen, nicht negativ. Mit andern Worten, wir müssen uns über unsere Probleme Gedanken machen, aber keine Sorgen. Was ist der Unterschied? Lassen Sie es mich genauer erklären. Wenn ich in New York über eine verkehrsreiche Kreuzung gehe, mache ich mir Gedanken über das, was ich tue, aber ich bin nicht besorgt. Sich Gedanken machen bedeutet zu erkennen, wo das Problem liegt, und dann ruhig etwas zu unternehmen, um es aus der Welt zu schaffen. Sich Sorgen machen heißt, sich verzweifelt und hoffnungslos im Kreis zu drehen.

Ein Mann kann sich über seine Schwierigkeiten Gedanken machen und trotzdem das Kinn vorstrecken und sich eine Nelke ins Knopfloch stecken. Genau das habe ich bei Lowell Thomas beobachten können. Ich hatte einmal die Ehre, mit ihm gemeinsam seine berühmten Filme über die Unternehmung von Allenby und Lawrence im Ersten Weltkrieg zu präsentieren. Thomas und seine Assistenten hatten den Krieg an einem halben Dutzend Schauplätze gefilmt und fotografiert. Das Beste, was sie mitbrachten, war ein Bildbericht über T. E. Lawrence und seine bunte arabische Armee und einen Film über die Eroberung des Heiligen Landes durch Allenby. Seine Filmvorträge mit dem Titel *Mit Allenby in Palästina und Lawrence in Arabien* waren eine Sensation – in London und überall auf der Welt.

Die Opernsaison in London wurde um sechs Wochen verschoben, damit er im Königlichen Opernhaus Covent Garden weiter seine Vorträge über diese unglaublichen Abenteuer halten und seine Filme zeigen konnte. Nach seinem sensationellen Erfolg in London reiste er zu einer Vortragstour durch viele Länder und feierte überall Triumphe. Dann arbeitete er zwei Jahre an einem Filmbericht über das Leben in Indien und Afghanistan. Nach einer unglaublichen Pechsträhne geschah dann etwas Unfaßbares: Er saß in London und war pleite. Damals war ich mit ihm zusammen. Ich erinnere mich, daß wir immer in Restaurants der «Lyons' Corner House»-Kette gingen, weil es dort so billig war. Und wir hätten nicht einmal dort essen können, wenn Lowell Thomas sich nicht von einem Schotten Geld geliehen hätte – von James McBey, dem bekannten Maler. Jetzt kommt der springende Punkt: Selbst als Lowell Thomas viele Schulden und große Enttäuschungen erlebt hatte, war er nicht ängstlich oder besorgt, sondern machte sich nur Gedanken über seine Situation. Er wußte, wenn er sich von seinen Rückschlägen unterkriegen ließe, würde das niemand etwas nützen, auch nicht seinen Gläubigern. So kaufte er sich jeden Morgen eine Blume, steckte sie sich ins Knopfloch und ging mit erhobenem Kopf und beschwingten Schritten durch die Oxford Street. Er dachte positive, mutige Gedanken und weigerte sich, sein Pech als endgültig anzusehen. Prügel zu bekommen gehörte für ihn mit zum Spiel – eine nützliche Erfahrung, die man gemacht haben mußte, wenn man nach oben kommen wollte.

Unsere geistig-seelische Haltung hat eine fast unglaubliche Wirkung, auch auf unsere Körperkräfte. Der berühmte englische Psychiater J. A. Hadfield gibt dafür in seiner hervorragenden kleinen Publikation *Die Psychologie der Macht* ein verblüffendes Beispiel. «Ich bat drei Männer», schreibt er, «sich einem Test zu unterziehen, bei dem die Auswirkungen der geistigen Beeinflussung von Körperkräften gemessen werden sollten. Zum Messen diente ein Dynamometer.» Er bat die Männer, den Kraftmesser mit aller Kraft zu packen. Er ließ sie dies unter drei verschiedenen Bedingungen tun.

Als er sie in normalem Wachzustand testete, war ihre Durchschnittsleistung 46 Kilogramm.

Beim nächsten Versuch hypnotisierte er sie und suggerierte ihnen, sie seien sehr schwach, so daß sie nur 14 Kilogramm schafften – weniger als ein Drittel ihrer normalen Kraft. (Einer der drei Versuchspersonen war Preisboxer. Als man ihm in der Hypnose sagte, er sei sehr schwach, erklärte er, daß sein Arm sich winzig anfühle, «wie der von einem Baby».)

Als Hadfield die Männer zum drittenmal testete und ihnen in der Hypnose erzählte, sie seien sehr kräftig, erreichten sie im

Durchschnitt 64 Kilogramm. Wenn also ihr Geist voll positiver Gedanken an Kraft war, wuchsen ihre Körperkräfte um fast 50 Prozent.

Es ist unglaublich, was für Kräfte unsere geistig-seelische Einstellung entfalten kann.

Um die Zauberkraft der Gedanken noch mehr zu veranschaulichen, möchte ich Ihnen eine der erstaunlichsten Geschichten aus den Annalen der Vereinigten Staaten erzählen. Ich könnte ein ganzes Buch darüber schreiben, doch ich will mich lieber kurz fassen. An einem frostigen Oktoberabend, gleich nach dem Ende des Bürgerkriegs, klopfte eine heimatlose, arme Frau, die auf dieser Erde nicht viel mehr war als eine Wanderin, an die Tür von Mutter Webster, der Frau eines pensionierten Schiffskapitäns. Mutter Webster wohnte in Amesbury, Massachusetts.

Mutter Webster öffnete also und sah ein zerbrechliches kleines Geschöpf, «kaum mehr als neunzig Pfund, ein zitterndes Bündel aus Haut und Knochen». Die Fremde, eine Mrs. Glover, erzählte, daß sie eine Bleibe suche, wo sie über ein wichtiges Problem nachdenken könne, das sie Tag und Nacht beschäftige.

«Warum bleiben Sie nicht hier?» fragte Mutter Webster. «Ich bin in dem großen Haus ganz allein.»

Vielleicht wäre Mrs. Glover für immer bei Mutter Webster geblieben, wenn deren Schwiegersohn Bill Ellis nicht aus New York gekommen wäre, um bei ihr seinen Urlaub zu verbringen. Als er entdeckte, daß Mrs. Glover bei ihnen wohnte, schrie er: «Ich will keine Landstreicherin in diesem Haus haben!» Er warf die heimatlose Frau zur Tür hinaus. Es regnete heftig. Zitternd stand Mrs. Glover ein paar Augenblicke da, dann begann sie die Straße hinunterzugehen, um sich eine andere Bleibe zu suchen.

Jetzt kommt der erstaunliche Teil der Geschichte. Jene Landstreicherin, die Bill Ellis hinauswarf, war dazu ausersehen, das Denken der Menschen zu beeinflussen wie keine Frau vor ihr. Millionen begeisterter Anhänger kennen sie heute als Mary Baker Eddy – die Begründerin der Christlichen Wissenschaft.

Doch bis zu jener Zeit hatte sie im Leben wenig anderes gekannt als Krankheit, Kummer und Unglück. Ihr erster Mann war kurz nach der Heirat gestorben. Ihr zweiter Mann hatte sie sitzengelassen und war mit einer verheirateten Frau durchgebrannt. Er starb später im Armenhaus. Sie hatte nur ein Kind, einen Sohn. Armut, Krankheit und Eifersüchteleien zwangen sie dazu, ihn wegzugeben, als er vier Jahre alt war. Sie verlor ihn aus den Augen und sah ihn einunddreißig Jahre nicht wieder.

Wegen ihrer eigenen schwachen Gesundheit hatte sich Mrs. Eddy seit Jahren für die Wissenschaft der geistigen Heilung interessiert, wie sie es nannte. Der dramatische Wendepunkt in ihrem Leben geschah in Lynn, in Massachusetts. An einem kalten Tag ging sie in die Stadt, glitt auf dem vereisten Bürgersteig aus und stürzte so schwer, daß sie bewußtlos wurde. Ihr Rückgrat war verletzt, sie litt an spastischen Zuckungen. Sogar der Arzt dachte, sie werde sterben. Aber wie durch ein Wunder blieb sie am Leben. Da erklärte er, daß sie nie wieder gehen können würde.

Während Mary Baker Eddy also auf ihrem Sterbebett lag – wie jeder annahm –, schlug sie ihre Bibel auf, und die göttliche Fügung wollte es, wie sie sagte, daß sie auf eine Stelle im Matthäusevangelium stieß: «Und siehe, sie brachten zu ihm einen Gichtbrüchigen, der lag auf einem Bette. Und Jesus ... sprach zu ihm: Sei getrost, mein Sohn, deine Sünden sind dir vergeben ... Stehe auf, hebe dein Bett auf und gehe heim. Und er stand auf und ging heim.»

Diese Worte von Jesus, erklärte sie, schufen in ihr eine solche Kraft, einen solchen Glauben, einen solchen Strom von heilenden Kräften, daß sie «sofort aus dem Bett aufstehen und gehen konnte».

«Diese Erfahrung», erzählte Mrs. Eddy, «war der Anstoß zu der Entdeckung, wie ich selber gesund bleiben und andere Menschen gesund machen konnte ... Ich gewann die unumstößliche Gewißheit, daß der Geist die Ursache von allem ist und jede Kraft ein geistiges Phänomen.»

Auf diese Weise wurde Mary Baker Eddy die Stifterin und Hohepriesterin einer neuen Religionsgemeinschaft: der Christlichen Wissenschaft, der einzigen religiösen Weltanschauung, die von einer Frau begründet wurde. Sie ging um die ganze Welt.

Inzwischen werden Sie sich sicherlich sagen: «Dieser Carnegie will uns zur Christlichen Wissenschaft bekehren.» Nein, Sie irren sich! Ich gehöre nicht zu ihr. Aber je länger ich lebe, um so tiefer bin ich davon überzeugt, daß Gedanken eine ungeheure Kraft haben. Ich habe viele Jahre Erwachsene unterrichtet, und ich weiß, daß Männer und Frauen in der Lage sind, Sorgen und Ängste, Furcht und verschiedene Arten von Krankheiten zu vertreiben und ihr Leben zu ändern, indem sie ihre Gedanken ändern! Ich weiß es! Ich weiß es!! Ich weiß es!!! Ich habe solche unglaublichen Veränderungen Hunderte von Malen selbst erlebt! So oft erlebt, daß ich nicht mehr darüber staune.

Als Beispiel dafür, wie die Kraft der Gedanken eine unglaubliche Veränderung bewirken kann, möchte ich erzählen, was einem meiner Studenten passierte. Er hatte einen Nervenzusammenbruch. Was war die Ursache? Sorgen, Angst. Der Student sagte zu mir: «Ich ängstigte mich wegen allem. Ich machte mir Sorgen, weil ich zu dünn war; weil ich dachte, mir gingen die Haare aus; weil ich glaubte, ich würde nie soviel Geld verdienen, daß ich heiraten könnte; weil ich überzeugt war, ich würde nie ein guter Vater sein; oder weil ich befürchtete, die Frau zu verlieren, die ich liebte. Ich machte mir Sorgen, weil ich spürte, daß ich kein gutes Leben führte; weil ich nicht wußte, wie ich auf andere Leute wirkte; weil ich dachte, ich hätte ein Magengeschwür. Ich konnte nicht mehr arbeiten. Ich gab meinen Job auf. Meine inneren Spannungen wuchsen, bis ich mich fühlte wie ein Dampftopf mit verstopftem Druckventil. Der Druck wurde so unerträglich, daß irgend etwas nachgeben mußte – und so geschah es dann auch. Wenn Sie noch keinen Nervenzusammenbruch gehabt haben, dann bitten Sie Gott, daß er Sie davor bewahren möge, denn kein körperlicher Schmerz ist so entsetzlich, so qualvoll wie der eines gequälten Geistes.

Mein Nervenzusammenbruch war so schwer, daß ich nicht einmal mit meiner eigenen Familie sprechen konnte. Ich hatte keine Kontrolle über meine Gedanken. Ich bestand nur aus Angst. Ich zuckte beim geringsten Geräusch zusammen. Ich mied alle Menschen. Ich weinte ohne jeden Grund.

Jeder Tag war eine Agonie. Ich hatte das Gefühl, daß mich alle verlassen hatten – auch Gott. Am liebsten hätte ich mit allem Schluß gemacht und wäre ins Wasser gesprungen.

Statt dessen beschloß ich, nach Florida zu fahren, weil ich

hoffte, der Szenenwechsel würde mir guttun. Ehe ich in den Zug stieg, gab mir mein Vater einen Umschlag und bat mich, ihn erst bei meiner Ankunft zu öffnen. In Florida war Hochsaison. Ich fand kein Hotelzimmer und mietete mir in einer Garage einen Schlafplatz. In Miami versuchte ich, einen Job auf einem Frachter zu finden, hatte aber kein Glück. So lag ich die meiste Zeit am Strand. Es ging mir eher noch schlechter als zu Hause. Schließlich öffnete ich den Umschlag, weil ich neugierig war, was mein Vater mir geschrieben hatte. In seinem Brief stand: ‹Mein lieber Sohn, jetzt bist Du über zweitausend Kilometer von zu Hause weg und fühlst Dich in keiner Weise anders, nicht wahr? Ich wußte es, weil Du mitgenommen hast, was die Ursache aller Deiner Probleme ist – Dich selbst! Weder mit Dir noch mit Deinem Verstand, Deinem Geist stimmt etwas nicht. Es sind auch nicht die Erlebnisse und Erfahrungen, die Dich umgeworfen haben, sondern die Sichtweise, die Du von ihnen hast. Wie der Mensch in seinem Herzen denkt, so ist er, heißt es. Wenn Du dies erkannt hast, mein Sohn, komm nach Hause, denn dann bist Du gesund.›

Der Brief meines Vaters machte mich wütend. Ich brauchte Mitgefühl, keine Belehrung. Ich war so verärgert, daß ich augenblicklich beschloß, nie wieder nach Hause zurückzukehren. Am Abend, als ich durch eine Nebenstraße ging, kam ich zu einer Kirche, in der gerade Gottesdienst war. Da ich kein bestimmtes Ziel hatte, schlenderte ich hinein und hörte eine Predigt über den Text: ‹Wer seinen Geist besiegt, ist mächtiger als der, welcher eine Stadt nimmt.› In einem Hause Gottes zu sitzen und die gleichen Gedanken zu hören, die mir mein Vater in seinem Brief geschrieben hatte – all dies fegte mein Gehirn von dem Dreck sauber, der sich dort angesammelt hatte. Ich konnte zum erstenmal in meinem Leben klar und vernünftig denken. Ich sah nun, was für ein Idiot ich gewesen war. Als ich erkannte, wer ich in Wirklichkeit war, war ich tief bestürzt: Da versuchte ich die ganze Welt mit allem Drum und Dran zu verändern, und dabei brauchte ich nur die Brennweite meiner Kamera, die mein Verstand, mein Geist war, zu verändern.

Am nächsten Morgen packte ich und fuhr nach Hause. Eine Woche später arbeitete ich wieder. Vier Monate darauf heiratete ich das Mädchen, bei dem ich Angst gehabt hatte, ich könnte es verlieren. Heute haben wir fünf Kinder und sind eine glückliche Familie. Gott ist gut zu mir gewesen, in materieller wie in geistiger Hinsicht. Damals, vor meinem Zusammenbruch, war ich Nachtschichtleiter in einem kleinen Betrieb und hatte achtzehn Leute unter mir. Jetzt leite ich eine Kartonfabrik mit über vierhundertfünfzig Leuten. Mein Leben ist erfüllter und freundlicher. Ich glaube jetzt, daß ich die wahren Werte des Lebens richtig würdigen kann. Wenn sich Momente des Unbehagens einschleichen wollen – wie das in jedem Leben geschieht –, befehle ich mir, meine Kamera wieder richtig einzustellen, und alles ist okay.

Ich muß ehrlich sagen, ich bin froh, daß ich einen Nervenzusammenbruch hatte, weil ich dadurch am eigenen Leib spürte, welche Macht unsere Gedanken über unseren Geist und über unseren Körper haben können. Jetzt lasse ich meine Gedanken *für* mich arbeiten, nicht *gegen* mich. Jetzt begreife ich auch, daß mein Vater mit seiner Behauptung recht hatte, nicht äußerliche Umstände hätten all mein Leid verursacht, sondern meine Sichtweise von ihnen. Sobald ich das eingesehen hatte, war ich gesund – und blieb gesund.» Soweit die Erfahrungen eines meiner Studenten.

Ich bin tief überzeugt, daß unser innerer Friede und die Freude, die wir am Leben haben, nicht davon abhängen, wo wir sind oder was wir haben oder wer wir sind, sondern allein von unserer geistigen Einstellung. Die äußeren Umstände haben damit sehr wenig zu tun. Nehmen wir zum Beispiel den Fall des alten John Brown, der gehängt wurde, weil er das Arsenal von Harpers Ferry stürmte und die Sklaven zum Aufstand anstiften wollte. Er fuhr auf seinem Sarg sitzend zum Galgen. Der ihn begleitende Wächter war nervös und unsicher. Doch der alte John Brown blieb ruhig und gelassen, er sah auf zu den Blue-Ridge-Bergen von Virginia und rief: «Was für ein schönes Land! Ich hatte bis jetzt noch nie Gelegenheit, sie richtig zu sehen.»

Oder nehmen wir Robert Falcon Scott und seine Leute – die ersten Engländer, die den Südpol erreichten. Ihr Rückweg war vermutlich die grausamste Reise, die je von Menschen unternommen wurde. Sie hatten kein Essen mehr und auch keinen Treibstoff. Sie konnten auch nicht mehr weitermarschieren, weil ein

Blizzard elf Tage und Nächte lang über den Rand der Erde herabheulte – der Wind war so heftig und scharf, daß er Risse ins Polareis schnitt. Scott und seine Männer wußten, daß sie sterben würden. Sie hatten genau für diesen Notfall eine gewisse Menge Opium mitgenommen. Eine ordentliche Dosis Opium, und sie würden sich hinlegen, herrlich träumen und nie wieder aufwachen. Aber sie nahmen die Droge nicht und starben «singend, fröhliche Lieder singend». Das wissen wir, weil bei den gefrorenen Leichen ein Abschiedsbrief lag, den ein Suchtrupp acht Monate später fand.

Ja, wenn wir positive Gedanken des Muts und der Ruhe denken, können wir sogar den Augenblick genießen, während wir auf dem eigenen Sarg sitzen und zum Galgen fahren oder während wir in unseren Zelten auf den Tod warten und fröhliche Lieder singen.

Der blinde Milton machte schon vor dreihundert Jahren die gleiche Entdeckung. Er schrieb:

> Der Geist ruht in sich selbst, und in sich selbst
> kann er die Hölle zum Himmel machen, den Himmel zur Hölle.

Napoleon und Helen Keller, die Sozialreformerin, sind die besten Beispiele für Miltons Gedicht: Napoleon hatte alles, wonach sich die meisten Menschen sehnen – Ruhm, Macht, Reichtum –, doch als er auf Sankt Helena gefangensaß, sagte er: «In meinem Leben habe ich keine sechs Tage Glück gekannt.» Während Helen Keller – blind, taub und jahrelang stumm – erklärte: «Ich habe festgestellt, daß das Leben wunderschön ist.»

Falls mich mein fünfzigjähriges Leben überhaupt etwas gelehrt hat, dann das folgende: «Nichts kann dir Frieden geben, nur du selbst.»

Damit wiederhole ich nur, was Emerson in seinem Essay über Selbstvertrauen am Schluß so schön geschrieben hat: «Ein politischer Sieg, höhere Pachteinnahmen, die Genesung von einer Krankheit oder die Rückkehr eines Freundes oder sonst irgendein eher äußerliches Ereignis heben deine Laune, und du denkst, daß dir gute Tage bevorstehen. Glaub es nicht! Es kann niemals sein. Nichts kann dir Frieden geben, nur du selbst.»

Epiktet, der große stoische Philosoph, riet, daß wir uns lieber darum kümmern sollten, die falschen Gedanken aus unserem Geist zu entfernen als «Tumore und Geschwüre aus unserem Körper».

Epiktet sagte das vor neunzehnhundert Jahren, doch die moderne Medizin ist derselben Meinung. Dr. G. Canby Robinson erklärte, daß vier von fünf ins Johns Hopkins Hospital eingelieferte Patienten Krankheiten hätten, die zum Teil durch emotionale Spannungen oder Streß verursacht worden seien. Oft war dies auch bei rein organischen Erkrankungen der Fall. «Auch diese lassen sich am Ende auf eine schlechte Anpassung an das Leben und seine Probleme zurückführen», sagte Dr. Robinson.

Der große französische Philosoph Montaigne wählte für sein Leben folgende siebzehn Worte als Wahlspruch: «Der Mensch wird nicht so sehr von dem verletzt, was geschieht, als vielmehr von seiner Meinung darüber.» Und unsere Meinung hängt einzig und allein von uns ab.

Was möchte ich Ihnen damit begreiflich machen? Habe ich die unglaubliche Unverschämtheit, Ihnen ins Gesicht zu sagen – wenn die Probleme Sie zu erdrücken scheinen und Ihre Nerven mit zusammengerollten Spitzen bloßliegen wie blanke Drähte –, habe ich also die unglaubliche Unverschämtheit, Ihnen ohne Rücksicht auf Ihre Verfassung ins Gesicht zu sagen, daß Sie Ihre geistige Einstellung durch einen einfachen Willensakt ändern können? Ja, genau das möchte ich Ihnen begreiflich machen. Doch nicht nur das allein. Ich werde Ihnen auch zeigen, wie Sie es machen müssen. Vielleicht ist es etwas mühsam, aber schwierig ist es nicht.

William James, dessen Kenntnisse in praktischer Psychologie unübertroffen sind, machte folgende Beobachtung: «Die Handlung scheint dem Gefühl zu folgen, doch in Wirklichkeit hängen Handlung und Gefühl zusammen. Und indem wir die Handlung steuern, die unter direkter Kontrolle des Willens steht, können wir indirekt das Gefühl steuern, bei dem dies nicht der Fall ist.»

Mit andern Worten, William James erklärt uns, daß wir unsere Gefühle nicht einfach durch einen spontanen Entschluß ändern können, daß wir aber unser Handeln ändern können. Und damit ändert sich automatisch das Gefühl.

«Deshalb», sagt er, «ist der ideale und bewußte Weg zur Heiterkeit – wenn Sie sie verloren haben –, gelassen dazusitzen und zu handeln und zu sprechen, als seien Sie schon heiter.»

Funktioniert dieser kleine Trick? Versuchen Sie es doch! Setzen Sie ein breites, grundehrliches, überzeugendes Lächeln auf! Straffen Sie die Schultern! Atmen Sie tief durch! Und singen Sie ein paar Takte! Wenn Sie nicht singen können, pfeifen Sie! Wenn Sie nicht pfeifen können, summen Sie! Sie werden sehr schnell merken, was William James meinte – daß es *physisch unmöglich* ist, traurig oder deprimiert zu sein, wenn man sich benimmt, als sei man überglücklich!

Dies ist eines der kleinen fundamentalen Gesetze der Natur, das bei allen von uns wahre Wunder bewirken kann. Ich kenne eine Frau in Kalifornien, deren Namen ich nicht nennen möchte, die innerhalb von vierundzwanzig Stunden all ihr Elend loswäre, wenn sie dieses Geheimnis kennen würde. Sie ist alt, und sie ist Witwe – das ist traurig, schon –, aber versucht sie wenigstens, einmal so zu handeln, als sei sie glücklich? Nein. Wenn man sie fragt, wie es ihr geht, antwortet sie: «Ach, ganz gut.» Aber ihr Gesichtsausdruck und der klagende Ton ihrer Stimme verraten: «Ach, Gott, wenn Sie wüßten, wieviel Schlimmes ich erlebt habe!» Sie scheint einem zum Vorwurf zu machen, daß man sich selbst so wohl in seiner Haut fühlt. Hunderte von Frauen sind schlimmer dran als sie: Ihr Mann hatte eine hohe Lebensversicherung abgeschlossen, so daß sie sich bis zu ihrem Ende keine Sorgen mehr zu machen braucht, und sie hat verheiratete Kinder, bei denen sie immer willkommen ist. Aber ich habe sie selten lächeln gesehen. Sie beschwert sich über ihre drei egoistischen, knickrigen Schwiegersöhne – obwohl sie manchmal monatelang zu Gast bei ihnen ist. Und sie beklagt sich darüber, daß ihre Töchter ihr nie etwas schenken – dabei hortet sie ihr eigenes Geld «für meine alten Tage». Sie ist eine Pest für sich und andere. Muß das so sein? Das ist das Bedauerliche dabei: Sie könnte sich ändern, und aus einer verbitterten und unglücklichen alten Frau würde ein geliebtes und geehrtes Mitglied der Familie – wenn sie es *wollte*. Und um diese Verwandlung zu erreichen, müßte sie nur einfach die Fröhliche spielen. Sie müßte so tun, als habe sie ein wenig Liebe zu verschenken – statt nur ihr eigenes unglückliches und verbittertes Ich mit Liebe zu überschütten.

H. J. Englert aus Tell City in Indiana blieb am Leben, weil er hinter dieses Geheimnis kam. Er war eines Tages an Scharlach erkrankt, und nach seiner Gesundung stellte sich heraus, daß ein Nierenschaden zurückgeblieben war. Er konsultierte alle Arten von Ärzten, «sogar Quacksalber», erzählte er mir, doch keiner konnte ihm helfen.

Dann traten noch andere Komplikationen auf. Er bekam einen gefährlich hohen Blutdruck. Er ging wieder zum Arzt, der feststellte, daß seine Werte die oberste Grenze erreicht hatten. Sein Zustand sei lebensgefährlich, es gebe keine Möglichkeit, ihm zu helfen, und er solle lieber sofort alle seine irdischen Angelegenheiten ordnen.

«Ich fuhr nach Hause», erzählte er, «und überzeugte mich, daß meine Lebensversicherung ordnungsgemäß bezahlt war; dann bat ich meinen Schöpfer um Vergebung für alle meine Sünden und verkroch mich in düsterem Brüten. Ich machte alle unglücklich. Meine Frau und meine Familie fühlten sich elend, und ich selbst war auch tief deprimiert. Nachdem ich mich nun eine Woche in Selbstmitleid gebadet hatte, sagte ich zu mir: ‹Du benimmst dich wie ein Idiot! Vielleicht stirbst du erst in einem Jahr. Warum versuchst du nicht, noch ein bißchen glücklich zu sein, solange du die Chance hast?›

Ich gab mir einen Ruck, setzte ein Lächeln auf und bemühte mich, so zu tun, als sei nichts geschehen. Ich gebe zu, am Anfang machte es mir Mühe – doch ich zwang mich dazu, freundlich und heiter zu sein. Und es half nicht nur meiner Familie, es half auch mir.

Ehe ich es richtig begriff, fing ich an, mich besser zu *fühlen* – ich fühlte mich fast so wohl, wie ich es mir einbilden wollte! Und die Besserung hielt an. Heute, da ich eigentlich längst im Grab liegen sollte, bin ich nicht nur lebendig, glücklich und gesund, sondern mein Blutdruck ist gesunken! Eins weiß ich bestimmt: Die Diagnose des Arztes hätte sich bewahrheitet, wenn ich weiter Todesgedanken gehabt hätte und niedergeschlagen gewesen wäre. Aber ich gab meinem Körper die Möglichkeit, sich selbst zu heilen, und zwar einfach, weil ich meine geistige Einstellung änderte.»

Ich möchte Ihnen eine Frage stellen: Wenn allein schon Fröhlichkeit und positive Gedanken an Gesundheit und Kraft diesem Mann das Leben retteten, warum sollten Sie und ich dann auch nur noch eine Minute unsere unwichtigeren düsteren Gedanken und Depressionen tolerieren? Warum machen wir uns und unsere Umgebung traurig und unglücklich, wenn wir Glück und Freude verbreiten könnten, indem wir einfach so tun, als ob wir fröhlich wären?

Ich las einmal ein kleines Buch, das einen tiefen und anhaltenden Einfluß auf mein Leben hatte. Es heißt: *Wie der Mensch denkt,* geschrieben von James Allen, und ich möchte einen Ausschnitt daraus bringen:

«Man kann feststellen, daß eine Änderung der Einstellung Menschen und Dingen gegenüber die Menschen und Dinge verändert ... Wenn ein Mensch seine Gedanken radikal ändert, wird er über die Wirkung verblüfft sein, die dies auf die äußeren Umstände seines Lebens hat. Sie ändern sich völlig, und das sehr schnell. Die Menschen ziehen nicht das an, was sie haben wollen, sondern das, was sie sind ... Die Gottheit, die das Resultat unseres Strebens bestimmt, liegt in uns selbst. Es ist unser eigenes Ich ... Alles, was der Mensch vollbringt, ist das direkte Ergebnis seiner Gedanken. Er kann nur schwach und niedergeschlagen und elend bleiben, wenn er sich weigert, seine Gedanken nach oben zu richten.»

Im 1. Buch Mose steht, daß Gott, der Schöpfer, dem Menschen die Herrschaft über die ganze weite Welt gab. Ein mächtig großes Geschenk. Aber ich bin an solchen riesigen Hoheitsrechten nicht interessiert. Ich möchte nur die Herrschaft über mich selbst erlangen – Herrschaft über meine Gedanken, Herrschaft über meine Ängste, Herrschaft über meinen Geist. Und das Wunderbare dabei ist, daß ich diese Herrschaft bis zu einem erstaunlichen Grad erreichen kann und ich es auch weiß, und zwar, wann ich will – einfach durch die Kontrolle meiner Handlungen, die wiederum meine Reaktionen darauf beeinflussen.

Wir sollten uns immer daran erinnern, was William James einmal so ausdrückte: «Vieles von dem, was wir Übel nennen ... kann häufig in etwas Gutes verwandelt werden, das erfrischt und belebt, wenn der Betroffene einfach seine innere Einstellung ändert und nicht mehr von Gedanken an Angst beherrscht wird, sondern an Kampf.»

Kämpfen wir um unser Glück.

Kämpfen wir um unser Glück, und machen wir uns ein Tagesprogramm mit fröhlichen und positiven Gedanken. Hier ist ein Beispiel dafür. Ich war davon so begeistert, daß ich Hunderte von Kopien verschenkte. Es heißt *Nur heute* und stammt von der verstorbenen Schriftstellerin Sibyl F. Partridge. Wenn Sie und ich dieses Programm einhalten, werden die meisten unserer Sorgen und Ängste verschwinden, und unser Anteil an dem, was die Franzosen *joie de vivre* – Lebensfreude – nennen, wächst unermeßlich.

NUR HEUTE

1. Heute will ich glücklich sein. Deshalb glaube ich, was Abraham Lincoln sagte: «Die meisten Menschen sind so glücklich, wie sie sein *wollen.*» Glück kommt von innen, es hat mit äußeren Umständen nichts zu tun.
2. Heute nehme ich alles, wie es ist, und zwinge den Dingen nicht meinen Willen auf. Familie, Arbeit und Glück – ich nehme es, wie es kommt, und stelle mich darauf ein.
3. Heute kümmere ich mich um meinen Körper. Ich bewege ihn, pflege ihn, ernähre ihn und vernachlässige oder mißbrauche ihn nicht, damit er so perfekt reagiert, wie ich es mir wünsche.
4. Heute trainiere ich meinen Geist. Ich lerne etwas Nützliches und faulenze nicht, sondern lese etwas, das Anstrengung, Konzentration und Denkarbeit verlangt.
5. Heute mache ich drei Seelenübungen: Ich erweise jemand einen Gefallen, ohne daß er es merkt, und tue zwei Dinge, die ich nicht gern tue, um in Übung zu bleiben, wie William James das nennt.
6. Heute möchte ich erfreulich sein. Ich mache mich so hübsch wie

möglich, ziehe mich nett an, spreche leise, bin höflich, lobe oft, kritisiere niemand, nörgle nicht und versuche nicht, andere zu ermahnen oder zu verbessern.

7. Heute lebe ich allein für diesen Tag und versuche nicht, alle Probleme meines Lebens auf einmal zu lösen. Zwölf Stunden kann ich Dinge tun, die ich hassen würde, wenn ich sie mein ganzes Leben tun müßte.
8. Heute mache ich mir ein Programm. Ich teile die Zeit genau ein und schreibe es mir auf. Vielleicht halte ich die Einteilung nicht durch, aber immerhin habe ich sie gemacht. Damit vermeide ich zwei lästige Übel: Eile und Unentschlossenheit.
9. Heute nehme ich mir eine ruhige halbe Stunde und entspanne mich. In dieser halben Stunde denke ich auch an Gott, um in mein Leben eine größere Dimension zu bringen.
10. Heute bin ich ohne Angst, vor allem habe ich keine Angst davor, glücklich zu sein, das Schöne zu genießen, zu lieben und zu glauben, daß die Menschen mich auch lieben, die ich liebe.

Wenn wir eine geistige Haltung entwickeln wollen, die uns Glück und Frieden bringt – hier Regel eins:
Denken und handeln Sie voll Heiterkeit, dann empfinden Sie auch heiter.

13 Böses mit Bösem zu vergelten, hat einen hohen Preis

An einem Abend vor Jahren, als ich im Yellowstone Park war, saß ich zusammen mit anderen Touristen auf einer improvisierten Zuschauertribüne vor einem dichten Wäldchen aus Kiefern und Fichten. Und schon trottete das Tier heraus, auf das wir gewartet hatten, der Schrecken des Waldes, ein Grislybär. Er trat ins Licht der Scheinwerfer und begann die Abfälle aus der Küche eines der Hotels zu verschlingen, die man dort abgeladen hatte. Ein Parkaufseher, Major Martindale, erzählte den aufgeregten Touristen hoch zu Roß viel Wissenswertes über Bären. Er erzählte, daß der Grislybär jedes andere Tier des Wilden Westens vertreiben kann, vielleicht mit Ausnahme des Büffels und des Alaskabären. Aber ich stellte an jenem Abend fest, daß der Bär einem Tier, einem einzigen, erlaubte, aus dem Wäldchen herauszukommen und im Scheinwerferlicht mit ihm zu fressen: einem Skunk. Der Grislybär wußte, daß er dieses Stinktier mit einem Hieb seiner mächtigen Tatze töten konnte. Warum tat er es nicht? Weil ihn die Erfahrung gelehrt hatte, daß es sich nicht lohnte.

Ich habe das auch festgestellt. Als kleiner Junge auf der Farm meines Vaters in Missouri fing ich in den Hecken am Straßenrand vierbeinige Stinktiere, und später als Mann traf ich in New York ein paar zweibeinige. Aus trauriger Erfahrung weiß ich, daß es sich nicht lohnt, sie aufzuscheuchen, weder die eine Sorte noch die andere.

Wenn wir unsere Feinde hassen, verleihen wir ihnen Macht über uns: Macht über unseren Schlaf, über unseren Appetit, unseren Blutdruck, unsere Gesundheit und unser Glück. Unsere Feinde würden tanzen vor Freude, wenn sie ahnten, wie sie uns ängstigen und quälen und sich an uns rächen! Unser Haß verletzt sie nicht im geringsten, aber er verwandelt unsere eigenen Tage und Nächte in eine Hölle.

Von wem, glauben Sie, stammt dies: «Wenn Egoisten Sie ausnützen wollen, streichen Sie sie von Ihrer Liste, aber versuchen Sie nicht, sich zu rächen. Sonst schaden Sie sich selbst mehr als den andern ...» Die Worte klingen, als habe sie irgendein sternäugiger Idealist gesagt. Das stimmt aber nicht. Die Sätze stehen in einer Mitteilung der Polizeiverwaltung von Milwaukee.

Wieso schaden wir uns, wenn wir mit jemand abrechnen wollen? Da gibt es viele Möglichkeiten. Die Illustrierte *Life* behauptet sogar, daß man dadurch seine Gesundheit ruinieren kann. «Das hauptsächliche persönliche Merkmal von Menschen mit hohem Blutdruck», schreibt sie, «ist Haß. Wird Haß chronisch, wird auch der hohe Blutdruck chronisch, und Herzbeschwerden sind die Folge.»

Sie sehen also, daß Jesus mit seinen Worten «Liebet eure Feinde» nicht nur Moral predigte. Er sprach auch über moderne Medizin. Als Jesus sagte: «Vergebet nicht siebenmal, sondern siebzigmal siebenmal», da sagte er Ihnen und mir, wie wir verhindern könnten, hohen Blutdruck, Herzbeschwerden, Magengeschwüre und viele andere Krankheiten zu bekommen.

Als eine meiner Bekannten einen schweren Herzanfall hatte, schickte ihr Arzt sie ins Bett und verbot ihr, sich aufzuregen, ganz gleich, was passierte. Ärzte wissen, daß Menschen mit einem schwachen Herzen tatsächlich an einem Wutanfall sterben können. Sagte ich «können»? Ein gewisser Restaurantbesitzer starb tatsächlich daran. Es geschah vor ein paar Jahren. Ich habe vor mir einen Brief liegen, den mir Jerry Swartout, damals Leiter der Polizeibehörde von Spokane im Staate Washington, schrieb. «Vor ein paar Jahren brachte sich William Falkaber, ein 68jähriger Restaurantbesitzer aus Spokane, durch einen Wutanfall um. Er ärgerte sich so darüber, daß sein Koch den Kaffee aus der Untertasse trank, daß er einen Revolver ergriff und ihn hinausjagen wollte. Sein Herz versagte, und er brach tot zusammen, den Revolver noch in der Hand. Im Bericht des Gerichtsarztes stand, daß Wut und Zorn an dem Herzanfall schuld gewesen seien.»

Als Jesus sagte: «Liebet eure Feinde», da dachte er auch an unser Aussehen. Ich kenne Menschen – und Sie sicherlich auch –, deren Gesichter vor Wut und Haß hart und faltig geworden sind. Die gesamte kosmetische Chirurgie der Christenheit könnte ihr Aussehen nicht halb so schön machen wie ein Herz voll Vergebung, Zärtlichkeit und Liebe.

Haß verdirbt uns sogar die Freude am Essen. In der Bibel steht: «Es ist besser, ein Gericht Kraut mit Liebe, denn ein gemästeter Ochse mit Haß.»

Würden sich unsere Feinde nicht vor Freude die Hände reiben, wenn sie wüßten, daß unser Haß auf sie uns aushöhlt, uns müde und nervös und häßlich macht und wir Herzbeschwerden bekommen und vermutlich früher sterben werden?

Wenn wir schon unsere Feinde nicht lieben können, wollen wir wenigstens uns selbst lieben! Lieben wir uns selbst so sehr, daß wir unseren Feinden keine Gewalt über unser Glück, unsere Gesundheit, unser Aussehen geben. Wie Shakespeare schon sagte:

> Heizt nicht den Ofen euerm Feind so glühend,
> Daß er euch selbst versengt.

Als Jesus sagte, daß wir unseren Feinden «siebzigmal siebenmal» vergeben sollten, meinte er das auch ganz sachlich in geschäftlicher Beziehung. Ein Beispiel ist dieser Brief, der gerade vor mir liegt. Er ist von George Rona aus Uppsala in Schweden. George Rona war jahrelang Anwalt in Wien und floh im Zweiten Weltkrieg nach Schweden. Er hatte kein Geld und brauchte dringend Arbeit. Da er mehrere Sprachen beherrschte, hoffte er, bei einer Import-Export-Gesellschaft als Fremdsprachenkorrespondent eine Stelle zu finden. Auf seine Bewerbungen schrieben die meisten Firmen, daß sie wegen der kriegsbedingten wirtschaftlichen Situation keine neuen Mitarbeiter einstellten, sich seinen Namen aber vorgemerkt hätten... und so weiter. Aber von einem Firmenchef erhielt er einen persönlichen Brief, darin stand: «Was Sie sich von meiner Firma erwarten, entspricht nicht den Tatsachen. Sie täuschen sich und sind dumm. Ich brauche keinen

Korrespondenten. Und selbst wenn, würde ich Sie nicht einstellen, weil Sie nicht einmal ordentlich Schwedisch schreiben können. Ihr Brief ist voller Fehler.»

Als George Rona den Brief las, wurde er wütend wie Donald Duck. Was bildete dieser Schwede sich ein! Zu behaupten, er könnte nicht richtig Schwedisch schreiben. Sein eigener Brief wimmelte ja selbst nur so von Fehlern! Deshalb setzte sich George Rona hin und verfaßte eine Antwort, die sich gewaschen hatte. Dann begann er zu überlegen. «Augenblick mal!» sagte er zu sich selbst. «Und wenn der Mann recht hat? Ich habe zwar Schwedisch lange gelernt, aber es ist nicht meine Muttersprache. Vielleicht mache ich Fehler, ohne es zu merken. In diesem Fall sollte ich mich hinsetzen und weiterlernen, wenn ich einen Job kriegen will. Eigentlich hat mir der Mann einen Gefallen getan, ohne es zu beabsichtigen. Ich muß ihm dankbar sein, auch wenn er mir nicht gerade höflich geschrieben hat. Also schreibe ich ihm und bedanke mich.»

George Rona zerriß den Brandbrief, den er schon verfaßt hatte, und schrieb einen andern, in dem stand: «Es war sehr freundlich von Ihnen, sich die Zeit zu nehmen, mir persönlich zu schreiben, vor allem, da Sie ja keinen Korrespondenten brauchen. Es tut mir leid, daß ich mich irrtümlich bei Ihnen bewarb. Meine Erkundigungen hatten ergeben, daß Sie eines der führenden Unternehmen dieser Branche sind, und dies war der Grund, warum ich Ihnen schrieb. Ich wußte nicht, daß mein Brief Grammatikfehler enthielt. Es ist mir äußerst peinlich. Ich werde nun noch gründlicher Schwedisch lernen und mich bemühen, meine Fehler abzustellen. Ich möchte Ihnen dafür danken, daß Sie mich veranlaßt haben, einen neuen Anfang zu machen.»

Innerhalb von ein paar Tagen erhielt George Rona eine Antwort. Dieser Mann wollte ihn sprechen. Rona besuchte ihn – und bekam einen Job. George Rona erfuhr am eigenen Leib, daß «eine freundliche Antwort Zorn abwendet».

Vielleicht sind wir nicht heilig genug, um unsere Feinde zu lieben, aber um unserer Gesundheit und unseres Glücks willen sollten wir ihnen wenigsten vergeben und sie vergessen! Das wäre das klügste, was wir tun könnten.

«Wenn uns jemand Unrecht tut oder uns ausraubt», sagt Konfuzius, «so ist es nichts, außer wir erinnern uns weiter daran.»

Ich fragte einmal General Eisenhowers Sohn John, ob sein Vater Haßgefühle kenne. «Nein», antwortete er, «Dad verschwendet auch nicht eine Minute mit Gedanken an Leute, die er nicht mag.»

Nach einem alten Sprichwort ist ein Mensch, der sich nicht ärgern *kann,* ein Dummkopf, ein Mensch, der sich nicht ärgern *will,* ein Weiser.

Das war auch die Maxime von William J. Gaynor, dem früheren Bürgermeister von New York. Er wurde von der Presse heftig angegriffen, und ein Wahnsinniger schoß auf ihn und hätte ihn fast getötet. Während er im Krankenhaus lag und um sein Leben kämpfte, sagte er: «Jeden Abend vergebe ich alles und allen.» Ist das zuviel Idealismus? Zuviel Freundlichkeit und Wohlwollen? Wenn Sie das finden, wollen wir den großen deutschen Philosophen Schopenhauer um Rat fragen, der weltverachtenden Pessimismus lehrte. Er betrachtete das Leben als «eine mißliche Sache». Und doch sagte er, trotz aller düsteren und verzweifelten Gedanken, daß man nach Möglichkeit gegen niemand Feindseligkeit empfinden solle.

Bernard Baruch war Vertrauter und Berater von sechs Präsidenten: Wilson, Harding, Coolidge, Hoover, Roosevelt und Truman. Ich fragte ihn einmal, ob ihn die Angriffe seiner Feinde je beunruhigt hätten. «Kein Mensch kann mich demütigen oder beunruhigen», antwortete er. «Ich lasse es nicht zu.»

Sie und mich – uns kann auch niemand demütigen oder beunruhigen – außer wir lassen es zu.

Stock und Stein können mir gefährlich sein,
Doch Worte verletzen mich nicht.

Zu allen Zeiten hat die Welt Kerzen entzündet vor jenen seltenen Menschen, die wie Jesus keinen Haß auf ihre Feinde kannten. Ich bin oft im Jasper National Park von Kanada gewesen und habe einen der schönsten Berge der westlichen Hemisphäre betrachtet – einen Berg, der nach Edith Cavell benannt ist, der englischen

Krankenschwester, die wie eine Heilige in den Tod ging. Am 12. Oktober 1915 wurde sie von einem deutschen Erschießungskommando erschossen. Ihr Verbrechen? Sie hatte verwundete französische und englische Soldaten in ihrem Haus in Belgien versteckt, ernährt und gepflegt und ihnen zur Flucht nach Holland verholfen. Als der englische Kaplan an jenem Morgen im Oktober ihre Zelle betrat, um sie auf den Tod vorzubereiten, sagte sie zwei Sätze, die in Granit gemeißelt worden sind: «Ich erkenne, daß Patriotismus nicht genügt. Ich soll nicht hassen noch verbittert sein.» Vier Jahre später wurde ihr Leichnam nach England überführt und in der Westminsterabtei ein Gedächtnisgottesdienst abgehalten. Einmal lebte ich ein Jahr in London. Damals stand ich oft vor dem Standbild von Edith Cavell gegenüber der National Portrait Gallery und las ihre unsterblichen Worte, die dort in den Granit eingemeißelt sind: «Ich erkenne, daß Patriotismus nicht genügt. Ich soll nicht hassen noch verbittert sein.»

Wenn man sich einer Sache verschreibt, die unendlich viel größer ist als man selbst, ist das eine sichere Methode, seinen Feinden vergeben zu können und sie zu vergessen. Beleidigungen und Feindseligkeiten werden völlig unwichtig, weil man nur an sein großes Ziel denkt und für alles andere völlig unempfänglich wird. Als Beispiel möchte ich Ihnen von einem hochdramatischen Ereignis erzählen, zu dem es damals 1918 in einem Kiefernwald in Mississippi beinahe gekommen wäre: einem Lynchmord! Laurence Jones, ein schwarzer Lehrer und Prediger, sollte gelyncht werden. Vor ein paar Jahren besuchte ich die Schule, die Laurence Jones gründete – die Piney Woods Country School –, und hielt einen Vortrag vor den Schülern. Heute ist die Schule im ganzen Land bekannt, doch der Vorfall, von dem ich erzählen will, geschah viel früher. Er geschah während des Ersten Weltkriegs, als die Wellen der Erregung hoch gingen. Wie ein Lauffeuer hatte sich im inneren Teil von Mississippi das Gerücht verbreitet, die Deutschen würden die Schwarzen aufhetzen und zum Aufstand anstiften. Laurence Jones, der Mann, der gelyncht werden sollte, war selbst ein Schwarzer, wie ich schon erzählte, und wurde beschuldigt, dabei geholfen zu haben. Eine Gruppe Weißer, die vor der Kirche stand, hatte gehört, wie Laurence

Jones seiner Gemeinde zurief: «Das Leben ist wie eine Schlacht. Jeder Schwarze muß seine Rüstung anlegen und kämpfen, um zu überleben und zu siegen.»

«Rüstung», «kämpfen» – die Weißen draußen vor der Kirche hatten genug gehört. Sie rannten in die Nacht davon, mobilisierten den Mob und kehrten zur Kirche zurück. Sie legten dem Prediger einen Strick um, zerrten ihn ein Stück die Straße entlang, stellten ihn auf einen Haufen Holz, zündeten Streichhölzer an und wollten ihn gleichzeitig hängen und verbrennen, als jemand rief: «Der verdammte Feigling soll noch eine Predigt halten, ehe er brennt. Sprechen! Sprechen!» Und Laurence Jones stand auf dem Holzhaufen, die Schlinge um den Hals, und redete um sein Leben und für seine *Sache.* Er hatte 1907 an der Universität von Iowa promoviert, und seine Integrität, sein Wissen und seine musikalische Begabung hatten ihn sowohl bei den Lehrern wie bei den Studenten beliebt gemacht. Das Angebot eines Hoteliers, ihn beruflich zu fördern, hatte er abgelehnt und auch den Vorschlag eines wohlhabenden Mannes, ihm seine musikalische Ausbildung zu finanzieren, nicht angenommen. Warum? Weil er von einer Vision besessen war. Booker T. Washingtons Lebensgeschichte, die er gelesen hatte, machte auf ihn einen solchen Eindruck, daß er beschloß, sein eigenes Leben den armen, hilflosen und ungebildeten Menschen zu widmen, die schwarz waren wie er selbst. Deshalb zog er in das unterentwickelteste Gebiet des Südens, das er finden konnte – einen Fleck, 35 Kilometer südlich von Jackson in Mississippi. Er versetzte seine Uhr für 1,65 Dollar und eröffnete seine Schule im Wald mit einem Baumstumpf als Katheder. Laurence Jones erzählte jenen wütenden Männern, die darauf warteten, ihn zu lynchen, von den mühsamen Versuchen, diese wilden Jungen und Mädchen zu unterrichten und zu guten Farmern, Mechanikern, Köchen und Hausangestellten zu machen. Er berichtete von den Weißen, die ihm bei seinem Kampf geholfen hatten, so daß die Piney Woods Country School blühen und gedeihen konnte – weiße Menschen, die ihm Land, Bauholz und Schweine, Kühe und Geld gegeben hatten, damit er mit seiner Erziehungsarbeit weitermachen konnte.

Als man Laurence Jones hinterher fragte, ob er die Menschen

gehaßt habe, die ihn durch die Straßen geschleift hätten, um ihn zu hängen und zu verbrennen, antwortete er, er sei mit seinen Gedanken nur bei seiner Schule und den Kindern gewesen und habe keine Zeit dazu gehabt – er sei zu sehr mit etwas Wichtigerem als seiner eigenen Person beschäftigt gewesen. «Ich habe keine Zeit zum Streiten», sagte er, «keine Zeit, mich zu bedauern, und kein Mensch kann mich zwingen, mich so zu erniedrigen, daß ich ihn hasse.»

Laurence Jones sprach mit solcher Eindringlichkeit und Überzeugungskraft – nicht von sich selbst, sondern von der Sache, die er vertrat –, daß der Mob sich zu beruhigen begann. Schließlich rief ein alter Veteran der Konföderierten aus der Menge: «Ich glaube, der Junge sagt die Wahrheit. Ich kenne einen der Weißen, die er erwähnt hat. Der Mann da oben kämpft für eine gute Sache. Wir haben einen Fehler gemacht. Wir sollten ihm helfen, statt ihn aufzuhängen.» Der Veteran ließ seinen Hut herumgehen und sammelte eine Spende von 52 Dollar und 40 Cent von eben den Männern ein, die sich zusammengerottet hatten, um den Gründer der Piney Woods Country School aufzuhängen – den Mann, der gesagt hatte: «Ich habe keine Zeit zum Streiten, keine Zeit, mich zu bedauern, und kein Mensch kann mich zwingen, mich so zu erniedrigen, daß ich ihn hasse.»

Vor neunzehnhundert Jahren erklärte Epiktet, daß wir ernten, was wir säen, und uns das Schicksal immer irgendwie zwingt, für unsere Missetaten zu bezahlen.

«Auf die Dauer gesehen», sagte Epiktet, «wird jeder Mensch für seine üblen Taten bestraft. Wer dies nicht vergißt, wird sich nie über jemand ärgern oder empört sein, wird nie jemand beschimpfen oder ihm Vorwürfe machen, wird nie jemand beleidigen oder hassen.»

Vermutlich ist kein anderer Mann in der amerikanischen Geschichte so viel verleumdet und gehaßt und betrogen worden wie Lincoln, doch wie Herndon in seiner schon klassisch gewordenen Biographie schreibt, habe sich Lincoln «bei seiner Beurteilung der Menschen nie von Gefühlen leiten lassen, weder von Sympathie noch von Antipathie. Wenn irgendeine Arbeit erledigt werden mußte, fand er, daß sie ein Gegner genausogut machte wie irgend jemand anders. Wenn ihn jemand verleumdet oder sich ihm gegenüber gemein benommen hatte, gab ihm Lincoln trotzdem diesen oder jenen Posten, wenn er glaubte, er sei der geeignetste Mann dafür, genausogut wie er ihn einem Freund gegeben hätte ... Ich glaube, er hat nie einen Menschen entlassen, nur weil dieser ihn nicht mochte oder mit ihm verfeindet war.»

Gerade von einigen der Männer, denen er einflußreiche Posten gegeben hatte, wurde er besonders verleumdet und angefeindet. Trotzdem glaubte Lincoln, wie Herndon berichtet, daß «kein Mensch für seine Handlungen in den Himmel gehoben oder für das, was er tut oder nicht tut, verurteilt werden sollte». Denn «wir sind alle Kinder unserer Verhältnisse, unserer Umgebung und Erziehung, unserer Gewohnheiten und Erbanlagen, die die Menschen zu dem machen, was sie sind und immer sein werden.»

Vielleicht hatte Lincoln recht. Wenn Sie und ich die gleichen körperlichen, geistigen und emotionalen Eigenschaften geerbt hätten wie unsere Feinde und wir das gleiche erlebt hätten wie sie, würden wir ganz genauso handeln wie sie. Wir könnten unmöglich anders handeln. Doch seien wir barmherzig und beten wir mit den Sioux-Indianern: «O großer Geist, bewahre mich davor, jemand zu kritisieren und zu verurteilen, ehe ich nicht zwei Wochen seine Mokassins getragen habe.» Statt unsere Feinde zu hassen, wollen wir Mitleid für sie haben und Gott danken, daß das Leben uns nicht so gemacht hat wie sie. Statt sie mit Mißbilligung und Rache zu überhäufen, sollten wir ihnen Verständnis entgegenbringen und Sympathie und ihnen helfen und vergeben und für sie beten.

In meiner Familie wurde jeden Abend in der Bibel gelesen oder ein Vers daraus zitiert, und dann knieten wir nieder und beteten. Noch heute höre ich die Stimme meines Vaters, wie er in dem einsamen Farmhaus in Missouri die Worte sprach, die Jesus gesprochen hatte – Worte, die wieder und wieder gesprochen werden, solange der Mensch diesen Idealen nachlebt: «Liebet eure Feinde, segnet, die euch fluchen, tut wohl denen, die euch hassen, bittet für die, die euch beleidigen und verfolgen.»

Mein Vater versuchte, nach diesen Worten von Jesus zu leben, und sie verliehen ihm einen inneren Frieden, den Kaiser und Könige dieser Erde nur selten fanden.

Wenn Sie eine geistige Haltung entwickeln wollen, die Ihnen Glück und Frieden bringt, dürfen Sie Regel zwei nicht vergessen:
Versuchen wir nie, mit unseren Feinden abzurechnen, denn wir würden uns selbst mehr weh tun als ihnen. Machen wir es wie General Eisenhower: Verschwenden wir nicht eine Minute mit Gedanken an Menschen, die wir nicht mögen.

14 Wenn Sie dies beherzigen, ärgern Sie sich nie mehr über die Undankbarkeit der andern

Kürzlich traf ich in Texas einen Unternehmer, der vor Empörung völlig außer sich war. Man hatte mich gewarnt, daß er mir gleich in den ersten fünfzehn Minuten alles haargenau erzählen werde. Das tat er auch. Der Vorfall, über den er sich ärgerte, lag schon elf Monate zurück, doch er kochte immer noch. Er konnte von nichts anderem reden. Er hatte seinen 34 Angestellten zu Weihnachten eine Gratifikation von zusammen 10000 Dollar gegeben – ungefähr 300 Dollar für jeden –, und kein Mensch hatte sich bei ihm bedankt. «Ich bedaure», sagte er bitter, «daß ich ihnen auch nur einen Cent gegeben habe.»

«Ein wütender Mensch», sagt Konfuzius, «ist immer voll Gift.» Dieser Geschäftsmann war so voll Gift und Galle, daß ich ihn ehrlich bedauerte. Er war ungefähr sechzig. Nun haben die Lebensversicherungsgesellschaften errechnet, daß wir im Durchschnitt nicht mehr länger leben als zwei Drittel der Differenz zwischen unserem jetzigen Alter und achtzig. Wenn der Mann Glück hatte, würde er also noch vierzehn oder fünfzehn Jahre leben. Doch er hatte bereits fast eines der wenigen ihm noch verbleibenden Jahre mit Bitterkeit und Empörung über ein Ereignis verschwendet, das längst vorbei war. Er tat mir leid.

Statt in Selbstmitleid zu baden, hätte er sich lieber fragen sollen, warum er keinen Dank erhielt. Vielleicht mußten seine Mitarbeiter zuviel arbeiten und wurden zu schlecht bezahlt. Vielleicht dachten sie, daß eine Weihnachtsgratifikation kein Geschenk sei, sondern etwas, das ihnen zustand. Vielleicht war er so kritisch und unzugänglich, daß keiner Lust hatte oder keiner es wagte, sich bei ihm zu bedanken. Vielleicht glaubten sie, er habe ihnen die

Gratifikation gegeben, weil die Steuer sowieso die meisten Gewinne schluckte.

Andrerseits waren seine Angestellten vielleicht egoistisch, gemein und unhöflich. Vielleicht dies, vielleicht das. Ich weiß nicht mehr über den Fall als Sie. Aber ich weiß, was der englische Schriftsteller Dr. Samuel Johnson einmal sagte: «Dankbarkeit ist die Frucht feinster Bildung. Beim gewöhnlichen Volk findet man sie nicht.»

Das ist der springende Punkt: Jener Geschäftsmann machte den menschlichen und bedauerlichen Fehler, Dankbarkeit zu erwarten. Er kannte eben die menschliche Natur nicht.

Wenn Sie jemand das Leben retten, erwarten Sie dann, daß er Ihnen dankbar ist? Sicherlich – aber Samuel Leibowitz, der ein bekannter Strafverteidiger war, ehe er Richter wurde, bewahrte 78 Menschen vor dem elektrischen Stuhl! Wie viele, glauben Sie, haben ihn aufgesucht und sich bedankt – oder sich die Mühe gemacht, ihm wenigstens zu Weihnachten eine Postkarte zu schreiben? Wie viele? Raten Sie . . . ja, genau – keiner.

Jesus heilte zehn Leprakranke an einem einzigen Nachmittag – und wie viele bedankten sich bei ihm? Nur einer. Sie können es im Lukasevangelium nachlesen. Als Jesus seine Jünger fragte: «Wo sind die andern neun?», waren die geheilten Aussätzigen alle davongelaufen. Verschwunden ohne Dank! Ich möchte Ihnen eine Frage stellen: Warum sollten Sie und ich – oder jener Unternehmer in Texas – mehr Dank erwarten für unsere kleinen Gefälligkeiten als Jesus?

Und wenn es um Geld geht, ist die Sache sogar noch viel hoffnungsloser. Der amerikanische Großindustrielle Charles Schwab erzählte mir, daß er einmal einem Bankkassierer geholfen habe, der auf dem Aktienmarkt mit Geldern der Bank spekuliert hatte. Schwab stellte das Geld zur Verfügung, damit der Kassierer nicht ins Gefängnis mußte. War der Mann dankbar? Ja, eine Zeitlang. Dann wandte er sich gegen Schwab und redete schlecht über ihn und stellte ihn öffentlich bloß, den Mann, der ihn vor dem Gefängnis bewahrt hatte!

Wenn Sie einem Verwandten eine Million Dollar vermachten, würden Sie dann erwarten, daß er dankbar dafür ist? Andrew

Carnegie tat das nämlich. Doch wenn er eine Weile später aus dem Grab zurückgekommen wäre, hätte er zu seinem Entsetzen feststellen müssen, daß dieser bestimmte Verwandte ihn verfluchte! Warum? Weil der alte Andy 365 Millionen Dollar öffentlichen Wohltätigkeitseinrichtungen vermacht hatte – und ihn selbst «mit einer schäbigen Million abspeiste», wie der Verwandte sich ausdrückte.

So geht's im Leben. Die menschliche Natur war immer so, und das wird sich vermutlich auch in nächster Zeit nicht ändern. Warum sich dann nicht damit abfinden? Warum nicht realistisch sein wie der alte Mark Aurel, einer der weisesten Männer, die je das Römische Reich regierten? Er schrieb in sein Tagebuch: «Ich treffe heute Menschen, die zuviel reden – Leute, die egoistisch sind, undankbar. Aber ich werde mich nicht darüber wundern oder beunruhigen, denn ich könnte mir eine Welt ohne sie nicht vorstellen.»

Das klingt vernünftig, nicht wahr? Wenn Sie und ich herumlaufen und uns über die Undankbarkeit der Welt beschweren, wer ist schuld? Ist es die menschliche Natur – oder ist es unsere Unkenntnis der menschlichen Natur? Am besten, wir erwarten keine Dankbarkeit. Wenn sich dann doch einmal jemand bedankt, ist die Freude und Überraschung um so größer. Wenn nicht – ist das auch kein Beinbruch.

Hier ist der erste wichtige Punkt, den ich in diesem Kapitel besonders hervorheben möchte:

Es ist nur natürlich, daß die Leute vergessen, sich zu bedanken. Wenn wir also herumlaufen und Dankbarkeit erwarten, machen wir uns nur selbst einen Haufen Kummer.

Ich kenne in New York eine Frau, die ständig jammert, weil sie so allein ist. Keiner ihrer Verwandten will ihr auch nur in die Nähe kommen – und das ist nicht verwunderlich. Wenn man sie besucht, erzählt sie einem stundenlang davon, was sie alles für ihre Nichten getan hat, als diese noch klein waren. Als sie die Masern hatten und Mumps und Keuchhusten, pflegte sie sie. Jahrelang wohnten sie bei ihr. Sie schickte die eine auf eine Handelsschule, und die andere lebte bei ihr, bis sie heiratete.

Besuchen die Nichten sie? O ja, manchmal, aus Pflichtgefühl.

Doch sie haßten diese Besuche. Sie wußten, daß sie dasitzen und sich stundenlang ihre verkappten Vorwürfe würden anhören müssen, eine endlose Litanei von verbitterten Klagen und weinerlichem Selbstmitleid. Und wenn es dieser Frau trotz aller Drohungen und Einschüchterungen nicht gelingt, ihre Nichten zu einem Besuch zu bewegen, kriegt sie einen ihrer «Zustände». Sie erleidet einen Herzanfall.

Ist der Herzanfall echt? Durchaus. Die Ärzte sagen, sie habe «ein nervöses Herz», Herzrhythmusstörungen. Aber die Ärzte sagen auch, daß sie nichts für sie tun können – ihre Beschwerden haben emotionale Ursachen.

Was diese Frau in Wirklichkeit braucht, ist Liebe und Aufmerksamkeit. Doch sie nennt es «Dankbarkeit». Und sie wird nie Dankbarkeit oder Liebe bekommen, weil sie sie erwartet. Sie glaubt, sie habe ein Recht darauf.

Es gibt Tausende von Menschen wie sie, Menschen, die aus «Undankbarkeit», Einsamkeit und Herzlosigkeit krank sind. Sie sehnen sich nach Liebe. Aber es gibt nur eine einzige Möglichkeit auf dieser Welt, wie man Liebe bekommt – wenn überhaupt: Man muß aufhören, sie zu fordern, und anfangen, Liebe zu geben, ohne die Hoffnung, dafür einen Gegenwert zu erhalten.

Klingt das nach weltfremdem, schwärmerischem Idealismus? Ganz und gar nicht. Es ist eine Frage des gesunden Menschenverstandes. Es ist eine gute Methode, wie Sie und ich das Glück finden können, nach dem wir uns sehnen. Ich weiß es. Ich habe es in meiner eigenen Familie erlebt. Meine eigene Mutter und mein eigener Vater gaben aus Freude, weil sie andern helfen konnten. Wir waren arm – und hatten immer Berge von Schulden. Doch trotz unserer Armut schafften es meine Eltern jedes Jahr wieder, einem Waisenhaus etwas Geld zu schicken. Sie haben es nie besucht, und vermutlich hat man ihnen auch nie gedankt – höchstens mit einem Brief –, aber sie fühlten sich reich beschenkt, weil sie sich freuten, kleinen Kindern helfen zu können, ohne als Gegenwert dafür Dankbarkeit zu erwarten oder auf sie zu hoffen.

Nachdem ich von zu Hause fort war, schickte ich meinem Vater und meiner Mutter zu Weihnachten immer einen Scheck und bat sie, sich ein paar Extrawünsche zu erfüllen. Doch sie taten es nur selten. Wenn ich kurz vor Weihnachten dann nach Hause kam, erzählte mir mein Vater meistens, daß er Kohlen und Lebensmittel für irgendeine Witwe im Ort gekauft habe, die viele Kinder hatte und zu arm war, um sich das Nötigste selbst kaufen zu können. Was für Freude sie daran hatten, andere zu beschenken – die Freude zu geben, ohne dafür etwas zu erwarten!

Ich glaube, auf meinen Vater hätte fast Aristoteles' Beschreibung des idealen Menschen gepaßt – des Menschen, der es am meisten verdient, glücklich zu sein. «Dem idealen Menschen macht es Freude, andern zu helfen», sagte er.

Dies ist der zweite wichtige Punkt, den ich in diesem Kapitel hervorheben möchte:

Wenn wir glücklich werden wollen, müssen wir aufhören, an Dankbarkeit oder Undankbarkeit zu denken, und geben aus einer inneren Freude am Schenken.

Seit zehntausend Jahren raufen sich die Eltern über die Undankbarkeit ihrer Kinder die Haare.

Schon Shakespeares König Lear rief: «Wie schärfer als ein Schlangenzahn es ist, ein undankbar Kind zu haben!»

Warum sollten Kinder eigentlich dankbar sein – außer wir erziehen sie zur Dankbarkeit? Undankbarkeit ist etwas Natürliches – wie Unkraut. Dankbarkeit ist eine Rose. Sie muß gedüngt und gegossen, gepflegt, geliebt und umsorgt werden.

Wenn unsere Kinder undankbar sind, wer hat die Schuld? Vielleicht wir. Wenn wir sie nie gelehrt haben, andern gegenüber dankbar zu sein, wie können wir erwarten, daß sie es bei uns sind?

Ich kannte in Chicago einen Mann, der Grund hatte, sich über die Undankbarkeit seiner Stiefsöhne zu beklagen. Er schuftete in einer Kartonagenfabrik und verdiente selten mehr als 40 Dollar die Woche. Er heiratete eine Witwe, und sie überredete ihn, sich Geld zu leihen und ihre zwei erwachsenen Söhne aufs College zu schicken. Von seinem Wochenlohn von 40 Dollar mußte er also Essen, Miete, Heizung, Kleidung und die Raten für seine Schulden bezahlen. Er tat das vier Jahre lang, schuftete wie ein Kuli und beklagte sich nie.

Hat er jemals Dank dafür geerntet? Nein. Seine Frau hielt dies alles für selbstverständlich – und seine Stiefsöhne auch. Sie dachten nicht einmal im Traum daran, daß sie ihrem Stiefvater etwas schuldig seien – nicht einmal Dank!

Wessen Fehler war es? War den Söhnen ein Vorwurf zu machen? Ja, aber noch mehr der Mutter. Sie fand es beschämend, ihr junges Leben mit dem Gefühl zu belasten, jemand «verpflichtet zu sein». Sie wollte nicht, daß ihre Söhne «mit Schulden ins Leben hinausgingen». So kam es ihr nie in den Sinn zu sagen: «Was für ein großartiger Mensch euer Stiefvater ist, daß er euch das College bezahlt!» Vielmehr fand sie: «Na, das ist das mindeste, was er tun kann.»

Sie glaubte, ihre Söhne zu schonen, doch in Wirklichkeit schickte sie sie mit der gefährlichen Vorstellung ins Leben hinaus, daß die Welt ihnen etwas schulde. Und es war tatsächlich eine gefährliche Vorstellung – denn einer ihrer Söhne versuchte später, von seinem Arbeitgeber Geld zu «leihen» und landete im Gefängnis.

Wir müssen immer bedenken, daß unsere Kinder zum größten Teil das sind, was wir aus ihnen machen. Viola Alexander aus Minneapolis – die Schwester meiner Mutter – ist ein leuchtendes Beispiel für eine Frau, die nie Grund hatte, sich über die «Undankbarkeit» von Kindern zu beklagen. Als ich ein kleiner Junge war, nahm Tante Viola ihre Mutter bei sich auf und kümmerte sich liebevoll um sie. Und mit der Mutter ihres Mannes machte sie es genauso. Wenn ich die Augen schließe, sehe ich die beiden alten Frauen wieder vor dem Feuer in Tante Violas Farmhaus sitzen. Machten sie Tante Viola viel «Mühe»? Ja, vermutlich. Aber ihrem Benehmen nach hätte man dies nie vermuten können. Sie *liebte* die beiden alten Frauen – und deshalb verhätschelte und verwöhnte sie sie und gab ihnen ein Zuhause. Außerdem hatte Tante Viola noch sechs Kinder. Aber es kam ihr nie der Gedanke, daß sie etwas besonders Großartiges tat oder Bewunderung verdiente, weil sie die beiden alten Frauen bei sich aufgenommen hatte. Für sie war es das natürlichste von der Welt, sie fand es richtig und hätte es nicht anders haben wollen.

Wo Tante Viola heute ist? Nun, seit mehr als zwanzig Jahren ist sie Witwe, mit fünf erwachsenen Kindern – fünf verschiedenen Haushalten –, und alle wollen sie haben und alle wollen, daß sie bei ihnen lebt. Die Kinder beten sie an. Sie können nicht genug von ihr haben. Aus «Dankbarkeit»? Unsinn! Es ist Liebe – nichts als reine Liebe. Diese Kinder hatten während ihrer ganzen Kindheit Wärme und strahlende menschliche Güte gespürt. Ist es da ein Wunder, daß sie jetzt, da die Situation umgekehrt ist, Liebe zurückgeben?

Vergessen wir also nie: Wenn wir dankbare Kinder haben wollen, müssen wir selbst dankbar sein können. Vergessen wir nicht, daß kleine Kinder Ohren wie Luchse haben und genau aufpassen, was wir sagen. Wenn wir zum Beispiel das nächstemal versucht sind, vor unseren Kindern die Freundlichkeit eines Menschen herunterzusetzen, dann lassen wir es ausnahmsweise einmal bleiben. Sagen wir nie: «Seht euch bloß die Spültücher an, die Kusine Susi uns zu Weihnachten geschickt hat. Sie hat sie selbst bestickt. Die haben sie keinen Cent gekostet!» Die Bemerkung mag uns unwichtig erscheinen, doch die Kinder haben sie genau gehört. Sagen wir das nächstemal also lieber: «Wie viele Stunden Kusine Susi gebraucht haben muß, um uns so was zu Weihnachten schenken zu können! Ist sie nicht nett? Wir wollen ihr gleich einen Dankbrief schreiben.» Und unsere Kinder können so ganz unbewußt lernen, was Lob und Wertschätzung bedeuten.

Damit Sie sich über Undankbarkeit nicht aufregen und ärgern müssen – hier Regel drei:

a) Machen wir uns auf Undankbarkeit gefaßt, dann brauchen wir uns nicht zu ärgern. Vergessen wir nie, daß Jesus an einem Tag zehn Aussätzige heilte – und nur ein einziger dankte ihm. Warum sollten wir mehr Dankbarkeit erwarten können als Jesus?
b) Wir wollen uns immer daran erinnern, daß es nur eine Möglichkeit gibt, glücklich zu werden: Wir dürfen keine Dankbarkeit erwarten, sondern sollen geben aus Freude am Geben.
c) Bedenken wir immer, daß Dankbarkeit ein Verhalten ist, das «kultiviert» werden muß. Wenn wir also dankbare Kinder haben wollen, müssen wir sie zur Dankbarkeit erziehen.

15 Würden Sie für eine Million Dollar hergeben, was Sie haben?

Ich kenne Harold Abbott seit Jahren. Er wohnte in Webb City, Missouri, und war lange Organisator meiner Vortragsreisen. Einmal trafen wir uns in Kansas City. Er fuhr mich hinunter zu meiner Farm in Belton, das auch in Missouri liegt. Während der Fahrt fragte ich ihn, wie er es schaffe, sich keine Sorgen zu machen. Da erzählte er mir eine interessante Geschichte, die mir unvergeßlich ist.

«Ich habe mir immer einen Haufen Sorgen gemacht», sagte er. «Bis ich einmal im Frühling in Webb City die West Dougherty Street entlangging. Da hatte ich ein Erlebnis, das mich alle Sorgen vergessen ließ. Es dauerte nicht länger als zehn Sekunden, aber in diesen zehn Sekunden lernte ich mehr über das Leben als in den zehn Jahren davor. Ich besaß damals einen Lebensmittelladen», erzählte Harold Abbott weiter. «Doch am vorangegangenen Sonnabend war es damit ausgewesen. Ich hatte meine ganzen Ersparnisse aufgebraucht und außerdem noch viele Schulden gemacht. Ich schuftete sieben Jahre, um sie zurückzuzahlen. Jetzt war ich auf dem Weg zur Bank, um mir Geld zu leihen, damit ich nach Kansas City fahren konnte, weil ich hoffte, dort Arbeit zu finden. Ich ging wie ein Mensch, der erledigt ist. Ich hatte all meinen Glauben, jede Zuversicht verloren. Dann sah ich plötzlich einen Mann auf mich zukommen. Er hatte keine Beine und saß auf einem hölzernen Brett mit Rollschuhrollen daran. In den Händen hielt er dicke Holzstücke, mit denen er sich abstieß. Er hatte gerade die Kreuzung überquert und mußte sein Brett vorne etwas anheben, um auf den Gehweg zu gelangen. Während er sich geschickt hinaufbalancierte, trafen sich unsere Blicke. Er grüßte mich mit einem breiten Lächeln. «Guten Morgen, Sir. Ein schöner Morgen, was?» sagte er fröhlich. Während ich dastand und ihm nachstarrte, erkannte ich plötzlich, wie reich ich war. Ich hatte zwei Beine! Ich konnte gehen! Ich schämte mich über mein Selbstmitleid. Ich sagte mir, wenn der Mann dort fröhlich und zuversichtlich und glücklich sein kann, obwohl er keine Beine hat, dann muß ich das erst recht können. Ich glaubte schon fast zu spüren, wie sich meine Brust hob. Ich hatte die Bank um hundert Dollar anpumpen wollen. Jetzt hatte ich den Mut, zweihundert zu verlangen. Ich hatte sagen wollen, daß ich *versuchen* würde, einen Job zu finden, jetzt erklärte ich optimistisch, ich würde nach Kansas City fahren, weil ich dort Arbeit *bekäme*. Man gab mir die zweihundert Dollar Kredit. Und ich fand auch Arbeit.

Jetzt klebt an meinem Badezimmerspiegel ein Zettel, den ich jeden Morgen beim Rasieren betrachte. Es steht folgender Spruch darauf:

Das Leben war trübe, und Dollar hatte ich keine,
Da traf ich auf der Straße einen Mann ohne Beine.»

Eddie Rickenbacker war einmal zusammen mit anderen Schiffbrüchigen 21 Tage lang in Schlauchbooten auf dem Pazifik getrieben, ehe sie aufgefischt wurden. Ich fragte ihn, was für einen Einfluß dieses Abenteuer auf sein Leben gehabt habe. «Ich habe vor allem daraus gelernt», sagte er, «daß man sich niemals über irgend etwas beklagen sollte, solange man genug frisches Wasser zum Trinken und genug Brot zum Essen hat.»

Das Magazin *Time* brachte einmal einen Bericht über einen Unteroffizier, der auf Guadelcanal verwundet worden war. Ein Granatsplitter hatte ihn an der Kehle getroffen. Er bekam sieben Bluttransfusionen. «Bleibe ich am Leben?» schrieb er auf einen Zettel. Der Arzt bejahte. «Werde ich wieder sprechen können?» schrieb der Unteroffizier. Wieder war die Antwort: «Ja!» Da kritzelte der Unteroffizier folgenden Kommentar auf seinen Zettel: «Verdammt noch mal, worüber mache ich mir dann eigentlich Sorgen?»

Warum machen Sie nicht auch einmal eine Pause und fragen sich: «Verdammt noch mal, worüber mache ich mir eigentlich Sorgen?»

Vermutlich werden Sie feststellen, daß etwas verhältnismäßig Unwichtiges und Unbedeutendes dahintersteckt.

Etwa neunzig Prozent aller Dinge in unserem Leben sind in Ordnung, nur etwa zehn Prozent sind es nicht. Wenn wir glücklich sein wollen, brauchen wir uns nur auf diese neunzig Prozent zu konzentrieren und die zehn, die nicht in Ordnung sind, nicht zu beachten. Wenn wir aber verbittert und ängstlich sein und ein Magengeschwür bekommen wollen, müssen wir es genau umgekehrt machen und nur die zehn Prozent sehen, die nicht so sind, wie wir es uns wünschen. Die Worte «Denke und danke» stehen in vielen englischen Kirchen aus der Zeit Cromwells. Auch wir sollten sie immer in unserem Herzen bewahren. Denken wir an all das, wofür wir dankbar sein müssen, und danken wir Gott für alle Gaben und Wohltaten!

Jonathan Swift, der Autor von *Gullivers Reisen,* war der schlimmste Pessimist, den die englische Literatur kennt. Er bedauerte so sehr, geboren worden zu sein, daß er Schwarz trug und an seinem Geburtstag fastete. Dennoch pries er die großen heilenden Kräfte der Heiterkeit und des Glücklichseins. «Die besten Ärzte der Welt», erklärte er, «sind Dr. Essen, Dr. Ruhe und Dr. Fröhlich.»

Sie und ich können «Dr. Fröhlichs» Hilfe alle Stunden am Tag umsonst haben, wenn wir uns auf die unglaublichen Reichtümer konzentrieren, die wir besitzen – Reichtümer, die viel bedeutender sind als die märchenhaften Schätze von Ali Baba. Würden Sie Ihre Augen für eine Milliarde Dollar verkaufen? Wieviel würden Sie für Ihre beiden Beine haben wollen? Und Ihre Hände? Ihr Gehör? Ihre Kinder? Ihre Familie? Zählen Sie Ihre Aktivaposten einmal zusammen, und Sie werden feststellen, daß Sie sie für alles Gold der Rockefellers, der Fords und der Morgans zusammen nicht hergeben würden.

Doch wissen wir sie zu schätzen? O nein! Wie Schopenhauer sagte: «Wir denken selten an das, was wir haben, sondern immer nur an das, was uns fehlt.» Ja, unsere Tendenz, immer an das zu denken, was wir nicht besitzen, ist die größte Tragödie auf dieser Erde. Vielleicht ist sie an mehr Elend schuld als alle Kriege und Krankheiten der Geschichte.

Sie war auch der Grund, warum John Palmer zu einem alten Nörgler wurde und seine Ehe fast kaputtmachte. Ich weiß es, denn er hat es mir selbst erzählt.

«Kurz nach meiner Entlassung aus der Armee», sagte er, «gründete ich meine eigene Firma. Ich arbeitete Tag und Nacht. Anfangs lief alles wie am Schnürchen, dann gab es Schwierigkeiten. Ich konnte kein Material, keine Ersatzteile bekommen. Ich hatte Angst, alles aufgeben zu müssen. Ich machte mir so viele Sorgen, daß ich ein richtiger alter Nörgler wurde, immer übelnehmerisch und verärgert – na ja, damals wußte ich das natürlich noch nicht. Aber heute ist mir klar, daß ich beinahe kein glückliches Zuhause mehr gehabt hätte. Dann sagte eines Tages ein junger Kriegsversehrter, der bei mir arbeitete: ‹Du solltest dich was schämen, Johnny! Du benimmst dich, als wärst du der einzige Mensch auf dieser Welt, der Sorgen hat. Angenommen, du mußt tatsächlich für eine Weile schließen – na und? Wenn sich die Dinge normalisiert haben, kannst du wieder weitermachen. Du hast eine Menge, wofür du dankbar sein solltest. Aber nein – du meckerst nur immer! Mein Gott, ich wünschte, ich wäre an deiner Stelle! Sieh mich mal an! Ich habe nur noch einen Arm, das halbe Gesicht wurde mir weggeschossen, und trotzdem beklage ich mich nicht. Wenn du nicht aufhörst zu meckern und zu schimpfen, wirst du nicht nur deine Firma verlieren, sondern auch deine Gesundheit, dein Zuhause und deine Freunde!›

Seine Worte trafen mich wie ein Schlag. Mir wurde klar, wie gut ich es eigentlich hatte. In jenem Augenblick beschloß ich, mich zu ändern und wieder zu werden wie früher – ein netter, ordentlicher Kerl. Und ich schaffte es.»

Bei einer Freundin von mir, Lucile Blake, wäre es beinahe zu einer Katastrophe gekommen, ehe sie lernte, mit dem glücklich und zufrieden zu sein, was sie besaß, und nicht darüber nachzugrübeln, was ihr fehlte.

Ich lernte Lucile vor Jahren kennen, als wir beide an der Columbia-Universität studierten und Vorlesungen über das Schreiben von Kurzgeschichten besuchten. Später, als sie in Tucson in Arizona wohnte, erlebte sie den Schock ihres Lebens. Damals – doch lassen wir sie die Geschichte selbst erzählen:

«Damals waren meine Tage voll Hektik. Ich studierte Orgel an der Universität von Arizona, leitete in der Stadt ein Sprechzentrum und gab auf der ‹Desert Willow Ranch›, auf der ich wohnte, Musikunterricht. Dazu nichts als Partys, Tanzereien, nächtliche Ausritte. Eines Morgens klappte ich zusammen – mein Herz! ‹Sie müssen ein Jahr im Bett bleiben und dürfen sich nicht aufregen!› erklärte der Arzt. Er machte mir keine Hoffnungen, daß ich je wieder ganz gesund und kräftig werden würde.

Ein Jahr im Bett bleiben! Nie wieder gesund werden – vielleicht sogar sterben! Ich war außer mir vor Entsetzen! Warum mußte das gerade mir passieren? Womit hatte ich das verdient? Ich jammerte und weinte. Ich rebellierte und wütete. Doch ich blieb im Bett, wie der Arzt es mir geraten hatte. Ein Nachbar, Rudolf, ein Maler, sagte zu mir: ‹Du glaubst, ein Jahr im Bett zu liegen sei eine Tragödie. Aber es stimmt nicht. Endlich hast du Zeit, über dich nachzudenken und dich wirklich kennenzulernen. Du wirst in den nächsten Monaten geistig mehr wachsen als in deinem ganzen bisherigen Leben.› Ich beruhigte mich etwas und versuchte, alle Dinge und ihren Wert neu zu sehen. Ich las viele gute Bücher. Eines Tages sagte ein Rundfunkkommentator: ‹Sie können nur das ausdrücken, was in Ihrem eigenen Bewußtsein ist.› Solche Worte hatte ich schon oft gehört, doch jetzt berührten sie mich tief und schlugen Wurzeln. Ich beschloß, nur noch positive Gedanken zu denken und danach zu leben: Gedanken der Freude, des Glücks, der Gesundheit. Ich zwang mich, jeden Morgen sofort nach dem Aufwachen, alle Dinge aufzuzählen, für die ich dankbar sein mußte: keine Schmerzen, eine reizende kleine Tochter, meine Sehkraft, mein Gehör. Schöne Musik im Radio. Zeit zum Lesen. Gutes Essen. Liebe Freunde. Ich war so heiter, und es kamen so viele Besucher, daß der Arzt ein Schild an meinem Häuschen anmachte, daß ich nur einen Besucher gleichzeitig haben dürfe und auch nur zu bestimmten Stunden.

Seitdem sind viele Jahre vergangen, und heute führe ich ein reiches, aktives Leben. Ich bin für jenes Jahr, das ich im Bett verbringen mußte, tief dankbar. Es war die wichtigste und glücklichste Zeit in Arizona. Die Gewohnheit von damals, jeden Morgen meine Reichtümer zu zählen, ist mir geblieben. Sie ist für mich etwas sehr Wichtiges und Kostbares. Ich erkenne heute beschämt, daß ich erst wirklich zu leben lernte, als ich dachte, sterben zu müssen.»

Liebe Lucile, vielleicht ist es dir nicht bewußt, aber du hast die gleiche Erfahrung gemacht, die Dr. Samuel Johnson zweihundert Jahre früher machte. «Die Gewohnheit, allen Dingen eine gute Seite abzugewinnen», sagte er, «ist mehr wert als tausend Pfund im Jahr.»

Bedenken Sie, daß diese Worte nicht von einem Berufsoptimisten stammen, sondern von einem Mann, der zwanzig Jahre voll Angst, Hunger und Not durchmachte – und schließlich einer der bedeutendsten Schriftsteller seiner Generation und der gefeiertste Erzähler aller Zeiten wurde.

Logan Pearsall Smith packte viel Weisheit in wenig Worte, als er sagte: «Zwei Ziele gibt es im Leben: zu bekommen, was man sich wünscht, und es dann zu genießen. Nur den Weisesten unter uns gelingt das letztere.»

Möchten Sie wissen, wie man sogar das Abwaschen in der Küche zu einem aufregenden Erlebnis gestalten kann? Wenn ja, dann lesen Sie das unglaublich mutige und erhebende Buch von Borghild Dahl. Es heißt *Ich wollte sehen.*

Es ist das Buch einer Frau, die ein halbes Jahrhundert praktisch blind war. «Ich hatte nur ein Auge», schreibt sie, «und das war mit so vielen Narben bedeckt, daß ich nur durch einen engen Spalt in der linken Seite sehen konnte. Ich konnte zum Beispiel ein Buch nur lesen, wenn ich es mir nahe ans Gesicht hielt und so weit wie möglich mit meinem einen Auge nach links schielte.»

Doch sie wollte kein Mitleid, sie wollte nicht als Ausnahme behandelt werden. Als Kind hätte sie mit den andern gern Himmel und Hölle gespielt, doch sie konnte die Striche nicht erkennen. Als einmal die andern Kinder nach Hause gegangen waren, kroch sie auf Händen und Füßen an den Strichen entlang, das Gesicht dicht am Boden. Sie prägte sich jede Unebenheit, jedes besondere Merkmal genau ein und hüpfte bald ebenso geschickt von Kästchen zu Kästchen wie ihre Spielkameraden. Sie machte ihre Leseübungen zu Hause und hielt sich das großgedruckte Buch so dicht vor die Nase, daß ihre Wimpern die Seiten berührten. Sie studierte

Literatur an der Universität von Minnesota und an der Columbia-Universität und machte dort auch ihr Examen.

In einem winzigen Ort in Minnesota fing sie als Lehrerin an und wurde später Professorin für Journalismus und Literatur an einem College. Sie lehrte dreizehn Jahre, sprach in Frauenklubs und im Radio über Bücher und Schriftsteller. «In meinem Hinterkopf», schreibt sie, «lauerte die ständige Angst, blind zu werden. Um dagegen anzukämpfen, hatte ich mir eine heitere, fast vergnügte Art, das Leben zu betrachten, angewöhnt.»

Dann, als sie 52 Jahre alt war, geschah ein Wunder: Durch eine Operation in der berühmten Mayo-Klinik konnte sie vierzigmal besser sehen, als sie je gesehen hatte.

Eine neue und faszinierend schöne Welt tat sich vor ihr auf. Sogar das Abwaschen in der Küche war aufregend. «Ich fange an, mit dem leichten weißen Schaum im Topf zu spielen», schreibt sie. «Ich tauche meine Hände hinein und hebe eine Kugel von winzigen Seifenblasen heraus. Ich halte sie gegen das Licht, und in jeder winzigen Seifenblase erkenne ich die leuchtenden Farben eines winzigen Regenbogens.»

Als sie aus dem Fenster über dem Spülbecken in der Küche sah, beobachtete sie die «flatternden grauschwarzen Flügel der Spatzen, die durch den dicken fallenden Schnee fliegen».

Sie war so außer sich vor Entzücken über die schillernden Seifenblasen und die Spatzen vor dem Fenster, daß sie ihr Buch mit folgenden Worten schloß: «‹Mein Gott›, flüsterte ich, ‹Vater im Himmel, ich danke dir, ich danke dir!›»

Stellen Sie sich vor, Sie würden Gott danken, weil Sie abwaschen können und Regenbogen in Seifenblasen sehen und Spatzen, die durch den Schnee fliegen!

Sie und ich – wir sollten uns schämen! Alle Tage unseres Lebens haben wir in einem Feenreich der Schönheit gelebt, doch wir waren zu blind, um es zu sehen, zu übersättigt, um uns daran zu erfreuen.

> Wenn wir aufhören wollen, uns Sorgen zu machen, wenn wir wirklich leben wollen – hier Regel vier:
> Zählen Sie die Geschenke – nicht die Probleme!

16 Finden Sie zu sich selbst und stehen Sie zu sich selbst, denn: Kein anderer Mensch auf der Erde ist so wie Sie!

Ich habe hier einen Brief von Edith Allred aus Mount Airy in North Carolina. Darin schreibt sie: «Als Kind war ich äußerst scheu und sensibel. Außerdem hatte ich zuviel Gewicht, und meine Backen ließen mich noch dicker aussehen, als ich in Wirklichkeit war. Meine altmodische Mutter hielt nichts von Kleidern, die hübsch machten. Sie pflegte zu sagen: ‹Weit hält, eng zerreißt.› Und entsprechend zog sie mich an. Ich ging nie zu Partys, nie konnte ich lustig sein, und in der Schule spielte ich nicht mit den andern im Hof und turnte auch nicht. Ich war entsetzlich scheu. Ich hatte das Gefühl, anders zu sein als die andern. Kein Mensch mochte mich.

Als ich erwachsen war, heiratete ich einen ein paar Jahre älteren Mann, doch ich änderte mich nicht. Meine angeheirateten Verwandten waren selbstsichere und ausgeglichene Menschen, genau das, was ich in keiner Weise war. Ich bemühte mich sehr, so zu sein wie sie, doch es gelang mir nicht. Alle Versuche von ihnen, mich aus meinem Schneckenhaus zu locken, schlugen nur ins Gegenteil um. Ich wurde nervös und gereizt. Ich mied meine Freunde. Es wurde so schlimm, daß ich schon allein vor dem Klingeln der Türglocke Angst hatte. Ich war ein Versager. Ich wußte es, und ich machte mir Sorgen, mein Mann würde es merken. Wenn wir mit andern Leuten zusammen waren, spielte ich deshalb die Fröhliche und übertrieb natürlich. Hinterher war ich tagelang unglücklich. Schließlich wurde es so schlimm, daß es mir sinnlos erschien, noch länger weiterzuleben. Ich dachte immer häufiger an Selbstmord.»

Was brachte den Umschwung in das Leben der unglücklichen Frau? Es war nur eine beiläufige Bemerkung.

«Eine beiläufige Bemerkung verwandelte mein ganzes Leben»,

schrieb Edith Allred weiter. «Meine Schwiegermutter erzählte einmal, wie sie ihre Kinder erzogen habe, und sagte unter anderem: ‹Ganz gleich, was passierte, ich bestand immer darauf, daß sie sich selbst treu blieben...› – ‹Sich treu bleiben!› Mir fiel es wie Schuppen von den Augen. Blitzartig erkannte ich, daß an meinem ganzen Elend meine Versuche schuld waren, mich in eine Form zu pressen, in die ich nicht hineinpaßte.

Ich veränderte mich von einem Tag auf den andern. Ich fing an, ich selbst zu sein. Ich versuchte, meine eigene Persönlichkeit zu erforschen, herauszufinden, *was ich war*, meine Stärken und Schwächen zu entdecken. Ich las alles mögliche über Farben und Mode und zog nur das an, was mir meiner Meinung nach stand. Ich bemühte mich, Freunde zu finden, und trat einer Organisation bei, zuerst war es nur eine kleine. Wenn man mich bat, zu irgendeinem Thema etwas zu sagen, war ich am Anfang vor Schreck wie erstarrt. Trotzdem äußerte ich mich jedesmal, und mein Mut wuchs. Es dauerte alles sehr lange – aber heute bin ich so glücklich, wie ich es nicht einmal im Traum zu hoffen gewagt hätte. Meine Kinder habe ich nach derselben Devise erzogen, deren Bedeutung ich erst nach bitteren Erfahrungen erkannte: *Gleichgültig, was geschieht – bleib immer du selbst!*»

Sich zu sich selbst bekennen zu können, ist ein Problem «so alt wie die Menschheit», sagte Dr. James Gordon Gilkey, «und so komplex wie das menschliche Leben selbst.» Es ist auch das versteckte Motiv vieler Neurosen und Psychosen und Komplexe. Angelo Patri hat dreizehn Bücher und Tausende von Zeitungsartikeln über das Thema Kindererziehung geschrieben, und er sagt: «Niemand ist so unglücklich wie derjenige, der etwas anderes oder jemand anders sein möchte als die Person, die er seinem Körper und seinem Geist nach ist.»

Diese Sehnsucht, jemand anders zu sein, nimmt vor allem in Hollywood immer mehr zu. Sam Wood, einer der bekanntesten Filmregisseure, erklärte, das größte Kopfzerbrechen machten ihm in dieser Beziehung junge, ehrgeizige Schauspieler. Und natürlich auch Schauspielerinnen. Sie wollten alle zweitklassige Lana Turners oder drittklassige Clark Gables sein. «Das Publikum kennt doch deren Art schon ganz genau», erzählt er ihnen immer wieder, «jetzt wollen die Leute was Neues!»

Ehe er Filme machte, wie zum Beispiel *Goodbye, Mr. Chips* oder *Wem die Stunde schlägt*, arbeitete Wood jahrelang als Makler, vor allem in der Verkaufsschulung. Er behauptete, daß in der Welt des Films dieselben Gesetze gelten wie im Geschäftsleben. Mit Imitationen kommt man nicht weit. Man kann kein Papagei sein. «Die Erfahrung hat mich gelehrt», sagt Sam Wood, «daß es das klügste ist, Leute, die nicht echt sind, möglichst schnell abzuschieben.»

Ich fragte Paul Boynton, damals Personalchef einer der größten Ölfirmen, was für Fehler Stellenbewerber hauptsächlich machen. Schließlich mußte er es wissen: Er hatte mit mehr als 60000 gesprochen! Er schrieb auch ein Buch über das Thema. Es heißt: *Sechs Methoden, einen Job zu finden.* Er antwortete mir: «Den größten Fehler, den die Leute machen, wenn sie sich bei mir um einen Job bewerben – sie stehen nicht zu sich selbst. Statt natürlich und offen zu sein, versuchen sie oft, die Antworten zu geben, von denen sie glauben, daß ich sie hören möchte.» Doch es nützt nichts, denn niemand will mit so einem falschen Kunden etwas zu tun haben. Falschgeld wird nirgends geschätzt.

Die Tochter eines Straßenbahnschaffners mußte sich erst die Finger verbrennen, ehe sie dies einsah. Sie wollte unbedingt Sängerin werden, aber sie war über ihr Aussehen unglücklich. Sie hatte einen großen Mund und vorstehende Zähne. Beim ersten öffentlichen Auftritt in einem Nachtklub versuchte sie, die Zähne mit der Oberlippe zu verdecken. Sie wollte schön und bezaubernd aussehen. Und das Ergebnis? Sie wirkte komisch, ihr Auftritt war ein Fiasko.

Aber in diesem Nachtklub saß auch ein Mann, der fand, daß sie Talent habe. «Hören Sie», sagte er – er nahm kein Blatt vor den Mund –, «ich habe Sie bei Ihrem Auftritt beobachtet. Ich weiß, was Sie vertuschen wollen. Sie genieren sich wegen Ihrer Zähne!» Das Mädchen wurde verlegen. «Warum eigentlich», redete der Mann weiter. «Ist es denn ein großes Verbrechen, vorstehende Zähne zu haben? Versuchen Sie nicht, sie zu verstecken! Machen Sie den Mund richtig auf, und das Publikum wird Sie lieben, wenn es merkt, daß Sie sich nicht schämen. Außerdem», fügte er listig hinzu, «haben Sie vielleicht gerade wegen dieser Zähne Erfolg.»

Cass Daley befolgte seinen Rat und dachte nicht mehr an ihre Zähne. Sie dachte von da an nur noch an ihr Publikum. Sie öffnete weit ihren Mund und sang mit solcher Freude und Begeisterung, daß sie ein großer Star wurde, beim Film und im Rundfunk. Andere Sängerinnen versuchten sogar, *sie* nachzuahmen!

William James hielt einmal einen Vortrag über Menschen, die nie zu sich selbst gefunden hatten, und sagte dabei, daß der Durchschnittsmensch nur zehn Prozent seiner vorhandenen geistigen Möglichkeiten ausschöpft. «Verglichen mit dem, was wir sein könnten», meinte er, «sind wir nur halb wach. Wir verwenden nur einen kleinen Teil unserer körperlichen und geistigen Gaben. Im allgemeinen lebt also der Mensch weit unterhalb seiner Grenzen. Dabei besitzt er die verschiedenartigsten Kräfte, die er aber gewöhnlich nicht nützt.»

Sie und ich, wir haben alle solche Kräfte, und deshalb wollen wir keine Sekunde mehr damit verschwenden, uns Sorgen zu machen, denn wir sind nicht wie andere Leute. Sie sind auf dieser Welt etwas völlig Neues! Nie zuvor, nicht seit Anbeginn aller Zeiten, hat es jemand gegeben, der genauso war wie Sie. Und auch in allen kommenden Zeitaltern wird niemand leben, der Ihnen aufs Haar gleicht. Die Wissenschaft von der Vererbung sagt uns, daß wir das, was wir sind, zum größten Teil den 23 Chromosomen zu verdanken haben, die unser Vater beigesteuert hat, und den 23, die unsere Mutter dazugab. Diese 46 Chromosomen enthalten alles, was unsere Erbanlagen bestimmt. In jedem Chromosom, so sagt Amram Scheinfeld, «können Mengen von Genen sein, Hunderte – und schon eines genügt in manchen Fällen, das ganze Leben eines Menschen zu verändern». Wirklich, wir sind «schrecklich und wunderbar» gemacht.

Und nachdem sich Ihre Mutter und Ihr Vater begegneten und vereinigten, standen die Chancen eins zu dreihunderttausend Milliarden, daß die Person, die Sie sind, geboren wurde. Mit anderen Worten, wenn Sie dreihunderttausend Milliarden Geschwister hätten, könnten die alle verschieden von Ihnen sein. Ob das nur eine Ausnahme ist? Nein. Es ist wissenschaftlich erwiesen.

Wenn Sie mehr darüber wissen möchten, lesen Sie *Du und die Vererbung* von Amram Scheinfeld.

Zu sich selbst zu stehen – über dieses Thema kann ich besonders glaubwürdig sprechen, weil ich mich auch sehr betroffen fühle. Ich weiß, wovon ich rede! Ich weiß es aus bitterer und teuer bezahlter Erfahrung. Das möchte ich Ihnen näher erklären. Als ich frisch von den Maisfeldern Missouris in New York ankam, schrieb ich mich an der American Academy of Dramatic Arts ein. Ich wollte Schauspieler werden. Außerdem hatte ich einen Einfall, den ich für unerhört großartig hielt, sozusagen ein Schnellverfahren, um berühmt zu werden, eine Idee, die so einfach und todsicher war, daß ich nicht begreifen konnte, wieso die vielen Tausende von ehrgeizigen Menschen sie noch nicht entdeckt hatten. Es handelte sich um folgendes: Ich wollte herausfinden, worauf der Erfolg der berühmten Schauspieler jener Zeit wie John Drew, Walter Hampden oder Otis Skinner beruhte. Dann würde ich die Glanzpunkte ihres Könnens nehmen und in mir zu strahlender, triumphaler Schauspielkunst vereinen. Wie dumm! Wie verrückt! Ich sollte Jahre meines Lebens mit der Nachahmung anderer Leute vergeuden, ehe es mir in meinem missourischen Dickschädel dämmerte, daß ich ich selbst sein mußte und nicht gut jemand anders sein konnte.

Diese trübe Erfahrung hätte mir eine unvergeßliche Lehre sein müssen, doch leider war sie es nicht. Ich war zu dumm. Ich hatte noch eine zweite Lektion nötig. Einige Jahre später wollte ich ein Buch über freie Rede schreiben, für Geschäftsleute, das Beste, das je zu diesem Thema erschienen war. Dabei hatte ich wieder einen ähnlich verrückten Einfall wie damals, als ich Schauspieler werden wollte: Ich würde mir die besten Gedanken einer Menge anderer Autoren *leihen* und sie in meinem Buch vereinen, das dann auf diese Weise von allem das Beste enthielt. Ich besorgte mir also eine Menge Bücher über das Gebiet und verbrachte ein Jahr damit, Gedanken daraus meinem Manuskript einzuverleiben. Schließlich dämmerte es mir aber doch, was für ein Idiot ich war. Dieser Mischmasch fremder Gedanken, den ich zusammengeschrieben hatte, war so künstlich, so langweilig, daß kein Geschäftsmann sich damit abplagen würde. Ich warf die Arbeit eines ganzen Jahres in den Papierkorb und fing von vorne an. Diesmal sagte ich zu mir: «Es bleibt dir nichts übrig, als Dale Carnegie zu sein, mit all seinen Fehlern und Grenzen. Du kannst nicht gut jemand anders sein!» Also hörte ich auf, eine Mischung aus anderen Leuten sein zu wollen, krempelte die Ärmel auf und tat, was ich von Anfang an hätte tun sollen: Ich schrieb ein Lehrbuch über freie Rede auf Grund meiner eigenen Erfahrungen, Beobachtungen und Überzeugungen als Redner und als Lehrer. Ich lernte die Lektion – hoffentlich für immer –, die auch Sir Walter Raleigh lernte. (Ich meine nicht den Sir Walter Raleigh, der seinen Mantel vor der Königin ausbreitete, damit sie nicht in den Schmutz treten und sich die Schuhe dreckig machen mußte. Ich spreche von dem Professor für englische Literatur, der in Oxford lehrte.) «Ich kann kein Buch schreiben, das so bedeutend ist wie ein Stück von Shakespeare», sagte er, «aber ich kann eines schreiben, das von mir stammt.»

Seien Sie Sie selbst! Befolgen Sie den weisen Rat, den Irving Berlin dem verstorbenen George Gershwin gab. Als sich die beiden kennenlernten, war Berlin schon berühmt, aber Gershwin noch ein unbekannter junger Komponist, der für 35 Dollar in der Woche in Kneipen Klavier spielte. Berlin war von Gershwins Können beeindruckt und bot ihm den Posten eines Sekretärs an, für das Dreifache. «Aber lehnen Sie lieber ab», riet Berlin, «sonst werden Sie vielleicht noch ein zweitklassiger Berlin. Doch wenn Sie sich weiter treu bleiben, sind Sie eines Tages ein erstklassiger Gershwin.»

Gershwin beherzigte jenen Rat und wurde schließlich einer der bedeutendsten amerikanischen Komponisten seiner Zeit.

Charlie Chaplin, Will Rogers, Mary Margaret McBride, Gene Autry und Millionen andere mußten die Lektion lernen, die ich Ihnen in diesem Kapitel einzubleuen versuche. Sie mußten viel Lehrgeld bezahlen – genau wie ich.

Als Charlie Chaplin seine ersten Filme machte, bestand der Regisseur darauf, daß er einen beliebten deutschen Komiker jener Tage nachmachte. Chaplin wurde erst berühmt, als er sich selbst spielte. Bob Hope machte eine ähnliche Erfahrung: Jahrelang trat er in einer Gesangs- und Tanznummer auf – und kam nicht weiter, bis er anfing, Witze zu reißen, und zu dem stand, was er war, ein

Komiker. Will Rogers trat jahrelang im Varieté als Lassowerfer auf, ohne ein einziges Wort zu sagen. Erst als er seine einzigartige Begabung fürs Witzemachen entdeckte und beim Lassowerfen redete, hatte er Erfolg.

Mary Margaret McBride wollte in ihren ersten Radiosendungen eine irische Komikerin spielen und fiel damit rein. Erst als sie sich zu dem bekannte, was sie war – ein einfaches Mädchen aus Missouri –, wurde sie einer der beliebtesten Rundfunkstars von New York.

Gene Autry versuchte, seinen texanischen Akzent loszuwerden, trug elegante Maßanzüge und behauptete, er stamme aus New York. Die Leute lachten ihn hinter seinem Rücken aus. Dann fing er an, auf seinem Banjo zu klimpern und Cowboylieder zu singen, und das war der Anfang einer Karriere als beliebtester Cowboy sowohl im Film wie im Rundfunk.

Sie sind auf dieser Welt etwas ganz Neues! Seien Sie froh darüber. Machen Sie das Beste aus dem, was die Natur Ihnen mitgegeben hat. Wenn man genau hinsieht, ist jede Kunst autobiographisch. Sie können nur singen, was Sie sind. Sie können nur malen, was Sie sind. Sie müssen zu dem stehen, was Ihre Erfahrungen, Ihre Umgebung und Ihre Erbanlagen aus Ihnen gemacht haben. Sie müssen Ihren eigenen kleinen Garten bestellen – gut oder schlecht. Sie müssen Ihr eigenes kleines Instrument im Orchester des Lebens spielen – gut oder schlecht.

Wie schon Emerson in seinem Essay *Selbstvertrauen* schrieb: «In der Entwicklung jedes Menschen kommt die Zeit, wo ihm bewußt wird, daß Neid Unwissenheit und Nachahmung Selbstmord ist. Daß er sein Schicksal annehmen muß im Guten wie im Bösen. Und daß das weite Universum zwar voll von guten Dingen ist, er aber kein Körnchen Nahrung finden wird, wenn er nicht mit viel Mühe das ihm gegebene Stückchen Land bestellt. Die Kraft, die in ihm ruht, ist neu in der Natur, und nur er weiß, was er mit ihr tun kann, und auch das erst, wenn er es versucht hat.»

So sagt es Emerson. Und so drückte es ein Dichter aus – der verstorbene Douglas Malloch:

Wenn du nicht Kiefer sein kannst auf dem Hügel,
Sei ein Busch im Tal – aber sei
Der schönste kleine Busch am Ufer des Bachs.
Sei ein Busch, wenn du kein Baum sein kannst.

Wenn du kein Busch sein kannst, sei ein Büschel Gras
Und steh heiter am Straßenrand.
Wenn du kein Hecht sein kannst, sei einfach ein Barsch,
Aber der munterste Barsch im See.

Nicht nur Kapitän, auch Mannschaft muß sein,
Für alle von uns ist Platz.
Viel Arbeit ist zu tun und wenig,
Doch die Pflichten, die wir haben, sind gleich.

Wenn du keine Straße sein kannst, sei nur ein Pfad.
Wenn du die Sonne nicht sein kannst, so sei ein Stern.
Es ist nicht die Größe, nach der du siegst oder fällst.
Sei das Beste, was immer du bist.

Um eine geistige Haltung zu entwickeln, die uns Frieden bringt und uns von Angst und Sorgen befreit – hier Regel fünf: Machen wir niemand nach! Finden wir zu uns selbst und stehen wir zu uns selbst!

17 Wenn Sie eine Zitrone haben, machen Sie Zitronenlimonade daraus

Während ich an diesem Buch schrieb, fuhr ich einmal zur Universität von Chicago und fragte den Rektor Robert Maynard Hutchins, wie er es schaffte, sich keine Sorgen zu machen. Er antwortete: «Ich habe immer versucht, den Rat zu beherzigen, den mir der verstorbene Julius Rosenwald gab, der Generaldirektor von Sears, Roebuck and Company: ‹Wenn du eine Zitrone hast, mach Zitronenlimonade daraus.›»

So handelt ein weiser Lehrer und Erzieher. Der Dummkopf macht es genau umgekehrt. Wenn er vom Leben ein paar saure Zitronen bekommen hat, gibt er auf und sagt: «Ich gebe mich geschlagen. Das ist Schicksal. Ich habe keine Chance.» Dann flucht und schimpft er und schwelgt in Selbstmitleid. Ein kluger Mann, der sich eine saure Zitrone eingehandelt hat, sagt: «Was kann ich aus meinem Pech lernen? Wie kann ich meine Lage ändern? Wie kann ich aus dieser Zitrone eine Zitronenlimonade machen?»

Nachdem er sein ganzes Leben die Menschen und ihre verborgenen Kraftreserven beobachtet hatte, erklärte der große Psychologe Alfred Adler, daß eine der wunderbarsten Eigenschaften des Menschen seine Kraft sei, «aus einem Minus ein Plus zu machen».

Hier ist die interessante und anspornende Geschichte einer Frau, die genau dies tat. Sie heißt Thelma Thompson. «Während des Krieges», sagte sie, als sie mir von ihrem Erlebnis erzählte, «während des Krieges war mein Mann in einem Armeeausbildungslager an der Mojavewüste stationiert, in Kalifornien. Ich zog auch dort hin, um in seiner Nähe zu sein. Ich haßte den Ort. Ich verabscheute ihn. Noch nie im Leben war ich so verzweifelt gewesen. Mein Mann wurde zu Übungen in der Wüste abkommandiert, und ich saß allein in einer winzigen Baracke. Die Hitze war unerträglich – 52 Grad im Kaktusschatten. Keine Menschenseele, mit der ich mich hätte unterhalten können. Ständig blies ein Wind, und alles, was ich aß, ja sogar die Luft, die ich atmete, war voll Sand, Sand, Sand!

Ich war so unglücklich und tat mir so leid, daß ich meinen Eltern einen Brief schrieb. Ich schrieb, daß ich es nicht mehr aushielte und nach Hause käme. Ich würde nicht eine Minute länger bleiben. Lieber ginge ich ins Gefängnis! Die Antwort meines Vaters bestand nur aus zwei Zeilen – zwei Zeilen, die ich immer im Gedächtnis behalten werde, zwei Zeilen, die mein Leben völlig veränderten:

Zwei Gefangene sahen durchs Gitter in die Ferne.
Der eine sah nur Schmutz, der andere die Sterne.

Ich las jene zwei Zeilen immer wieder. Ich schämte mich. Ich beschloß, die positiven Seiten meiner Situation zu entdecken. Ich wollte zu den Sternen aufblicken!

Deshalb bemühte ich mich, mit den Einheimischen Freundschaft zu schließen, und deren Reaktion verblüffte mich. Als ich mich für ihre Webereien und Töpfe interessierte, schenkten sie mir ihre Lieblingsstücke, die sie den Touristen nicht verkaufen wollten. Ich beschäftigte mich mit den faszinierenden Formen der Kakteen und Yuccas und Josuabäume, spürte den Präriehunden nach und beobachtete die Sonnenuntergänge über der Wüste. Und ich suchte nach Muschelschalen, die vor Millionen Jahren zurückgelassen worden waren, als der Wüstensand noch der Boden eines Ozeans gewesen war.

Was hatte die erstaunliche Veränderung in mir verursacht? Die Mojavewüste war noch dieselbe. Aber ich nicht. Ich hatte meine geistige Einstellung geändert. Und dadurch hatte ich aus einer unerfreulichen Erfahrung ein höchst aufregendes Abenteuer gemacht. Ich war begeistert von der neuen Welt, die ich entdeckte. Ich schrieb sogar ein Buch darüber, einen Roman, der unter dem Titel *Der helle Wall* erschien – ich hatte aus meinem selbstgeschaffenen Gefängnis geblickt, hinauf zu den Sternen.»

Thelma Thompson entdeckte für sich eine alte Wahrheit, die die

Griechen schon fünfhundert Jahre vor Christi Geburt lehrten: «Die besten Dinge sind die schwierigsten.»

Harry Emerson Fosdick sagte es im zwanzigsten Jahrhundert wieder: «Glück ist im wesentlichen nicht Vergnügen. Es ist im wesentlichen Sieg.» Ja, ein Siegesgefühl, weil wir etwas geleistet haben, ein Triumphgefühl, weil wir aus unseren sauren Zitronen Zitronenlimonade machten.

Einmal besuchte ich einen zufriedenen Farmer in Florida, der sogar eine schlechte Zitrone zu Limonade machte. Als er die Farm übernahm, wußte er noch nicht, was ihm blühte. Aber bald war er ziemlich mutlos. Die Erde war so schlecht, daß er weder Obst noch Schweine züchten konnte. Nichts gedieh, außer Zwergeichen und Klapperschlangen. Dann hatte er einen Einfall: Er würde die Nachteile zu seinem Vorteil verwenden, anders ausgedrückt, er würde aus diesen Klapperschlangen soviel wie möglich herausholen! Zur allgemeinen Verblüffung fing er an, Klapperschlangen zu Konserven zu verarbeiten. Als ich ihn vor einigen Jahren besuchte, strömten die Touristen in Scharen zu seiner Klapperschlangenfarm, 20000 im Jahr. Sein Geschäft florierte. Gift aus den Giftzähnen seiner Schlangen wurde an Labors verschickt, die Schlangenserum daraus herstellten. Die Häute verkaufte er zu Phantasiepreisen an Damenschuh- und Handtaschenhersteller. Konserven mit Schlangenfleisch wurden an Kunden in aller Welt versandt. Ich kaufte eine Ansichtskarte von der Farm und gab sie im Postamt des Ortes auf, der zu Ehren des Mannes, der eine schlechte Zitrone in süße Zitronenlimonade verwandelt hatte, in «Rattlesnake», also Klapperschlange – umgetauft worden war.

Während meiner wiederholten Reisen kreuz und quer durch dieses Land hatte ich immer wieder das Vergnügen, Dutzende von Männern und Frauen kennenzulernen, die die Kraft gehabt hatten, «aus einem Minus ein Plus zu machen».

Der verstorbene William Bolitho, Autor von *Zwölf gegen die Götter*, drückte es so aus: «Es ist nicht die wichtigste Sache auf der Welt, immer mehr Gewinn zu machen. Das kann jeder Dummkopf. Wirklich wichtig ist nur, aus seinen Verlusten zu profitieren. Das erfordert Intelligenz. Und dies ist der Unterschied zwischen einem vernünftigen Menschen und einem Dummkopf.»

Bolitho schrieb dies, nachdem er bei einem Zugunglück ein Bein verloren hatte. Doch ich kenne einen Mann, der beide Beine verlor und die Kraft hatte, daraus etwas Positives zu machen. Sein Name ist Ben Fortson. Ich traf ihn in Atlanta in einem Hotelaufzug. Als ich in den Lift trat, fiel mir ein fröhlich aussehender Mann auf, der in einer Ecke in einem Rollstuhl saß. Er hatte keine Beine. Beim Aussteigen fragte er freundlich, ob ich wohl etwas zur Seite treten würde, damit er seinen Rollstuhl besser drehen könne. «Tut mir schrecklich leid, Sie zu stören», sagte er, und dabei lächelte er so strahlend, daß einem das Herz aufging.

Während ich zu meinem Zimmer ging, konnte ich an nichts anderes denken als an diesen heiteren Krüppel. Ich spürte ihn auf, und er erzählte mir seine Geschichte.

«Ich war rausgefahren, um eine Ladung Hickorystangen für die Bohnen in meinem Garten zu schneiden. Nachdem ich sie auf meinen Ford geladen hatte, fuhr ich nach Hause. Plötzlich rutschte eine Stange unter den Wagen und blockierte die Räder, gerade in dem Augenblick, als ich in eine scharfe Kurve ging. Der Wagen schoß über den Straßenrand geradeaus, und ich wurde gegen einen Baum geschleudert. Meine Wirbelsäule wurde verletzt. Meine Beine waren gelähmt.

Damals war ich vierundzwanzig. Seitdem bin ich keinen Schritt mehr gelaufen.»

Mit vierundzwanzig Jahren für den Rest seines Lebens zum Sitzen im Rollstuhl verdammt! Ich fragte ihn, wie es ihm gelungen sei, den Mut nicht zu verlieren, und er antwortete: «O doch, ich war sehr mutlos.» Er habe gewütet und rebelliert und sei über sein Schicksal verzweifelt gewesen. Die Jahre schleppten sich dahin, und schließlich wurde ihm bewußt, daß seine Empörung ihm nichts einbrachte, außer Verbitterung. «Ich merkte schließlich», sagte er, «daß die Menschen freundlich und höflich zu mir waren. Also könnte ich es ihnen gegenüber auch sein. Das war das mindeste.»

Ich fragte ihn, ob der Unfall für ihn nach all den Jahren immer noch ein großes Unglück sei. «Nein», erklärte er sofort. «Ich bin beinahe froh darüber.» Er erzählte, daß er in einer anderen Welt lebe, seit er Schock und Empörung überwunden habe. Er fing an zu lesen und entdeckte seine Liebe zu schönen Büchern. In den vierzehn Jahren, seit seinem Unfall, habe er wenigstens 1400 Bücher gelesen. Und diese Bücher, sagte er, haben ihm neue Horizonte erschlossen und sein Leben reicher gemacht, als er es je für möglich gehalten habe. Er begann auch, sich mit klassischer Musik zu beschäftigen. Und heute ist er von Symphonien begeistert, die ihn früher nur gelangweilt haben würden. Doch Zeit zum Nachdenken zu haben, war für ihn die größte Entdeckung. «Zum erstenmal in meinem Leben», sagte er, «konnte ich mich in Ruhe mit der Welt auseinandersetzen und mir ein richtiges Urteil über alles machen. Ich erkannte, daß die meisten Dinge, die ich angestrebt hatte, gar nichts wert waren.»

Durch das viele Lesen wurde sein Interesse an der Politik geweckt, er beschäftigte sich mit Fragen des Allgemeinwohls und hielt vom Rollstuhl aus Reden! Er lernte viele Leute kennen, und die Leute lernten ihn kennen. Und schließlich wurde er sogar ein hoher Verwaltungsbeamter.

Während ich in New York Kurse in Erwachsenenbildung gab, fand ich heraus, daß viele meiner Studenten vor allem eines bedauerten: daß sie nicht aufs College gegangen waren. Sie schienen zu glauben, daß dies im Leben ein großes Hindernis sei. Ich weiß, daß das nicht immer stimmt, denn ich habe Tausende erfolgreicher Männer und Frauen kennengelernt, die nie über die High-School hinausgekommen sind. Deshalb erzählte ich meinen Studenten gern die Geschichte eines Mannes, der nicht einmal die Volksschule fertig machte. Er wuchs in entsetzlicher Armut auf. Als sein Vater starb, mußten die Freunde seines Vaters einspringen und den Sarg bezahlen, in dem man ihn begrub. Seine Mutter arbeitete nun zehn Stunden täglich in einer Schirmfabrik und brachte noch Heimarbeit nach Hause mit und schuftete bis elf Uhr nachts weiter.

Man konnte verstehen, daß ein Junge, der in solchen Verhältnissen aufwuchs, sich für die Theateraufführungen interessierte, die ein Klub in seiner Kirchgemeinde veranstaltete. Er spielte selbst mit und war so begeistert, daß er beschloß zu lernen, wie man frei und offen vor anderen Menschen redet. Das führte ihn in die Politik. Als er dreißig Jahre alt war, wurde er in die Volksvertretung des Staates New York gewählt. Doch er war auf so eine verantwortungsvolle Aufgabe bedauerlich wenig vorbereitet. Er erzählte mir offen, daß er eigentlich gar nicht gewußt habe, was er dort zu suchen hatte. Er studierte die langen, komplizierten Gesetzesvorlagen, über die er abstimmen sollte, doch soweit es ihn anging, hätten sie ebensogut in Chinesisch verfaßt sein können. Er war unsicher und besorgt, als man ihn zum Mitglied des Forstausschusses machte, ehe er überhaupt einen Fuß in einen Wald gesetzt hatte. Er war unsicher und besorgt, als er in die staatliche Bankkommission gewählt wurde, ehe er überhaupt ein eigenes Bankkonto besaß. Er erzählte mir persönlich, daß er vor Mutlosigkeit beinahe zurückgetreten wäre, wenn er sich seiner Mutter gegenüber nicht geschämt hätte, seine Niederlage einzugestehen. In seiner Verzweiflung beschloß er, sechzehn Stunden am Tag zu lernen und seine Zitrone der Unwissenheit in eine Zitrone des Wissens zu verwandeln. Und so wurde aus einem Lokalpolitiker eine große, national bekannte Persönlichkeit. Und die *New York Times* ernannte ihn «zum beliebtesten Bürger von New York».

Ich spreche von Al Smith.

Zehn Jahre nachdem Al Smith mit seinem politischen Selbstbildungsprogramm begonnen hatte, war er der bedeutendste lebende Politiker der Regierung des Staates New York. Er wurde viermal zum Gouverneur gewählt, damals ein Rekord, den vor ihm noch kein anderer Mann aufgestellt hatte. 1928 war er der Präsidentschaftskandidat der Demokraten. Sechs große Universitäten, darunter Columbia und Harvard, verliehen ihm den Ehrendoktortitel, einem Mann, der nur zur Volksschule gegangen war.

Al Smith erzählte mir, daß er das alles nicht erreicht haben würde, wenn er nicht sechzehn Stunden täglich Schwerarbeit geleistet hätte, um sein Minus in ein Plus zu verwandeln.

Je genauer ich den Werdegang erfolgreicher Menschen betrachte, desto überzeugter werde ich, daß erstaunlich vielen der Durchbruch gelang, weil sich ihnen am Anfang Hindernisse in den Weg stellten, die sie zu großem Eifer anspornten und zu großen Zielen. Wie William James sagte: «Gerade unsere Schwächen helfen uns, wenn wir es am wenigsten erwarten.»

Ja, es ist äußerst wahrscheinlich, daß Milton schönere Gedichte schrieb, weil er blind war, und Beethoven schönere Musik komponierte, weil er taub war.

Helen Kellers großartige Karriere wurde erst durch ihre Blindheit und Taubheit ausgelöst und war dadurch erst möglich.

Wenn Tschaikowski nicht so enttäuscht gewesen wäre und wegen seiner unglücklichen Ehe nicht beinahe Selbstmord begangen hätte, wenn sein ganzes Leben nicht so erschütternd gewesen wäre, hätte er wohl niemals seine unsterbliche *Pathétique* komponiert.

Hätten Dostojewski und Tolstoi in ihrem Leben nicht solche Höllenqualen gelitten, würden sie wohl niemals ihre großen Romane geschrieben haben.

«Wenn ich nicht immer so krank gewesen wäre», schrieb der Mann, der das wissenschaftliche Bild vom Leben auf der Erde veränderte, «wenn ich nicht so krank gewesen wäre, hätte ich bestimmt nicht soviel gearbeitet, wie ich gearbeitet habe.» Damit gestand Charles Darwin ein, «daß unsere Schwächen uns helfen, wenn wir es am wenigsten erwarten».

Am selben Tag wie Darwin in England wurde ein anderer Junge in einem Blockhaus in den Wäldern von Kentucky geboren. Auch ihm halfen seine Schwächen. Sein Name war Lincoln – Abraham Lincoln. Wenn er in einer adligen Familie aufgewachsen wäre, in Harvard Jura studiert und eine glückliche Ehe geführt hätte, würde er vermutlich nie die aus den Tiefen seines Herzens kommenden bewegenden Worte gefunden haben, die ihn bei Gettysburg unsterblich machten, noch die schönen Worte, die er bei seiner Wiederwahl zum Präsidenten fand – der schönste und edelste Satz, den je ein Staatsmann sagte: «Haß auf niemand und Barmherzigkeit für alle.»

Harry Emerson Fosdick schreibt in seinem Buch *Die Kraft der Ausdauer*: «Es gibt ein skandinavisches Sprichwort, das manche von uns als Motto für ihr Leben nehmen sollten: Der rauhe Nordwind schuf die Wikinger. Woher haben wir eigentlich den Glauben, daß allein schon ein sicheres und angenehmes Leben, das Fehlen von Schwierigkeiten oder Behagen und Bequemlichkeit die Menschen gut oder glücklich macht? Im Gegenteil, Menschen, die sich bemitleiden, bemitleiden sich auch noch, wenn man sie auf Rosen bettet; aber in der Geschichte sind immer Leute aus den unterschiedlichsten Verhältnissen, guten, schlechten oder mittelmäßigen, zu Persönlichkeiten geworden und haben das Glück gekannt, wenn sie zu der ihnen auferlegten Verantwortung standen. So schuf der ‹rauhe Nordwind immer wieder Wikinger›.»

Angenommen, wir sind völlig mutlos und haben jede Hoffnung aufgegeben, aus unseren Zitronen Zitronenlimonade machen zu können – dann gibt es zwei Gründe, warum wir es doch noch einmal probieren sollten, zwei Gründe, warum wir alles zu gewinnen und nichts zu verlieren haben.

Grund Nummer eins: Vielleicht schaffen wir es doch.

Grund Nummer zwei: Selbst wenn es uns nicht gelingt, zwingt uns schon allein der Versuch, unser Minus in ein Plus zu verwandeln, nach vorn zu sehen, statt zurück. Positive Gedanken treten an die Stelle der negativen, schöpferische Kräfte werden freigesetzt und geben uns solchen Auftrieb, daß wir vor lauter Tatendrang keine Zeit und Lust mehr haben, über Dinge zu jammern, die längst vorbei und vergangen sind.

Als der berühmte Geiger Ole Bull einmal in Paris ein Konzert gab, riß die A-Saite auf seiner Violine. Ole Bull spielte einfach auf drei Saiten weiter. «Das ist Leben», sagt Harry Emerson Fosdick, «wenn die A-Saite reißt und man auf drei Saiten zu Ende spielt.»

Das ist nicht nur Leben. Es ist mehr als Leben: Es ist Sieg!

Wenn ich könnte, wie ich wollte, würde ich den schon erwähnten Ausspruch von William Bolitho in Bronze für die Ewigkeit gießen und in jeder Schule im Land aufhängen lassen: «Es ist nicht die wichtigste Sache auf der Welt, immer mehr Gewinn zu machen. Das kann jeder Dummkopf. Wirklich wichtig ist nur, aus seinen Verlusten zu profitieren. Das erfordert Intelligenz. Und dies ist der Unterschied zwischen einem vernünftigen Menschen und einem Dummkopf.»

> Wenn wir eine geistige Haltung entwickeln wollen, die uns Frieden und Glück bringt, sollten wir Regel sechs nie vergessen:
> Wenn das Schicksal uns eine Zitrone gibt – machen wir Zitronenlimonade daraus!

18 Wie man in vierzehn Tagen eine Depression heilt

Als ich an diesem Buch zu schreiben begann, setzte ich einen Preis von zweihundert Dollar aus für die lehrreichste und interessanteste wahre Geschichte zu dem Thema «Wie ich meine Angst loswurde».

Die drei Schiedsrichter in diesem Wettbewerb waren: Eddie Rickenbacker, Generaldirektor der Eastern Air Lines, Dr. Stewart W. McClelland, Rektor der Lincoln-Memorial-Universität, H. V. Kaltenborn, Rundfunkkommentator. Zwei Geschichten wurden eingesandt, die so großartig waren, daß die Juroren sich über den Sieger nicht einigen konnten. Deshalb teilten wir den Preis. Hier ist eine der beiden Geschichten, verfaßt von C. R. Burton aus Springfield, Missouri.

«Mit neun Jahren verlor ich meine Mutter und mit zwölf meinen Vater», schrieb er. «Mein Vater wurde getötet, aber meine Mutter ging einfach aus dem Haus, an einem Tag vor neunzehn Jahren. Und seitdem habe ich sie nicht mehr wiedergesehen. Auch meine beiden jüngeren Schwestern nicht, die sie mitnahm. Sie schrieb mir erst nach sieben Jahren. Mein Vater starb bei einem Verkehrsunfall, drei Jahre nachdem meine Mutter verschwand. Er hatte zusammen mit einem Partner in einer kleinen Stadt in Missouri ein Café gekauft, und als mein Vater einmal auf einer Geschäftsreise war, verkaufte sein Partner das Café und haute mit dem Geld ab. Ein Freund telegrafierte meinem Vater, sofort nach Hause zu kommen, und mein Vater hatte es so eilig, daß er unterwegs einen Autounfall verursachte und starb. Zwei Schwestern meines Vaters, die arm und alt und krank waren, nahmen drei von den Kindern bei sich auf. Meinen kleinen Bruder und mich wollte niemand haben. Die Stadt mußte sich um uns kümmern. Ständig quälte uns der

Gedanke, man könne uns Waisen nennen und auch wie Waisen behandeln. Und bald wurden unsere Ängste wahr. Eine Zeitlang lebte ich bei einer armen Familie. Doch die Zeiten waren schlimm, und das Familienoberhaupt verlor seine Arbeit. Deshalb konnten sie es sich nicht mehr leisten, mich weiter durchzufüttern. Dann nahmen mich Mr. Loftin und seine Frau bei sich auf. Sie hatten eine Farm, ungefähr zwanzig Kilometer von der Stadt weg. Mr. Loftin war siebzig und lag krank im Bett. Er hatte die Gürtelrose. Er sagte, ich könne bei ihnen bleiben, solange ich ‹nicht log, nicht stahl und gehorchte›. Ich richtete mich genau danach. Ich ging auch in die Schule, aber nach der ersten Woche kam ich nach Hause und weinte wie ein kleines Kind. Die anderen Kinder hatten mich gehänselt und mich wegen meiner großen Nase verspottet und gesagt, ich sei dumm, und mich ein ‹Waisenbalg› genannt. Ich war so tief gekränkt, daß ich mich rächen wollte, aber Mr. Loftin, der Farmer, der mich bei sich aufgenommen hatte, sagte zu mir: ‹Denk immer dran, daß es mehr Stärke braucht, einer Auseinandersetzung aus dem Weg zu gehen, als dazubleiben und zu kämpfen!› Ich wehrte mich also nicht, bis mir eines Tages ein anderes Kind Hühnerdreck ins Gesicht warf, den es im Schulhof aufgehoben hatte. Ich verprügelte es, und damit erwarb ich ein paar Freunde. Sie fanden, daß der Junge mich herausgefordert habe.

Ich war stolz auf eine neue Mütze, die Mrs. Loftin mir gekauft hatte. Eines Tages riß sie mir eines der großen Mädchen vom Kopf und machte sie voll Wasser, und da war sie nicht mehr zu gebrauchen. Das Mädchen sagte, sie habe sie voll Wasser gefüllt, damit ‹das Wasser meinen dicken Schädel anfeuchte und mein Spatzengehirn nicht zerplatze›.

In der Schule weinte ich nie, aber zu Hause heulte ich mich aus. Dann gab mir Mrs. Loftin einmal einen Rat, der mir half, alle meine Sorgen und Ängste loszuwerden. Meine Gegner wurden zu Freunden. ‹Ralph›, sagte sie, ‹sie werden dich nicht mehr hänseln und einen Waisenbalg nennen, wenn du anfängst, dich für sie zu interessieren, und dir überlegst, was du für sie tun kannst.› Ich beherzigte ihre Worte. Ich war ein fleißiger Schüler, aber obwohl ich bald Klassenbester war, gönnte man es mir, weil ich andern half, was nicht üblich war.

Ich half mehreren Jungen bei ihren Hausaufsätzen, und für ein paar andere schrieb ich die Vorträge, die sie halten sollten. Ein Schüler schämte sich, seinen Leuten zu erzählen, daß ich ihm Nachhilfeunterricht gab. Er behauptete gegenüber seiner Mutter immer, er ginge auf Opossumjagd. Er kam zur Farm und band seine Hunde in der Scheune an. Dann arbeiteten wir zusammen. Ich schrieb auch Buchzusammenfassungen für einen Schüler und half abends einem Mädchen bei seinen Mathematikaufgaben.

In unserer Nachbarschaft gab es zwei Todesfälle. Zwei ältere Farmer waren gestorben. Eine Frau hatte ihr Mann verlassen. Ich war das einzige männliche Wesen in vier Familien. Zwei Jahre lang half ich den beiden Witwen. Auf meinem Schulweg ging ich auch zu ihnen, molk ihre Kühe und fütterte und tränkte das Vieh und hackte Holz. Überall wurde ich jetzt geliebt statt verspottet. Jeder sah in mir einen Freund. Ihre wahren Gefühle zeigten sie mir, als ich von der Marine nach Hause kam. Schon am ersten Tag besuchten mich mehr als zweihundert Farmer, manche mußten über hundert Kilometer weit fahren. Ihre Anteilnahme war wirklich echt. Weil ich andern Menschen soviel wie möglich helfe und es mich glücklich macht, habe ich kaum noch Sorgen, kaum noch Angst, und ‹Waisenbalg› bin ich seit mehr als dreißig Jahren nicht mehr genannt worden.»

C. R. Burton soll hochleben! Er weiß, wie man Freunde gewinnt! Und er weiß auch, wie man mit seinen Sorgen und Ängsten fertig wird und Freude am Leben haben kann.

Auch der verstorbene Dr. Frank Loope aus Seattle wußte das. Er war 23 Jahre krank: Arthritis. Trotzdem schrieb mir Stuart Whithouse vom *Seattle Star*: «Ich habe häufig mit Dr. Loope gesprochen. Ich kenne keinen Menschen, der selbstloser wäre als er oder mehr aus seinem Leben gemacht hätte als er.»

Wie schaffte der bettlägerige Mann dies? Zweimal dürfen Sie raten. Beklagte er sich und nörgelte? Nein. Suhlte er sich in Selbstmitleid und wollte immer der Mittelpunkt sein, jemand, um den sich alle immer kümmern mußten? Nein – auch falsch geraten. Er hatte sich für sein Leben denselben Wahlspruch gewählt wie der Prinz von Wales: «Ich dien.» Er sammelte Namen und Adressen anderer kranker Leute und schrieb ihnen fröhliche, aufmunternde

Briefe, die ihn und die andern trösteten. Er organisierte sogar einen Briefklub für chronisch Kranke, so daß sie sich untereinander schreiben konnten. Schließlich gründete er sogar einen Verein für Kranke. Er nannte ihn «The Shut-in Society» – die Gesellschaft für Eingeschlossene, die heute in allen Ländern der Vereinigten Staaten Mitglieder hat.

Vom Bett aus schrieb er durchschnittlich 1400 Briefe jährlich und brachte Tausenden von Kranken Freude ins Haus, indem er Bücher und Radios für sie besorgte.

Was ist nun der hauptsächliche Unterschied zwischen Dr. Loope und vielen anderen Menschen? Einfach der: Dr. Loope besaß etwas, das ihn innerlich wärmte, er hatte eine Aufgabe zu erfüllen, sein Leben hatte einen Sinn. Er besaß die erhebende Gewißheit, daß er für eine Überzeugung eintreten konnte, die edler und bedeutender war als er, und er nicht einem Menschen glich, wie George Bernard Shaw ihn einmal schilderte: «Ein egozentrischer kleiner Miesling mit Wehwehchen und Beschwerden, der sich darüber beklagt, daß die Welt nicht einzig und allein dazu da ist, ihn glücklich zu machen.»

Die erstaunlichste Erklärung, die ich von einem Psychiater je gelesen habe, stammt aus der Feder des großen Alfred Adler. Er pflegte zu seinen Patienten, die an Melancholie litten, zu sagen: «Sie können in vierzehn Tagen geheilt sein, wenn Sie folgenden Rat beherzigen: Bemühen Sie sich jeden Tag herauszufinden, wie Sie jemand eine Freude machen können.»

Diese Behauptung klingt so unglaublich, daß es wohl besser ist, wenn ich hier zur näheren Erklärung Alfred Adler selbst sprechen lasse:

«Melancholie ist wie ein lang andauernder Zorn und Vorwurf gegen die andern, doch um Fürsorge, Sympathie und Unterstützung zu bekommen, scheint der Patient nur über seine eigene Schuld niedergeschlagen zu sein. Die erste Erinnerung eines Melancholikers ist im allgemeinen etwa so: ‹Ich erinnere mich, daß ich auf der Couch liegen wollte, aber mein Bruder lag dort schon. Ich weinte so viel, daß er aufstehen mußte.›

Melancholiker neigen häufig dazu, durch Selbstmord Rache zu nehmen, und die erste Sorge des Arztes ist es, ihm dafür keinen

Vorwand zu liefern. Ich persönlich versuche, die Spannung durch den Vorschlag zu entladen, daß die erste Vorschrift der Behandlung sein solle: ‹Tun Sie nie etwas, das Sie nicht tun möchten.› Dies scheint eine sehr bescheidene Forderung zu sein, aber ich glaube, daß sie an die Wurzel des Problems rührt. Wenn ein Melancholiker alles tun darf, wozu er Lust hat, wen kann er noch beschuldigen? Wofür muß er sich dann noch rächen? ‹Wenn Sie ins Theater gehen wollen›, sage ich zu ihm, ‹oder gern verreisen möchten, tun Sie es. Wenn Sie plötzlich entdecken, daß es Ihnen doch nicht gefällt, drehen Sie um.› In einer besseren Lage kann man sich gar nicht befinden. Es befriedigt das Bedürfnis nach Überlegenheit. Er ist wie Gott und kann tun, was er will. Andrerseits paßt es nicht so einfach zu seiner Lebensart. Er möchte die andern beherrschen und beschuldigen, und wenn sie ihm zustimmen, hat er keine Möglichkeit, sie zu beherrschen. Diese Vorschrift ist eine große Erleichterung, und ich hatte nie einen Selbstmord unter meinen Patienten.

Gewöhnlich antwortet der Patient: ‹Aber es gibt nichts, was ich gern tun würde.› Ich bin auf diese Antwort vorbereitet, weil ich sie schon so oft gehört habe. ‹Dann unterlassen Sie es wenigstens, etwas zu tun, das Sie nicht tun wollen›, sage ich. Manchmal antwortet er auch: ‹Ich würde am liebsten den ganzen Tag im Bett bleiben.› Ich weiß, wenn ich es ihm gestatte, hat er keine Lust mehr dazu. Ich weiß, daß er einen Krieg anfängt, wenn ich ihn daran hindere. Ich stimme immer zu.

Dies ist die eine Vorschrift. Eine andere greift ihre Art zu leben noch direkter an. Ich sage zu ihnen: ‹Sie können in vierzehn Tagen geheilt sein, wenn Sie folgenden Rat beherzigen: Bemühen Sie sich jeden Tag herauszufinden, wie Sie jemand eine Freude machen können.› Mal sehen, wie sie darauf reagieren. Sie beschäftigt der Gedanke: Wie kann ich jemand Kummer machen? Die Antworten sind sehr interessant. Einige erklären: ‹Das wird sehr einfach sein. Das habe ich mein ganzes Leben getan.› Dabei stimmt es nicht. Ich bitte sie, darüber nachzudenken. Sie denken nicht darüber nach. ‹Sie können die viele Zeit ausnützen›, sage ich zu ihnen, ‹wenn Sie nicht in der Lage sind zu schlafen, und überlegen, wie Sie jemand eine Freude machen, und es wird für Sie ein großer Schritt auf dem Weg zur Gesundheit sein.› Wenn ich sie am nächsten Tag wiedersehe, frage ich: ‹Haben Sie an das gedacht, was ich Ihnen vorgeschlagen habe?› Sie antworten: ‹Gestern abend ging ich ins Bett und bin sofort eingeschlafen.› All das muß natürlich in einer rücksichtsvollen, freundlichen Weise geschehen, ohne eine Spur von Überlegenheit.

Andere werden antworten: ‹Ich könnte es nie. Ich mache mir zu viele Sorgen.› Ich sage zu ihnen: ‹Sie können sich ruhig Sorgen machen, aber zwischendurch sollten Sie auch an andere denken.› Ich möchte ihr Interesse immer auf ihre Mitmenschen lenken. Viele sagen: ‹Warum sollte ich andern eine Freude bereiten? Die andern tun es auch nicht.› – ‹Sie müssen an Ihre Gesundheit denken›, antworte ich. ‹Die andern werden später auch noch leiden.› Es ist äußerst selten, daß ich einen Patienten finde, der sagt: ‹Ich habe über Ihren Vorschlag nachgedacht.› All meine Bemühungen sind darauf gerichtet, das Gemeinschaftsgefühl des Patienten zu stärken. Ich weiß, daß die eigentliche Ursache seiner Krankheit ein Mangel an Anteilnahme ist, und ich möchte, daß er dies auch erkennt. Sobald er zu seinen Mitmenschen auf einer gleichen und kooperativen Basis eine Beziehung aufnehmen kann, ist er geheilt ... Der größte Auftrag der Religion ist immer gewesen ‹Liebe deinen Nächsten› ... Es ist das Individuum, das an seinen Mitmenschen nicht interessiert ist, das die größten Schwierigkeiten im Leben hat und andern das größte Unrecht zufügt. Daher rührt alles menschliche Versagen ... Alles, was wir von einem Menschen verlangen, ist, daß er ein guter Mitarbeiter, ein Freund aller anderen Menschen und ein wahrer Partner in Liebe und Ehe sein sollte. Dafür gebührt ihm unser höchstes Lob.»

Dr. Adler drängt uns, jeden Tag eine gute Tat zu tun. Und was ist eine gute Tat? «Eine gute Tat», sagt der Prophet Mohammed, «zaubert ein Lächeln der Freude auf das Gesicht des andern.»

Wieso hat täglich eine gute Tat zu tun eine so erstaunliche Wirkung? Weil wir aufhören, an uns selbst zu denken, wenn wir andern eine Freude machen wollen. Wir denken nicht an uns und unsere Sorgen und Ängste und unsere Melancholie.

Mrs. Moon, die in New York eine Sekretärinnenschule leitete, brauchte keine zwei Wochen, um ihre Melancholie mit einer täglichen guten Tat zu heilen. Sie übertraf Alfred Adler noch –

eigentlich übertraf sie ihn sogar dreizehnmal. Sie überlegte, wie sie zwei Waisenkindern eine Freude machen konnte, und war schon nach einem einzigen Tag gesund, nicht erst nach vierzehn.

Folgendes passierte. «Im Dezember vor fünf Jahren», erzählte Mrs. Moon, «drohte ich in einer Welle von Trauer und Selbstmitleid zu ertrinken. Nach Jahren einer glücklichen Ehe hatte ich meinen Mann verloren. Als Weihnachten näher kam, wurde ich noch trauriger. In meinem ganzen Leben war ich an diesem Feiertag noch nie allein gewesen, und ich hatte Angst davor. Freunde hatten mich zwar zu sich eingeladen, aber ich hatte das Gefühl, daß ich Fröhlichkeit nicht ertragen können würde. Ich wußte, daß ich nur eine Spielverderberin wäre. Deshalb lehnte ich die so freundlich gemeinte Einladung ab. Kurz vor dem Heiligen Abend konnte ich meine Verzweiflung beinahe nicht mehr aushalten. Dabei hätte ich eigentlich für viele Dinge dankbar sein müssen. Wir alle haben schließlich vieles, wofür wir dankbar sein sollten. Am Tag vor Weihnachten verließ ich das Büro um drei Uhr und schlenderte ziellos die Fifth Avenue entlang in der Hoffnung, daß ich mein Selbstmitleid und meine Traurigkeit irgendwie loswürde. Die Straße war voll von fröhlichen und glücklichen Menschen, und ich beobachtete Szenen, die mich an längst vergangene glückliche Zeiten erinnerten. Der Gedanke, in eine einsame und leere Wohnung zurückkehren zu müssen, war mir unerträglich. Ich war unsicher und verwirrt und wußte nicht, was ich tun sollte. Die Tränen stiegen mir in die Augen. Nachdem ich eine Stunde oder mehr ziellos herumgelaufen war, stand ich plötzlich vor dem Busbahnhof. Mir fiel ein, daß mein Mann und ich aus Abenteuerlust oft einfach in irgendeinen Bus eingestiegen waren. Und so kletterte ich in irgendeinen Bus, der dort wartete. Nachdem wir den Hudson River überquert hatten und eine Weile gefahren waren, hörte ich den Busfahrer sagen: ‹Endstation, Lady.› Ich stieg aus. Ich kannte nicht einmal den Namen der Stadt. Es war ein kleiner friedlicher Ort. Eine Weile wartete ich auf den Bus zurück nach New York, dann wanderte ich eine Wohnstraße entlang und kam zu einer Kirche. Jemand spielte wunderschön Orgel. Es war *Stille Nacht, heilige Nacht.* Ich trat ein. Die Kirche war leer, bis auf den Organisten. Ich setzte mich unbemerkt in eine Bank. Die brennenden Kerzen des fröhlich geschmückten Christbaums ließen Kugeln und Lametta aufleuchten, als seien es unzählige Sterne, die im Mondschein tanzten. Die langgezogenen Töne der Orgel und die Tatsache, daß ich seit dem Frühstück nichts mehr gegessen hatte, machten mich schläfrig. Ich war abgespannt und bedrückt, und so schlief ich schließlich ein.

Als ich aufwachte, wußte ich nicht, wo ich war. Ich war zu Tode erschrocken. Vor mir standen zwei kleine Kinder, die wohl hereingekommen waren, um den Christbaum zu betrachten. Das eine Kind, ein kleines Mädchen, wies auf mich und sagte: ‹Ob die der Weihnachtsmann gebracht hat?› Die Kinder erschraken, als sie merkten, daß ich wach war. Ich sagte, daß ich ihnen nichts tun würde. Sie waren sehr schäbig angezogen. Ich fragte sie, wo ihre Eltern seien. ‹Wir haben keine Eltern›, erwiderten sie. Vor mir standen zwei kleine Waisen, die viel schlimmer dran waren, als ich es je im Leben gewesen war. Ich schämte mich wegen meines Kummers und meines Selbstmitleids. Ich zeigte ihnen den Weihnachtsbaum und ging mit ihnen in einen Drugstore, wo ich ihnen etwas zu trinken kaufte, Süßigkeiten und ein paar Geschenke. Meine Einsamkeit war wie durch Zauberei verschwunden. Die beiden kleinen Kinder schenkten mir ein Gefühl von echtem Glück, wie ich es seit Monaten nicht mehr gespürt hatte. Ich vergaß meine Probleme völlig. Während ich mich mit ihnen unterhielt, wurde mir bewußt, wie gut ich es gehabt hatte. Ich dankte Gott, daß die Weihnachtsfeste meiner Kindheit erhellt gewesen waren von elterlicher Liebe und Zärtlichkeit. Jene beiden kleinen Waisen taten viel mehr für mich als ich für sie. Diese Erfahrung zeigte mir wieder einmal, wie wichtig es ist, andere Menschen glücklich zu machen, damit man selbst glücklich wird. Ich entdeckte, daß Glück ansteckend ist. Wenn wir geben, bekommen wir etwas wieder. Ich half andern und schenkte ihnen meine Liebe und konnte dadurch Ängste und Kummer und Selbstmitleid besiegen. Ich fühlte mich wie ein neuer Mensch. Und ich war auch ein neuer Mensch – nicht nur damals, sondern ich bin es in all den Jahren danach geblieben.»

Ich könnte ein Buch füllen mit Geschichten von Leuten, die ihre eigenen Probleme vergaßen und gesund und glücklich wurden.

Nehmen wir zum Beispiel den Fall von Margaret Tayler Yates, einer der beliebtesten Frauen der amerikanischen Marine.

Margaret Tayler Yates ist Schriftstellerin, aber keiner ihrer Kriminalromane ist auch nur halb so spannend wie ihre Erlebnisse an jenem schicksalhaften Morgen, als die Japaner Pearl Harbor angriffen. Margaret Tayler Yates war seit mehr als einem Jahr krank gewesen – sie hatte ein schwaches Herz. Von vierundzwanzig Stunden täglich verbrachte sie zweiundzwanzig im Bett. Den längsten Ausflug, den sie zu unternehmen wagte, war ein Spaziergang in den Garten, um sich ein wenig zu sonnen. Und selbst da mußte sie sich noch beim Gehen auf den Arm des Dienstmädchens stützen. Sie gestand mir später, daß sie damals gedacht hatte, für den Rest ihres Lebens bettlägrig bleiben zu müssen. Doch es kam anders.

«In Sekunden war alles ein einziges Durcheinander, ein Chaos», erzählte mir Margaret Tayler Yates. «Eine Bombe fiel so nahe bei unserem Haus, daß der Luftdruck mich aus dem Bett warf. Armeelastwagen rasten hinaus nach Hickam Field, zu den Scofield Barracks und zum Luftstützpunkt Kaneohe Bay, um Frauen und Kinder der Armee- und Marineangehörigen zu holen und in Schulen unterzubringen. Von dort aus rief das Rote Kreuz die Leute an, die Platz hatten, um Flüchtlinge aufzunehmen. Die Mitarbeiter des Roten Kreuzes wußten, daß neben meinem Bett ein Telefon stand, und baten mich, die Informationszentrale zu spielen. Ich notierte also alle Nachrichten über den Aufenthalt der Zivilangehörigen, und alle Soldaten und Offiziere wurden vom Roten Kreuz angewiesen, mich anzurufen, wenn sie über ihre Familien etwas erfahren wollten.

Sobald ich herausgefunden hatte, daß es meinem Mann, Commander Robert Raleigh Yates, gutging, bemühte ich mich, den Frauen Mut zuzusprechen, die nicht wußten, ob ihre Männer gefallen waren oder nicht, und ich versuchte, die Frauen zu trösten, deren Männer man getötet hatte – und es waren viele. 2117 Soldaten und Offiziere der Marine und des Marinecorps starben, und 960 wurden als vermißt gemeldet.

Erst beantwortete ich jene Telefonanrufe, während ich im Bett lag. Dann setzte ich mich dazu auf, und schließlich hatte ich so viel zu tun und war so aufgeregt, daß ich meine Schwächlichkeit völlig vergaß, aus dem Bett kletterte und mich an einen Tisch setzte. Ich half andern, die viel schlimmer dran waren als ich, und vergaß mich dadurch völlig. Und ich habe mich nie wieder ins Bett gelegt, außer natürlich, um jede Nacht acht Stunden zu schlafen. Heute ist mir klar, daß ich wahrscheinlich mein ganzes Leben lang gekränkelt haben würde, wenn die Japaner Pearl Harbor nicht überfallen hätten. Man hatte mich so liebevoll betreut und mir alle Sorgen abgenommen, daß ich unbewußt jeden Willen zum Gesundwerden verlor.

Der Angriff auf Pearl Harbor war eine der größten Tragödien in der amerikanischen Geschichte, doch soweit es mich persönlich betrifft, war er eines der besten Dinge, die mir je passiert sind. Jenes entsetzliche Erlebnis gab mir eine Kraft, die ich bis dahin nicht gekannt hatte. Es lenkte mich von mir ab und hin zu anderen Menschen. Plötzlich hatte ich eine große, wichtige Aufgabe. Ich hatte keine Zeit mehr, an mich selbst zu denken und mir Sorgen um mich zu machen.»

Ein Drittel aller Leute, die zum Psychiater laufen, könnte sich wahrscheinlich selbst heilen, wenn es sich verhalten würde wie Margaret Tayler Yates: interessiert daran zu sein, dem Mitmenschen zu helfen. Ob das ein Einfall von mir ist? Nein. C. G. Jung hat das ungefähr so gesagt. Und wenn einer Bescheid weiß, dann er! «Ungefähr ein Drittel meiner Patienten», schrieb er, «leidet an keiner klinisch feststellbaren Neurose, sondern an der Sinnlosigkeit und Leere seines Lebens.» In andern Worten, sie versuchen, per Anhalter durchs Leben zu fahren – und die Wagenkolonne rauscht vorbei, ohne anzuhalten. Deshalb laufen sie mit ihrem kleinen, sinnlosen, unnützen Leben zum Psychiater. Sie stehen am Kai und geben allen andern, nur nicht sich selbst die Schuld, daß sie ihr Schiff versäumt haben, und verlangen, daß sich die ganze Welt nach ihren egozentrischen Wünschen richtet.

Vielleicht sagen Sie jetzt zu sich: «Also *mich* beeindrucken diese Geschichten nicht! Ich hätte mich an Weihnachten auch für Waisen interessiert. Und wenn ich in Pearl Harbor gewesen wäre, würde ich mit Freuden getan haben, was Margaret Tayler Yates tat. Aber bei mir liegen die Dinge anders. Mein Leben ist durchschnittlich und uninteressant. Ich habe einen normalen Beruf, arbeite acht Stunden am Tag, und nie passiert irgend etwas Aufregendes. Wie könnte ich anfangen, mich dafür zu interessieren, anderen Menschen zu helfen? Und warum sollte ich? Was ist dabei für mich drin?»

Das sind gute Fragen. Ich werde versuchen, sie zu beantworten. Gleichgültig, wie durchschnittlich Ihr Leben ist, Sie treffen bestimmt jeden Tag *irgendwelche* Menschen. Wie verhalten Sie sich ihnen gegenüber? Behandeln Sie sie wie Luft, oder versuchen Sie herauszufinden, was sie bewegt? Wie steht's zum Beispiel mit dem Briefträger – er macht so viele Wege, um Ihnen die Post zu bringen, aber haben Sie sich schon einmal die Mühe gemacht, ihn zu fragen, wo er wohnt oder ob er ein Foto seiner Frau und seiner Kinder bei sich hat? Haben Sie ihn schon einmal gefragt, ob er müde ist oder die Arbeit ihn langweilt?

Wie steht's mit dem Lebensmittelhändler oder dem Zeitungsverkäufer an der Ecke? Diese Leute sind auch Menschen – voll von Problemen, Träumen und ehrgeizigen Hoffnungen. Sie warten nur darauf, mit jemand darüber zu sprechen. Aber lassen Sie das je zu? Zeigen Sie sich jemals an ihnen oder ihrem Leben ehrlich interessiert? Diese Art von Hilfe meine ich. Sie müssen nicht gleich wie Florence Nightingale die Krankenpflege revolutionieren oder als Sozialreformer die Welt verbessern wollen. Ich spreche von Ihrer eigenen kleinen Welt. Sie können gleich morgen vormittag bei den Leuten anfangen, die Ihnen begegnen!

Was für Sie dabei drin ist? Mehr Glück! Größere Befriedigung und Stolz auf sich selbst! Aristoteles nannte diese Lebenseinstellung «großgesinnt». Zarathustra sagte: «Anderen Menschen Gutes zu tun, ist keine Pflicht. Es ist eine Freude, denn damit wächst unsere eigene Gesundheit und Glückseligkeit.» Benjamin Franklin faßte es knapp und einleuchtend so zusammen: «Wenn du andern Gutes tust, tust du dir das Beste.»

«Keine Entdeckung der modernen Psychologie ist meiner Meinung nach so bedeutend», schrieb Henry C. Link, Direktor des Psychologischen Hilfszentrums in New York, «wie der wissenschaftliche Nachweis, daß Selbstaufopferung und Disziplin für Selbstverwirklichung und Glück notwendig sind.»

An andere zu denken, hält einen nicht nur von den eigenen Sorgen und Nöten ab, sondern hilft uns auch, viele Freunde zu finden und viel Spaß zu haben. Wieso? Nun, ich fragte einmal Professor William Lyon Phelps von der Universität Yale, wie er das mache. Hier seine Antwort.

«Ich betrete nie ein Hotel oder ein Friseurgeschäft oder einen Laden, ohne allen, die ich treffe, ein paar freundliche Worte zu sagen, Worte, die ihnen das Gefühl geben, ein Mensch zu sein, nicht nur ein Rädchen im Getriebe. Manchmal mache ich der Frau, die mich bedient, ein Kompliment über ihre Augen oder ihr schönes Haar. Ich frage den Friseur, ob er vom vielen Stehen nicht müde Füße bekomme. Ich frage ihn, warum er diesen Beruf ergriffen habe, wie lange er das schon mache und wie viele Köpfe er schon verschönert habe. Ich helfe ihm beim Zusammenrechnen. Ich habe festgestellt, daß die Leute strahlen vor Vergnügen, wenn man sich für sie interessiert. Ich schüttle oft dem Gepäckträger die Hand, der meinen Koffer getragen hat. Es verleiht ihm neuen Schwung und stimmt ihn für den ganzen Tag positiver. An einem besonders heißen Sommertag ging ich einmal zum Mittagessen in den Speisewagen der New Haven Railway. Es war brechend voll und die Luft heiß wie in einem Backofen. Ich mußte lange warten. Schließlich brachte mir der Kellner die Speisekarte. ‹Bei der Hitze haben die Köche in der kleinen Küche heute nichts zu lachen›, sagte ich zu ihm. Der Kellner begann zu fluchen. Sein Ton war erbittert. Zuerst dachte ich, er sei ärgerlich. ‹Allmächtiger Gott!› rief er. ‹Die Leute kommen rein und meckern über das Essen. Sie beklagen sich über den angeblich schlechten Service, die Hitze und die Preise. Neunzehn Jahre höre ich mir ihre Kritik schon an. Und Sie sind der erste und einzige, der je mal Mitgefühl für die Köche in der kochendheißen Küche gezeigt hat. Ich wünschte zu Gott, wir hätten mehr Fahrgäste wie Sie!›

Der Kellner war verblüfft, weil ich an die Köche wie an menschliche Wesen gedacht hatte und nicht wie an Nummern im Verwaltungsbetrieb einer großen Eisenbahngesellschaft. Die Menschen möchten etwas persönliche Aufmerksamkeit haben», fuhr Professor Phelps fort. «Wenn ich zum Beispiel einen Mann mit einem schönen Hund auf der Straße treffe, mache ich immer eine

Bemerkung über die Schönheit des Tiers. Und wenn ich dann weitergehe und mich noch einmal umdrehe, beobachte ich häufig, wie der Mann seinen Hund tätschelt und lobt. Meine Bewunderung für das Tier hat auch die seine wieder geweckt.

In England begegnete ich einmal einem Schäfer und sprach ihn auf seinen großen, schönen Schäferhund an. Ich bat ihn, mir zu erzählen, wie er ihn abgerichtet habe. Als ich dann weiterging, blickte ich über die Schulter zurück und sah, wie der Hund seine Vorderpfote auf die Schultern des Schäfers gelegt hatte und der Schäfer ihn streichelte. Nur weil ich ein wenig Interesse für die beiden gezeigt hatte, war der Schäfer glücklich. Und ich hatte den Hund glücklich gemacht, und mich hatte ich auch glücklich gemacht.»

Können Sie sich vorstellen, daß ein Mann, der herumgeht und Gepäckträgern die Hände schüttelt und eine mitfühlende Bemerkung über die Köche in der heißen Küche macht oder einen schönen Hund bewundert – daß ein solcher Mann mürrisch und deprimiert ist und einen Psychiater braucht? Sie können es nicht, nicht wahr? Nun, natürlich nicht. Ein chinesisches Sprichwort drückt das so aus: «Ein wenig Duft bleibt immer an der Hand zurück, die dir die Rosen reicht.»

Das brauchte man Billy Phelps von der Yale-Universität nicht lange zu erzählen. Er wußte es. Er lebte danach.

Wenn Sie ein Mann sind, überspringen Sie den nächsten Absatz! Er wird Sie nicht interessieren. Er handelt von einem ängstlichen unglücklichen jungen Mädchen, dem mehrere Männer einen Heiratsantrag machten. Heute ist sie längst Großmutter. Vor einigen Jahren übernachtete ich in ihrem Haus. Auch ihren Mann lernte ich kennen. Ich hatte in ihrer Stadt einen Vortrag gehalten, und am nächsten Morgen fuhr sie mich ungefähr siebzig Kilometer weit zum Zug nach New York. Unterwegs unterhielten wir uns darüber, wie man Freunde findet, und sie sagte: «Mr. Carnegie, jetzt möchte ich Ihnen etwas erzählen, das ich noch nie jemand gestanden habe, auch nicht meinem Mann.» Sie war in Philadelphia aufgewachsen und stammte aus einer sogenannten feinen Familie. «Die Tragödie meiner Kindheit und meiner Mädchenzeit», berichtete sie, «war unsere Armut. Wir konnten nie solche Feste geben wie die andern Mädchen aus der gleichen Gesellschaftsschicht. Meine Kleider waren nie besonders fein. Ich wuchs oft aus ihnen raus, sie paßten nicht mehr und waren häufig altmodisch. Ich schämte mich so darüber, und es machte mich so verlegen, daß ich mich oft in den Schlaf weinte. Schließlich verfiel ich aus reiner Verzweiflung auf den Gedanken, meine Partner bei Dinnerpartys zu bitten, mir von ihren Wünschen, Erfahrungen und Plänen für die Zukunft zu erzählen. Ich stellte diese Fragen nicht, weil ich auf die Antworten besonders neugierig war. Ich tat es einzig und allein, damit meine Begleiter mein armseliges Kleid nicht bemerkten. Und etwas Seltsames geschah. Während ich diesen jungen Männern zuhörte und eine Menge über sie erfuhr, fing ich tatsächlich an, mich für das zu interessieren, was sie sagten. Ich war so sehr Feuer und Flamme, daß ich manchmal selbst nicht mehr an mein Kleid dachte. Was mich aber noch viel mehr verblüffte: Da ich eine gute Zuhörerin war und die jungen Männer dazu ermunterte, von sich selbst zu erzählen, gab ich ihnen ein glückliches Gefühl, und mit der Zeit wurde ich das beliebteste Mädchen in unseren Kreisen, und drei dieser jungen Männer machten mir einen Heiratsantrag.»

Einige Leserinnen werden jetzt denken: All dies Gerede, sich für andere Leute zu interessieren, ist ein Haufen Unsinn! Nichts als frommes Geschwätz! Davon will ich nichts hören! Ich möchte eine Menge Geld verdienen, soviel wie möglich, und zwar am besten sofort. Und zum Teufel mit den andern dummen Hühnern.

Nun, wenn das Ihre Meinung ist – es steht Ihnen frei. Doch wenn Sie recht haben, dann haben alle großen Philosophen und Lehrer seit Beginn der Geschichte unrecht – Jesus, Konfuzius, Buddha, Plato, Aristoteles, Sokrates, der heilige Franziskus. Doch da Sie über die Lehren großer religiöser Führer gering denken, wollen wir uns bei zwei Atheisten Rat holen. Nehmen wir zum Beispiel den verstorbenen A. E. Housman, Professor an der Cambridge-Universität und einer der gelehrtesten Männer seiner Generation. Einmal hielt er eine Vorlesung über das Thema «Dichter und ihre Sprache». In dieser Vorlesung erklärte er, daß die «größte, jemals geäußerte Wahrheit und die tiefste ethische Offenbarung aller Zeiten» in folgenden Worten von Jesus enthalten seien: «Wer sein Leben suchet, der wird es verlieren; wer aber sein Leben verlieret um meinetwillen, der wird es finden.»

Unser Leben lang haben wir das die Priester predigen gehört. Aber Housman war ein Atheist und Pessimist, ein Mann, der einmal an Selbstmord dachte. Und doch spürte er, daß ein Mensch, der nur an sich selbst denkt, im Leben nicht weit kommt. Er würde immer unglücklich sein. Aber ein Mensch, der im Dienst am Nächsten aufging, würde Lebensfreude finden.

Wenn Sie A. E. Housmans Worte nicht beeindrucken, fragen wir den berühmtesten amerikanischen Atheisten des zwanzigsten Jahrhunderts um Rat: Theodore Dreiser. Dreiser verspottete die Religion als Märchen und sah das Leben an «als eine von einem Idioten erzählte Geschichte, voll Lärm und Zorn und ohne Sinn». Und doch trat Dreiser für den einen großen Leitgedanken ein, den auch Jesus predigte – den Dienst am Nächsten. «Wenn der Mensch der kurzen Spanne seines Lebens auch nur ein wenig Freude entlocken soll», sagte Dreiser, «muß er in Gedanken und Plänen die Dinge nicht nur für sich allein besser machen, sondern auch für seinen Nächsten, denn die Freude an ihm selbst hängt von seiner Freude an andern ab und von ihrer an ihm.»

Wenn wir «die Dinge auch für unseren Nächsten besser machen wollen», wie Dreiser sich ausdrückte, sollten wir uns beeilen und keine Zeit verlieren. «Diesen Weg gehe ich nur einmal. Wenn ich also etwas Gutes tun kann, wenn ich jemand meine Zuneigung zeigen kann – will ich es gleich tun. Ich will es nicht aufschieben noch unterlassen, denn ich komme diesen Weg nicht noch einmal vorbei.»

> Wenn Sie also Ihre Sorgen und Ängste bekämpfen und Frieden und Glück finden wollen – hier Regel sieben:
> Nehmen wir Anteil an unseren Mitmenschen und vergessen wir uns selbst. Tun wir jeden Tag eine gute Tat, die ein glückliches Lächeln auf ein Gesicht zaubert.

Zusammenfassung des vierten Teils

Sieben Möglichkeiten zur Entwicklung einer geistigen Haltung, die Ihnen Glück und Frieden bringt

Regel 1 Wir wollen unseren Geist mit Gedanken an Frieden, Mut, Gesundheit und Hoffnung erfüllen, denn «unser Leben ist das Produkt unserer Gedanken».

Regel 2 Versuchen wir nie, mit Feinden abzurechnen, denn wir würden uns selbst mehr weh tun als ihnen. Machen wir es General Eisenhower nach: Verschwenden wir nicht eine Minute mit Gedanken an Leute, die wir nicht mögen.

Regel 3 a) Machen wir uns auf Undankbarkeit gefaßt, dann brauchen wir uns nicht zu ärgern. Vergessen wir nie, daß Jesus an einem Tag zehn Aussätzige heilte – und nur ein einziger dankte ihm. Warum sollten wir mehr Dankbarkeit erwarten können als Jesus?
b) Wir wollen uns immer daran erinnern, daß es nur eine Möglichkeit gibt, glücklich zu werden: Wir dürfen keine Dankbarkeit erwarten, sondern sollen geben aus Freude am Geben.
c) Bedenken wir, daß Dankbarkeit ein Verhalten ist, das «kultiviert» werden muß. Wenn wir dankbare Kinder haben wollen, müssen wir sie zur Dankbarkeit erziehen.

Regel 4 Zählen Sie die Geschenke – nicht die Probleme.

Regel 5 Ahmen wir niemanden nach. Finden wir zu uns selbst, und stehen wir zu uns selbst. Denn «Neid ist Unwissenheit» und «Nachahmung ist Selbstmord».

Regel 6 Wenn das Schicksal uns eine Zitrone gibt – machen wir Zitronenlimonade daraus.

Regel 7 Vergessen wir unser eigenes Unglück, indem wir unsere Mitmenschen ein wenig glücklich machen. «Wenn du andern Gutes tust, tust du dir das Beste.»

Fünfter Teil

Der beste Weg, seine Sorgen und Ängste zu besiegen

19 Wie meine Mutter und mein Vater mit ihren Sorgen fertig wurden

Ich erzählte schon, daß ich auf einer Farm in Missouri geboren wurde und aufwuchs. Wie die meisten Farmer jener Tage hatten es auch meine Eltern ziemlich schwer, das Lebensnotwendige zusammenzukratzen. Meine Mutter war Lehrerin an einer kleinen Schule auf dem Land gewesen, und mein Vater hatte als Knecht für zwölf Dollar im Monat gearbeitet. Meine Mutter nähte nicht nur die Kleider für mich, sondern kochte auch die Seife selbst, mit der sie sie wusch.

Wir hatten selten Bargeld – meistens nur einmal im Jahr, wenn wir unsere Schweine verkauften. Im Lebensmittelgeschäft tauschten wir Butter und Eier gegen Mehl, Zucker und Kaffee ein. Noch mit zwölf Jahren bekam ich keine fünfzig Cent im Jahr, die ich für mich ausgeben konnte. Ich kann mich immer noch an einen vierten Juli, unseren Nationalfeiertag, erinnern, an dem mir mein Vater zur Feier des Tages zehn Cent gab, mit denen ich tun konnte, was ich wollte. Ich hatte das Gefühl, als gehörten mir alle Schätze Indiens.

Bis zur Landschule, die aus einem einzigen Raum bestand, mußte ich fast zwei Kilometer zu Fuß gehen. Im Winter lag hoher Schnee, und das Thermometer zeigte oft dreißig Grad unter Null. Bis ich vierzehn Jahre war, besaß ich weder Gummistiefel noch Überschuhe. In den langen kalten Wintern hatte ich immer nasse und kalte Füße. Als Kind konnte ich mir gar nicht vorstellen, daß überhaupt jemand in dieser Zeit warme und trockene Füße hatte.

Meine Eltern schufteten sechzehn Stunden am Tag, und trotzdem drückten uns die Schulden. Wir waren vom Pech verfolgt. Eine meiner frühesten Erinnerungen ist die an das Hochwasser, das regelmäßig unsere Maisfelder und Wiesen überschwemmte und die ganze Ernte zerstörte. In sechs von sieben Jahren stieg der Fluß über die Ufer und machte alles kaputt. Jahr für Jahr starben unsere Schweine an der Cholera, und wir mußten sie verbrennen. Wenn ich jetzt die Augen schließe, rieche ich wieder den beißenden Geruch des brennenden Schweinefleischs.

In einem Jahr kam das Wasser nicht. Wir hatten eine Rekordernte, kauften Mastvieh und fütterten es mit unserem Mais. Aber ebensogut hätte der Fluß in jenem Jahr unseren Mais auch überschwemmen können, denn der Preis für Rindfleisch fiel auf dem Schlachtviehmarkt von Chicago. Und nach all der Arbeit, die wir mit den Tieren gehabt hatten, bekamen wir nur dreißig Dollar mehr für sie, als wir bezahlt hatten. Dreißig Dollar für ein ganzes Jahr Arbeit!

Was wir auch machten, wir verloren Geld. Ich erinnere mich noch an die jungen Maultiere, die mein Vater kaufte. Wir fütterten sie drei Jahre, heuerten Leute an, die sie zuritten, und brachten sie nach Memphis in Tennessee – und dann bekamen wir weniger für sie, als wir vor drei Jahren bezahlt hatten.

Nach zehn Jahren harter, anstrengender Arbeit waren wir nicht nur arm, sondern wir hatten obendrein viele Schulden. Unsere Farm war mit Hypotheken belastet. Soviel wir uns auch bemühten, wir schafften es nicht einmal, die Hypothekenzinsen zu bezahlen. Die Leute von der Bank beschimpften und beleidigten meinen Vater und drohten ihm, die Farm versteigern zu lassen. Mein Vater war damals 47 Jahre alt. Mehr als dreißig Jahre harter Arbeit hatten ihm nichts eingebracht als Schulden und Demütigungen. Es war mehr, als er ertragen konnte. Er rieb sich auf, seine Gesundheit wurde immer schlechter. Er hatte keine Lust mehr, etwas zu essen. Trotz der harten körperlichen Arbeit auf den Feldern mußte er ein appetitanregendes Medikament nehmen. Er verlor an Gewicht. Der Arzt eröffnete meiner Mutter, daß er innerhalb von sechs Monaten sterben würde. Mein Vater machte sich so viele Sorgen, daß er nicht mehr länger leben wollte. Meine Mutter sagte oft, wenn mein Vater hinaus in den Stall ging, um die Pferde zu füttern und die Kühe zu melken, und er nicht rechtzeitig zurückkam, daß sie dann Angst hatte, er könnte sich an einem Balken erhängt haben. Als er einmal von Maryville, wo ihm der Bankdirektor mit der Kündigung der Hypothek gedroht hatte, nach Hause fuhr, hielt er die Pferde auf der Brücke über den Fluß an, stieg vom Wagen und starrte ins Wasser. Lange Zeit kämpfte er mit sich, ob er hineinspringen und allem ein Ende bereiten sollte.

Jahre später erzählte mir mein Vater, daß er nur wegen des unerschütterlichen Glaubens meiner Mutter nicht hineingesprungen sei. Meine Mutter war nämlich tief und fest und voll Heiterkeit davon überzeugt, daß alles gut werden würde, wenn wir nur an Gott glaubten und seine Gebote hielten. Und am Ende wurde tatsächlich alles gut. Mein Vater lebte noch 42 glückliche Jahre länger und starb mit 89 Jahren.

Während der vielen harten und sorgenvollen Jahre machte sich meine Mutter niemals Sorgen. Sie hatte keine Angst. Sie kam mit allen Schwierigkeiten zu Gott und betete. Jeden Abend, vor dem Zubettgehen, las meine Mutter ein Kapitel aus der Bibel vor. Häufig las meine Mutter oder mein Vater diese tröstenden Worte von Jesus: «In meines Vaters Haus sind viele Wohnungen ... Ich gehe hin, euch die Stätte zu bereiten ... auf daß ihr seid, wo ich bin.» Dann knieten wir uns in jenem einsamen Farmhaus in Missouri vor unsere Stühle und beteten, daß uns Gott seine Liebe und seinen Schutz schenken möge.

Als William James Philosophieprofessor in Harvard war, sagte er: *«Natürlich ist der Glaube an Gott das allerbeste Heilmittel für alle Sorgen.»*

Man muß nicht in Harvard studiert haben, um dies zu erkennen. Meine Mutter fand das von allein auf einer Farm in Missouri heraus. Weder Hochwasser noch Schulden noch Unglücksfälle – nichts konnte ihrem glücklichen Gemüt, ihrer strahlenden Lebenskraft etwas anhaben. Sie sang gern bei der Arbeit. Ich höre sie immer noch:

Friede, Friede, herrlicher Friede,
Der herabströmt vom Vater dort oben.
Überschwemme meine Seele immerdar
mit der Liebe bodenlosen Wogen.

Meine Mutter wollte, daß ich mein Leben der Glaubensarbeit widmete. Ich dachte ernsthaft daran, Missionar zu werden. Dann zog ich von zu Hause fort und ging aufs College, und allmählich, während die Jahre verstrichen, änderte ich mich. Ich studierte Biologie, Naturwissenschaften, Philosophie und vergleichende Religionswissenschaften. Ich las Bücher über die Entstehungsgeschichte der Bibel. Ich begann viele Aussagen in ihr in Frage zu stellen. Ich begann viele der engherzigen Lehren, die die Landpfarrer jener Zeit predigten, anzuzweifeln. Ich war unsicher und verwirrt. Wie Walt Whitman fühlte ich mich von «seltsamen, plötzlichen Fragen in mir bedrängt». Ich wußte nicht, was ich glauben sollte. Ich sah keinen Sinn im Leben. Ich hörte auf zu beten. Ich wurde Agnostiker. Ich glaubte, daß alles Leben plan- und ziellos sei. Ich glaubte, daß hinter dem Menschen genausowenig ein göttlicher Wille stehe wie hinter den Dinosauriern, die vor zweihundert Millionen Jahren die Erde bevölkerten. Ich dachte, daß die menschliche Rasse eines Tages untergehen werde, genau wie die Dinosaurier. Die Naturwissenschaften lehrten, daß die Sonne sich abkühlte, und wenn ihre Temperatur auch nur um zehn Prozent fiel, würde alle Form von Leben auf der Erde aufhören zu existieren. Ich rümpfte die Nase über die Vorstellung eines gütigen Gottes, der den Menschen zu seinem Ebenbild erschaffen hatte. Ich war überzeugt, daß Milliarden von Milliarden Sonnen, die durch den schwarzen kalten Raum ohne Leben wirbelten, von einer blinden Macht erschaffen wurden. Vielleicht waren sie auch nie erschaffen worden. Vielleicht hatten sie schon immer existiert – wie Zeit und Raum schon immer existiert hatten.

Möchte ich jetzt behaupten, daß ich inzwischen alle Antworten auf jene Fragen weiß? Nein. Kein Mensch war je in der Lage, das Geheimnis des Universums zu erklären – das Mysterium des Lebens. Wir sind umgeben von Geheimnissen. Die Kräfte unseres Körpers sind ein tiefes Geheimnis. Und auch die Elektrizität in unserem Haus. Und auch die Blume in der Mauerritze. Und auch das grüne Gras vor unserem Fenster. Charles F. Kettering, der geniale Leiter der Forschungsabteilung von General Motors, spendete dem Antioch College dreißigtausend Dollar im Jahr aus seiner eigenen Tasche zur Erforschung der Farbe des Grases. Er erklärte, wenn wir wüßten, wie das Gras Sonnenlicht, Wasser und Kohlendioxyd in Zucker verwandelt, dann könnten wir unsere ganze Zivilisation verändern.

Sogar wie der Motor in unserem Auto funktioniert, ist ein großes Rätsel. General Motors haben viele Jahre an Arbeit und Millionen von Dollar ausgegeben, um herauszufinden, warum und wie ein Funke im Zylinder eine Explosion verursacht, die ein Auto zum Fahren bringt.

Die Tatsache, daß wir die Geheimnisse unseres Körpers oder der Elektrizität oder eines Benzinmotors nicht völlig verstehen, hindert uns nicht daran, das alles zu verwenden und uns darüber zu freuen. Die Tatsache, daß ich das Mysterium des Gebets und der Religion nicht begreife, hindert mich nicht mehr daran, ein Leben zu führen, das durch meinen Glauben reicher und glücklicher geworden ist. Endlich habe ich eingesehen, wie weise Santayanas Worte sind: «Der Mensch ist nicht gemacht, um das Leben zu verstehen, sondern um es zu leben.»

Ich bin zurückgekehrt – also, ich wollte sagen, daß ich zu meinem Glauben *zurück*kehrte. Doch das stimmt nicht ganz. Vielmehr habe ich mich *weiter*entwickelt und eine neue religiöse Sichtweise gewonnen. Die konfessionelle Trennung der Kirchen interessiert mich nicht mehr im geringsten. Aber mich interessiert sehr, was die Religion für mich tun kann, genau wie mich Elektrizität oder gutes Essen oder Wasser interessieren. Weil es das alles gibt, kann ich ein reiches, glücklicheres, erfüllteres Leben leben. Aber die Religion tut noch viel mehr für mich. Durch sie finde ich auch geistige Werte. Sie gibt mir, wie William James sich ausdrückt, «eine neue Freude am Leben ... mehr Leben, ein größeres, reicheres, befriedigenderes Leben». Die Religion gibt mir Glauben, Hoffnung und Mut. Sie vertreibt Spannungen, Ängste, Furcht und Sorgen. Sie gibt meinem Leben einen Sinn – und ein Ziel. Sie macht mich viel, viel glücklicher und gesünder. Sie hilft mir «eine Oase des Friedens in den Sandstürmen des Lebens» für mich zu schaffen.

Es ist dreihundert Jahre her, daß der Philosoph Francis Bacon die folgenden Worte schrieb, und sie sind heute noch wahr: «Ein wenig Philosophie lenkt den Geist des Menschen zum Atheismus hin. Doch die Philosophie in ihrer ganzen Größe führt den Menschen zur Religion.»

Ich erinnere mich noch an die Zeit, als die Leute über den Widerspruch zwischen den Naturwissenschaften und der Religion sprachen. Das ist vorbei. Die neueste Wissenschaft – die Psychiatrie – lehrt, was Jesus schon lehrte. Warum? Weil den Psychiatern bewußt wird, daß Beten und ein fester religiöser Glaube Sorgen, Ängste, Anspannungen und Furcht vertreiben, die mehr als die Hälfte aller Krankheiten verursachen. Sie wissen, daß einer ihrer führenden Köpfe, Dr. A. A. Brill, recht hat, wenn er sagt: «Wer wirklich gläubig ist, entwickelt keine Neurose.»

Ohne wahren Glauben hat das Leben keinen Sinn. Es wird zu einer unseligen Farce.

Ein paar Jahre vor seinem Tod interviewte ich Henry Ford. Ich kannte ihn nicht persönlich und hatte gedacht, daß man ihm die Anstrengungen der vielen Jahre, in denen er sein Weltunternehmen aufgebaut und verwaltet hatte, anmerken würde. Daher war ich überrascht, wie gesund und ruhig und friedlich er mit seinen 78 Jahren aussah. Als ich ihn fragte, ob er sich viele Sorgen im Leben gemacht habe, antwortete er: «Nein, überhaupt keine. Ich glaube, daß Gott die Geschicke lenkt und daß er keinen Rat von mir braucht. Da Gott die Verantwortung hat, bin ich überzeugt, daß sich zum Schluß alles zum Besten wendet. Weshalb sollte ich mir also Sorgen machen?»

Heute werden sogar Psychotherapeuten schon zu modernen Evangelisten. Sie verlangen nicht, daß wir ein gottesfürchtiges Leben führen, damit wir dem Höllenfeuer im Jenseits entkommen, sondern sie wollen uns dadurch vor den Höllenqualen eines Magengeschwürs oder eines Nervenzusammenbruchs bewahren, vor Angina pectoris und Geisteskrankheiten. Ein gutes Beispiel für das, was unsere Psychotherapeuten und Psychologen lehren, ist das Buch *Die Rückkehr zur Religion* von Dr. Henry C. Link.

Ja, die christliche Religion ist eine Kraft, die zuversichtlich macht und gesund. Jesus sagte: «Ich bin gekommen, daß sie das Leben und volle Genüge haben sollen.» Er prangerte die erstarrte Ordnung und hohlen Rituale an, die zu seiner Zeit als Religion bezeichnet wurden, und verurteilte sie. Er war ein Rebell! Er predigte eine neue Religion, eine Religion, die die Welt aus dem Gleichgewicht zu bringen drohte. Deshalb wurde er gekreuzigt. Er predigte, daß die Religion für den Menschen da sei und nicht umgekehrt und daß der Sabbat für den Menschen gemacht sei und nicht der Mensch für den Sabbat. Er sprach mehr über Furcht als über Sünde. Die falsche Art von Furcht ist eine Sünde – eine Sünde wider Ihre Gesundheit, eine Sünde wider ein reicheres, glücklicheres, mutigeres Leben, für das Jesus eintrat. Emerson sprach von sich als einem «Professor der Wissenschaft der Freude». Auch Jesus war ein Lehrer «der Wissenschaft der Freude». Er befahl seinen Jüngern: «Freuet euch alsdann und hüpfet!»

Jesus erklärte, daß es in der Religion nur zwei wichtige Dinge gebe: Gott zu lieben von ganzem Herzen und unseren Nächsten zu lieben wie uns selbst. Ein Mensch, der so lebt, ist religiös, ob ihm dies bewußt ist oder nicht. Mein Schwiegervater ist dafür ein gutes Beispiel. Er bemühte sich, so zu leben, wie es in Matthäus 7, Vers 12 geschrieben steht: «Alles nun, was ihr wollt, daß euch die Leute tun sollen, das tut ihr ihnen auch.» Er war unfähig, irgend etwas Gemeines, Egoistisches oder Unehrliches zu tun. Aber er ging nicht in die Kirche und betrachtete sich als Agnostiker. Unsinn! Was macht einen Menschen zum Christen? Ich möchte John Baillie die Antwort geben lassen. Er war ein bekannter Theologieprofessor, der an der Universität von Edinburgh lehrte. Er sagte: «Was einen Menschen zum Christen macht, ist weder die intellektuelle Billigung gewisser Ideen noch die Anpassung an bestimmte Vorschriften, sondern das Erfülltsein von einem gewissen Geist und eine gewisse Lebensführung.»

Wenn das einen Menschen zum Christen macht, ist mein Schwiegervater dafür ein leuchtendes Beispiel.

William James, der Vater der modernen Psychologie, schrieb einmal an einen Freund, daß es ihm mit den Jahren «immer schwerer falle, ohne Gott auszukommen».

Ich erwähnte bereits früher in diesem Buch, daß den Schiedsrichtern bei den von meinen Studenten eingesandten Geschichten zum Thema Sorgen die Wahl so schwerfiel, daß sie den ersten Preis teilten. Hier ist nun die zweite Geschichte, die gewann, der eindrucksvolle Bericht einer Frau, die viel Lehrgeld für die

Erfahrung bezahlen mußte, daß sie «nicht ohne Gott auskommen konnte».

Ich nenne sie Mary Cushman, obwohl das nicht ihr tatsächlicher Name ist. Aber sie hat Kinder und Enkelkinder, denen es vielleicht peinlich ist, daß die Geschichte in meinem Buch erscheint. Deshalb war ich einverstanden, ihre wahre Identität nicht aufzudecken. Die Frau selbst ist nicht erfunden. Dies ist ihre Geschichte:

«In der Zeit der Depression war der durchschnittliche Lohn meines Mannes 18 Dollar in der Woche. Oft bekam er nicht einmal so viel, weil er nicht bezahlt wurde, wenn er krank war – und das war er häufig. Er hatte mehrere kleine Unfälle, außerdem Mumps, Scharlach und immer wieder Grippe. Wir verloren das kleine Haus, das wir mit unseren eigenen Händen gebaut hatten. Wir schuldeten dem Lebensmittelhändler 50 Dollar – und mußten fünf Kinder durchfüttern. Ich wusch und bügelte für die Nachbarn und kaufte gebrauchte Kleidung aus dem Laden der Heilsarmee und änderte sie für meine Kinder um. Meine vielen Sorgen machten mich fast krank. Eines Tages behauptete der Lebensmittelhändler, dem wir 50 Dollar schuldeten, daß mein elfjähriger Sohn zwei Bleistifte gestohlen habe. Mein Sohn erzählte es mir unter Tränen. Aber ich wußte, daß er ehrlich und empfindlich war – und ich wußte, daß er vor anderen Leuten beschimpft und gedemütigt worden war. Das gab mir den Rest. Ich dachte an das viele Unglück, das wir ertragen hatten, und hatte plötzlich keine Hoffnung mehr für eine bessere Zukunft. Wahrscheinlich bin ich vor Angst und Sorgen nicht mehr ganz zurechnungsfähig gewesen, denn ich stellte die Waschmaschine ab, nahm meine kleine fünfjährige Tochter mit ins Schlafzimmer und verstopfte die Fensterritzen mit Papier und Lumpen. ‹Was machst du da, Mami?› fragte das Kind. ‹Hier ist ein bißchen Durchzug›, antwortete ich. Dann drehte ich die Gasheizung an, die wir im Schlafzimmer hatten – und zündete die Flamme nicht an. Während ich so auf dem Bett lag, meine kleine Tochter neben mir, meinte sie: ‹Wie komisch, Mami, wir sind doch gerade erst aufgestanden.› Doch ich erklärte ihr: ‹Es macht nichts, wir halten ein Nickerchen.› Dann schloß ich die Augen und lauschte auf das Zischen des ausströmenden Gases. Den Geruch werde ich nie vergessen ...

Plötzlich glaubte ich Musik zu hören. Ich lauschte. Ich hatte vergessen, das Radio in der Küche auszuschalten. Es spielte keine Rolle mehr. Die Musik ging weiter, und dann sang jemand ein altes Kirchenlied:

Was für ein Freund ist Jesus,
All unsere Sünden, unsern Kummer trägt alleine er.
Was für eine Gunst, alles im Gebet zu Gott zu tragen.
Oh, welchen Frieden wir verscherzen,
Oh, welchen Schmerz wir sinnlos leiden!
Weil wir nicht alles im Gebet zu Gott hin tragen.

Während ich dieses Lied hörte, erkannte ich plötzlich, was für einen tragischen Fehler ich gemacht hatte. Ich hatte versucht, alle meine Schlachten allein zu schlagen. Ich hatte nicht alles im Gebet zu Gott getragen ... ich sprang auf, stellte das Gas ab und riß die Tür und alle Fenster auf.

Den Rest des Tages weinte und betete ich. Allerdings betete ich nicht um Hilfe – sondern ich dankte Gott von ganzem Herzen und aus tiefster Seele für das, was er mir gegeben hatte: fünf großartige Kinder, alle gesund und schön, kräftig und mutig. Ich versprach Gott, nie wieder so undankbar zu sein. Und ich habe mein Versprechen gehalten.

Sogar als wir unser Haus verloren und in eine kleine Landschule umziehen mußten, die wir für fünf Dollar monatlich mieteten, dankte ich Gott dafür. Ich dankte ihm, daß wir wenigstens ein Dach über dem Kopf hatten und es warm und trocken bei uns war. Ich dankte Gott aus ehrlichem Herzen, daß es nicht schlimmer war – und ich glaube, er hat meine Gebete gehört. Denn mit der Zeit ging es uns besser, natürlich nicht über Nacht. Aber die Depression war nicht mehr so schlimm, und wir verdienten etwas mehr Geld. Ich bekam einen Job als Garderobenfrau in einem Countryclub und verkaufte außerdem Strümpfe. Um aufs College gehen zu können, arbeitete einer meiner Söhne auf einer Farm und molk morgens und abends dreizehn Kühe. Heute sind meine Kinder erwachsen und verheiratet. Ich habe drei feine Enkelkinder. Und wenn ich jetzt auf jenen schrecklichen Tag zurückblicke, an dem ich das Gas anstellte, danke ich Gott wieder und wieder, daß ich rechtzeitig ‹aufwachte›. Was für Freuden ich versäumt hätte, wenn ich damals nicht aufgestanden wäre, wie viele schöne Jahre! Wenn ich heute höre, daß jemand seinem Leben ein Ende bereiten will, möchte ich ihm immer zurufen: ‹Tu's nicht, tu's nicht!› Auch der dunkelste Augenblick in unserem Leben muß vorübergehen – und dann kommt die Zukunft . . .»

In den Vereinigten Staaten passiert durchschnittlich alle 35 Minuten ein Selbstmord. Alle 120 Sekunden wird jemand verrückt. Zu den meisten Selbstmorden – und vermutlich auch zu vielen Geisteskrankheiten – wäre es nicht gekommen, wenn diese Menschen den Trost und den Frieden gehabt hätten, die man in der Religion und im Gebet findet.

Einer der berühmtesten Psychologen und Psychiater, C. G. Jung, schreibt in seinem Aufsatz *Die Beziehungen der Psychotherapie zur Seelsorge:* «Seit dreißig Jahren habe ich eine Klientel aus allen Kulturländern der Erde. Viele Hunderte von Patienten sind durch meine Hände gegangen: Es waren in der Großzahl Protestanten, in der Minderzahl Juden und nicht mehr als fünf bis sechs praktizierende Katholiken.

Unter allen meinen Patienten jenseits der Lebensmitte, das heißt jenseits fünfunddreißig, ist nicht ein einziger, dessen endgültiges Problem nicht das der religiösen Einstellung wäre. Ja, jeder krankt in letzter Linie daran, daß er das verloren hat, was lebendige Religionen ihren Gläubigen zu allen Zeiten gegeben haben, und keiner ist wirklich geheilt, der seine religiöse Einstellung nicht wieder erreicht, was mit Konfession oder Zugehörigkeit zu einer Kirche natürlich nichts zu tun hat.»

William James schrieb ungefähr das gleiche. *«Der Glaube ist eine der Kräfte, durch die der Mensch lebt»,* erklärte er, *«und sein totales Fehlen bedeutet Zusammenbruch.»*

Der verstorbene Mahatma Gandhi, der größte indische Führer seit Buddha, wäre zusammengebrochen, wenn er nicht im Gebet immer wieder Kraft und Mut gefunden hätte. Woher ich es weiß? Weil Gandhi es selbst erzählte. «Ohne zu beten», schrieb er, «wäre ich schon längst wahnsinnig.»

Tausende von Menschen könnten sicherlich Ähnliches erzählen.

Mein eigener Vater – nun, ich habe Ihnen bereits geschildert, daß mein eigener Vater sich ertränkt haben würde, wenn meine Mutter nicht an Gott geglaubt und gebetet hätte. Vermutlich hätten Tausende von gequälten Seelen, die jetzt in unseren Irrenanstalten Zuflucht gefunden haben, gerettet werden können, wenn sie eine höhere Macht um Hilfe gebeten hätten, statt ihren Lebenskampf allein ausfechten zu wollen.

Wenn wir uns aufgerieben und die Grenzen unserer Kraft erreicht haben, dann wenden sich viele von uns in ihrer Verzweiflung an Gott – «Im Schützenloch sitzen keine Atheisten», heißt es in einem Sprichwort –, doch warum so lange warten? Warum unsere Kraftreserven nicht jeden Tag wieder neu auffüllen? Warum auch nur bis Sonntag warten? Seit Jahren habe ich die Gewohnheit, an Wochennachmittagen in leere Kirchen zu gehen. Wenn ich das Gefühl habe, zu nervös und gehetzt zu sein, um ein paar Minuten an geistige Dinge zu denken, sage ich zu mir selbst: «Augenblick mal, Dale Carnegie, Augenblick mal! Warum diese Hektik, warum diese Eile, mein Lieber? Du solltest eine Pause machen und dich ein wenig besinnen.» In solchen Zeiten besuche ich die nächste Kirche, die offen ist. Obwohl ich protestantisch bin, gehe ich oft am Nachmittag in die St. Patrick's Cathedral in der Fifth Avenue und mache mir klar, daß ich in dreißig Jahren tot bin, die großen geistigen Wahrheiten, die alle Kirchen lehren, aber ewig sind. Ich schließe die Augen und bete. Es beruhigt meine Nerven, wie ich festgestellt habe, es besänftigt meinen Körper und klärt meinen Geist und hilft mir, alles im richtigen Zusammenhang zu sehen. Darf ich Ihnen empfehlen, mir dies nachzutun?

Während der sechs Jahre, in denen ich an diesem Buch schrieb, habe ich Hunderte von Beispielen und Fallstudien darüber gesammelt, wie Männer und Frauen durch das Gebet mit ihren Ängsten und Sorgen fertig geworden sind. Mein Archiv quillt fast über davon. Nehmen wir als ein typisches Beispiel die Geschichte eines mutlosen und verzweifelten Buchvertreters. Er heißt John R. Anthony und stammt aus Houston in Texas. Er hat sie mir persönlich erzählt.

«Vor zweiundzwanzig Jahren löste ich meine Anwaltskanzlei auf und wurde Generalvertreter eines amerikanischen juristischen

Verlags. Meine Spezialität war der Verkauf einer Gesetzessammlung an Rechtsanwälte – Bücher, die fast unentbehrlich sind.

Ich war für meine Arbeit gut und gründlich ausgebildet worden und kannte alle richtigen Verkaufsgespräche und überzeugenden Antworten auf die erdenklichsten Zweifel und Einwände. Ehe ich einen Interessenten aufsuchte, machte ich mich mit seinem Ruf als Anwalt vertraut, der Art seiner Praxis, seinen politischen Ansichten und mit seinen Hobbys. Während des Verkaufsgesprächs nützte ich meine Informationen geschickt aus. Und trotzdem stimmte etwas nicht. Ich konnte einfach keine Aufträge bekommen.

Meine Zuversicht sank. Tage und Wochen vergingen, und ich verdoppelte und verdreifachte meine Bemühungen. Trotzdem machte ich nicht genug Abschlüsse, um meine Ausgaben bezahlen zu können. Ein Gefühl der Angst und Unsicherheit breitete sich in mir aus. Ich fürchtete mich davor, Leute zu besuchen. Ehe ich ein Anwaltsbüro betrat, wurde mein Unbehagen jedesmal so heftig, daß ich wie ein Verrückter im Gang vor der Tür auf und ab lief oder hinausstürzte und um den Block rannte. Dann, nachdem ich eine Menge kostbare Zeit verloren und mich gezwungen hatte, meinen Mut zusammenzuraffen, um hineinzugehen, drehte ich mit zitternder Hand am Türknopf und hoffte halb, daß mein Kunde nicht da sei.

Der Verkaufsleiter drohte mit der Sperrung meines Vorschusses, wenn ich nicht mehr Aufträge einschickte. Meine Frau bat mich um Geld, um die Lebensmittel für uns und unsere drei Kinder bezahlen zu können. Meine Sorgen wurden immer größer. Meine Verzweiflung wuchs von Tag zu Tag. Ich wußte nicht, was ich tun sollte. Wie ich schon erzählte, hatte ich meine Kanzlei aufgegeben. Jetzt war ich pleite. Ich konnte nicht einmal meine Hotelrechnung bezahlen, noch besaß ich das Geld für die Fahrkarte nach Hause. Außerdem hatte ich nicht den Mut, als geschlagener Mann zu meiner Familie zurückzukommen, selbst wenn ich das Geld für die Fahrkarte gehabt hätte. Nach einem besonders schlimmen Tag trottete ich einmal wieder mutlos zu meinem Hotel zurück – zum letztenmal, dachte ich. Was mich betraf, so war ich am Ende. Deprimiert, erledigt. Ich wußte nicht, was ich tun sollte. Es war mir gleichgültig, ob ich lebte oder starb. Ich bedauerte, je geboren worden zu sein. An jenem Abend trank ich nur ein Glas heiße Milch, und das war eigentlich auch schon mehr, als ich mir leisten konnte. Damals begriff ich, warum verzweifelte Menschen das Fenster ihres Hotelzimmers öffnen und hinunterspringen. Wenn ich genug Mut gehabt hätte, würde ich es vielleicht auch getan haben. Ich fing an, über den Sinn des Lebens nachzugrübeln. Aber auch das brachte mich nicht weiter.

Da sonst niemand da war, wandte ich mich an Gott. Ich begann zu beten. Ich flehte den Allmächtigen an, mir Licht und Verständnis und Führung zu geben durch das dunkle dichte Gestrüpp meiner immer größer werdenden Verzweiflung. Ich bat Gott, mir bei meinen Aufträgen zu helfen und mir Geld zu geben, damit ich meine Frau und die Kinder ernähren konnte. Nach jenem Gebet öffnete ich die Augen und sah auf dem Ankleidetisch des leeren Hotelzimmers eine Gideon-Bibel liegen. Ich schlug sie auf und las jene herrlichen, unsterblichen Verheißungen von Jesus, die schon unzählige Generationen von einsamen, verängstigten und hoffnungslosen Menschen zu allen Zeiten aufgerichtet haben müssen – jene Stelle der Bergpredigt, wo Jesus zu seinen Jüngern davon spricht, daß sie sich keine Sorgen machen sollen:

‹Sorget nicht für euer Leben, was ihr essen und trinken werdet, auch nicht für euren Leib, was ihr anziehen werdet. Ist nicht das Leben mehr denn die Speise? Und der Leib mehr denn die Kleidung?

Sehet die Vögel unter dem Himmel an: Sie säen nicht, sie ernten nicht, sie sammeln nicht in die Scheunen; und euer himmlischer Vater nähret sie doch. Seid ihr denn nicht viel mehr denn sie?

. . . Trachtet am ersten nach dem Reich Gottes und nach seiner Gerechtigkeit, so wird euch solches alles zufallen.›

Während ich betete und jene Worte las, geschah ein Wunder: Alle Nervosität und Spannung fiel von mir ab. Meine Angst, meine Sorgen verwandelten sich in ein warmes Gefühl des Mutes, der Hoffnung und der Zuversicht.

Ich war glücklich, obwohl ich nicht einmal genug Geld besaß, um die Hotelrechnung zu bezahlen. Ich ging zu Bett und schlief tief – frei von allen Sorgen –, wie ich seit Jahren nicht mehr geschlafen hatte.

Am nächsten Vormittag konnte ich es kaum erwarten, zu meinen Kunden zu kommen. Mit kühnen, energischen Schritten ging ich an jenem schönen, kalten Regentag zum Büro meines ersten Interessenten. Gelassen drehte ich am Türgriff. Dann trat ich ein und ging mit erhobenem Kinn, einem freundlichen Lächeln und der passenden würdevollen Haltung energisch auf meinen Mann zu und sagte: ‹Guten Morgen, Mr. Smith! Ich bin John R. Anthony und komme von der All-American-Lawbook-Gesellschaft!›

‹Ach ja, natürlich›, antwortete er, ebenfalls lächelnd, stand auf und streckte mir die Hand hin. ‹Ich freue mich, Sie zu sehen. Bitte, nehmen Sie Platz!›

An diesem Tag machte ich mehr Abschlüsse als in Wochen. Am Abend kehrte ich wie ein Sieger und Held ins Hotel zurück. Ich fühlte mich wie neugeboren. Und das war ich auch, denn ich hatte eine neue und positive Einstellung zum Leben. Und zum Abendessen gab es nicht etwa nur heiße Milch! O nein, ich bestellte mir ein Steak mit allem Drum und Dran. Von da an schnellten die Zahlen meiner Abschlüsse in die Höhe.

In jener verzweifelten Nacht vor zweiundzwanzig Jahren wurde ich in dem kleinen Hotel in Amarillo in Texas neu geboren. Am nächsten Vormittag war meine Lage äußerlich gesehen noch genau die gleiche, aber in mir waren umwälzende Dinge geschehen. Plötzlich war ich mir meiner Verbundenheit mit Gott bewußt geworden. Ein Mann allein kann leicht geschlagen werden, aber wenn die Kraft Gottes in ihm wirkt, ist er unbesiegbar. Ich weiß es, es ist mir selbst passiert.

‹Bittet, so wird euch gegeben; suchet, so werdet ihr finden; klopfet an, so wird euch aufgetan.›»

Als Betty Beaird aus Highland in Illinois die dunkelsten Tage ihres Lebens durchzustehen hatte, entdeckte sie, daß sie Ruhe und Frieden finden konnte, wenn sie sich niederkniete und sagte: «O Gott, nicht wie ich will, sondern wie du willst.»

«Eines Abends klingelte das Telefon», schrieb sie mir in einem Brief, «und es klingelte vierzehnmal, ehe ich den Mut fand, abzuheben. Ich wußte, daß es das Krankenhaus war, und hatte Angst. Ich fürchtete zu erfahren, daß unser kleiner Junge im Sterben läge. Er hatte Hirnhautentzündung. Man hatte ihm schon Penicillin verabreicht, aber das verursachte Temperaturschwankungen, und die Ärzte befürchteten, daß das Gehirn selbst bereits angegriffen sei und es zu einem Tumor kommen könne – und zum Tod. Es war tatsächlich das Krankenhaus, das anrief. Wir fuhren sofort hin.

Vielleicht können Sie sich die Qualen vorstellen, die mein Mann und ich durchmachten, während wir im Wartezimmer saßen. Alle anderen hatten ihr Baby, nur wir saßen mit leeren Händen da und überlegten, ob wir den kleinen Burschen je wieder an unsere Brust drücken würden. Als wir schließlich in das Privatsprechzimmer des Arztes gerufen wurden, erfüllte uns der Ausdruck auf seinem Gesicht mit Entsetzen. Und seine Worte waren noch viel schlimmer. Er erzählte uns, daß die Lebenschancen für unser Kind nur eins zu vier stünden. Wenn wir noch einen anderen Arzt wüßten, habe er nichts dagegen, ihn hinzuzuziehen.

Auf der Nachhausefahrt brach mein Mann zusammen und rief, während er mit der Faust auf das Steuer schlug: ‹Der kleine Kerl darf nicht sterben, Betty!› Haben Sie schon einmal einen Mann weinen gesehen? Es ist keine schöne Erfahrung. Wir hielten an, und nachdem wir noch einmal über alles gesprochen hatten, beschlossen wir, in eine Kirche zu gehen und zu beten. Wenn es Gottes Wille war, daß uns unser Baby genommen würde, wollten wir uns darein schicken. Ich kniete mich in der Bank nieder und sagte, während mir die Tränen über die Wangen liefen: ‹Nicht wie ich will, sondern wie du willst.›

Kaum hatte ich diese Worte gesprochen, fühlte ich mich besser. Ein Gefühl des Friedens, das ich lange nicht mehr gehabt hatte, durchströmte mich. Den ganzen Nachhauseweg über wiederholte ich ständig: ‹O Gott, nicht wie ich will, sondern wie du willst.› Zum erstenmal seit Wochen schlief ich in der Nacht durch. Ein paar Tage später rief der Arzt an und sagte, Bobby habe die Krise überstanden. Ich danke Gott für den gesunden, kräftigen, vierjährigen Jungen, den wir heute haben.»

Ich kenne Menschen, die finden, Religion sei etwas für Frauen und Kinder und Pfarrer. Sie brüsten sich, als «ganze Kerle» ihre Schlachten allein schlagen zu können.

Sie würden staunen, wenn sie wüßten, wie viele berühmte «ganze Kerle» in der Welt täglich beten. Zum Beispiel Jack Dempsey. Er erzählte mir, daß er nie schlafen gehe, ohne vorher zu beten. Er würde auch nie etwas essen, ohne Gott zuerst dafür zu danken. Beim Training für einen Kampf betete er jeden Tag, und wenn er im Ring stand, betete er immer, ehe die Glocke die nächste Runde einläutete. «Das Beten», sagte er, «hilft mir, mit Mut und Vertrauen zu boxen.»

Auch Eddie Rickenbacker gehört zu den «starken Männern». Er erzählte mir, daß er fest davon überzeugt sei, das Beten habe ihm das Leben gerettet. Er betet jeden Tag.

Oder Edward R. Stettinius, auch ein «ganzer Kerl». Er war einmal unser Außenminister. Er bete jeden Morgen und jeden Abend um Beistand und Einsicht, sagte er zu mir.

J. Pierpont Morgan, der bedeutendste Finanzmann seiner Zeit, ging häufig am Sonnabendnachmittag allein in die Trinity Church am Ende der Wall Street und kniete zum Gebet.

Als der «starke Mann» Eisenhower nach England flog, um das Oberkommando über die britischen und amerikanischen Streitkräfte zu übernehmen, nahm er nur ein einziges Buch mit ins Flugzeug – die Bibel.

Der «ganze Kerl» General Mark Clark erzählte mir, er habe im Krieg jeden Tag die Bibel gelesen und sich zum Beten niedergekniet. Auch Tschiangkaischek und Feldmarschall Montgomery – «Monty von El Alamein» – taten es. Wie auch Lord Nelson vor der Seeschlacht bei Trafalgar und noch eine Menge anderer großer militärischer Führer.

Diese «ganzen Kerle» entdeckten alle, wie wahr William James' Feststellung ist, daß «wir und Gott einen Handel zusammen haben. Und wenn wir uns seinem Einfluß öffnen, wird unser wahres Schicksal erfüllt.»

Viele «ganze Kerle» haben dies auch erkannt. 72 Millionen Amerikaner sind heute Kirchenmitglieder – ein noch nie dagewesener Rekord. Wie ich schon erwähnte, beschäftigen sich jetzt sogar Wissenschaftler wieder mit der Religion. Nehmen wir als Beispiel

Dr. Alexis Carrel, der die höchste Auszeichnung erhielt, die ein Wissenschaftler bekommen kann, den Nobelpreis. In einem Artikel im *Reader's Digest* schrieb er: «Das Gebet ist die stärkste Form von Energie, die man erzeugen kann, so real wie die Schwerkraft. Als Arzt habe ich erlebt, daß Patienten durch die ruhige Kraft des Gebetes von Krankheiten und Melancholie befreit wurden, wenn kein anderes Mittel mehr half... Das Gebet ist wie das Radium eine Quelle lichter, ständiger Energie... Im Gebet trachtet der Mensch danach, seine begrenzte Energie durch Hinwendung zum unendlichen Ursprung aller Energien zu vermehren. Wenn wir beten, verbinden wir uns mit der unerschöpflichen bewegenden Kraft, die das Universum dreht. Wir bitten, daß ein Stück dieser Kraft uns und unseren Bedürfnissen zugemessen wird. Schon durch das Bitten allein werden unsere menschlichen Schwächen von uns genommen, und wir erheben uns gestärkt und getröstet... Immer wenn wir uns Gott in innigem Gebet nähern, verändern sich Seele wie Körper zu ihrem Vorteil. Es ist unmöglich, daß irgendein Mann oder irgendeine Frau auch nur eine Sekunde betet, ohne eine positive Wirkung zu verspüren.»

Admiral Byrd wußte, was es bedeutet, sich «mit der unerschöpflichen bewegenden Kraft zu verbinden, die das Universum dreht». Nur weil er dies konnte, überstand er das schlimmste Abenteuer seines Lebens. Er erzählt die Geschichte in seinem Buch *Allein*. Im Jahr 1934 lebte er fünf Monate in einer Hütte im ewigen Eis tief in der Antarktis. Er war das einzige lebende Wesen südlich des 78. Breitengrades. Schneestürme heulten über seine Hütte hinweg, die Kälte sank auf 63 Grad unter Null. Er war begraben in endloser nächtlicher Dunkelheit. Dann entdeckte er zu seinem Schrecken, daß das aus dem Ofen ausströmende Kohlenmonoxyd ihn langsam tötete. Was sollte er tun? Die nächste Hilfe war über zweihundert Kilometer weit entfernt und würde ihn wahrscheinlich erst in ein paar Monaten erreichen. Er versuchte, den Ofen und das Lüftungssystem zu reparieren, doch es drang weiter Rauch hervor. Oft brach er zusammen und lag bewußtlos am Boden. Er konnte nichts essen. Er konnte nicht schlafen. Er wurde so schwach, daß er kaum seine Koje verlassen konnte. Häufig hatte er Angst, er würde bis zum nächsten Morgen nicht mehr leben. Er war überzeugt, daß er in der

Hütte sterben und seine Leiche im ewigen Schnee begraben werden würde.

Was rettete ihm das Leben? Eines Tages, als er völlig verzweifelt war, nahm er sein Tagebuch und versuchte, sich über seine Lebensphilosophie klarzuwerden. «Die menschliche Rasse», schrieb er, «ist im Universum nicht allein.» Er dachte an die Sterne über ihm, an die geordnete Bahn der Himmelskörper. Und wie die Sonne in ihrem ewigen Kreislauf zur vorgeschriebenen Zeit zurückkehrt, um auch auf die leeren Regionen des Südpols wieder zu scheinen. Und dann schrieb er in sein Tagebuch: *«Ich bin nicht allein.»*

Die Erkenntnis, daß er nicht allein sei – auch nicht in einer Hütte im Eis am Ende der Welt –, rettete Richard Byrd. «Ich weiß, daß ich es nur deshalb schaffte», sagte er. Und er fügte hinzu: «Nur wenige Menschen stoßen in ihrem Leben an die Grenzen ihrer inneren Kräfte. Tief in uns gibt es noch verborgene Quellen, die wir nie ausschöpfen.» Richard Byrd lernte, diese Kraftquellen anzuzapfen und zu benützen – als er sich Gott zuwandte.

Glenn A. Arnold machte mitten in den Maisfeldern von Illinois die gleiche Erfahrung wie Admiral Byrd im Polareis. Glenn A. Arnold, ein Versicherungsvertreter, begann seinen Vortrag über den besten Weg, seine Sorgen und Ängste zu bekämpfen, wie folgt: «Vor acht Jahren schloß ich meine Haustür ab, wie ich dachte, zum letztenmal in meinem Leben. Dann kletterte ich in meinen Wagen und fuhr zum Fluß. Ich war ein Versager», sagte er. «Vor einem Monat war meine ganze kleine Welt über mir zusammengestürzt. Ich hatte mit meinem Elektrogeschäft Pleite gemacht. Meine Mutter lag bei mir zu Hause im Sterben, meine Frau erwartete ihr zweites Kind. Die Arztrechnungen häuften sich. Um das Geschäft eröffnen zu können, hatten wir beliehen, was wir besaßen – den Wagen, die Möbel. Sogar auf meine Lebensversicherung hatte ich Geld aufgenommen. Jetzt war alles weg. Ich hielt es nicht mehr aus. Deshalb kletterte ich in meinen Wagen und fuhr zum Fluß – entschlossen, dem traurigen Durcheinander ein Ende zu machen.

Ich fuhr ein paar Kilometer aufs Land, stellte den Wagen an einer einsamen Straße ab und stieg aus. Ich setzte mich auf die Erde und weinte wie ein kleines Kind. Dann begann ich, ernsthaft nachzudenken – statt immer nur über meine Sorgen nachzugrübeln und mich im Kreis zu drehen wie bisher. Ich bemühte mich, positiv zu denken. Wie schlimm war meine Lage eigentlich? Könnte sie noch schlechter sein? War sie tatsächlich hoffnungslos? Wie konnte ich sie ändern?

Da beschloß ich, das ganze Problem Gott zu überlassen und ihn zu bitten, es für mich zu lösen. Ich betete. Ich betete inbrünstig. Ich betete, als hinge mein Leben davon ab – was ja auch stimmte. Und nun passierte etwas Seltsames. Sobald ich meine Sorgen einer größeren Kraft als der meinen anvertraute, durchströmte mich ein Frieden, wie ich ihn seit Monaten nicht mehr erlebt hatte. Ich muß ungefähr eine halbe Stunde dort auf der Erde gesessen und geweint und gebetet haben. Dann fuhr ich nach Hause und schlief tief und ruhig.

Am nächsten Morgen stand ich voll Zuversicht auf. Ich brauchte mich nicht mehr zu fürchten, weil ich Gott die Führung überlassen hatte. Am Vormittag betrat ich mit erhobenem Kopf das Kaufhaus bei uns in der Stadt. Voll Selbstbewußtsein bewarb ich mich um die Stelle eines Verkäufers in der Elektroabteilung. Ich wußte, daß ich sie bekommen würde. Und so geschah es auch. Ich war tüchtig und erfolgreich, bis dann wegen des Kriegs die Geschäfte schlechter gingen. Ich fing an, Lebensversicherungen zu verkaufen – immer noch unter Anleitung meines großen Ratgebers. Das ist erst fünf Jahre her. Heute sind alle Schulden bezahlt. Wir sind eine glückliche Familie mit drei fröhlichen Kindern. Wir haben ein eigenes Haus, einen neuen Wagen und eine Lebensversicherung über 25000 Dollar.

Wenn ich jetzt zurückblicke, bin ich froh, daß ich alles verlor und aus Verzweiflung zum Fluß fahren wollte – denn dieses Erlebnis lehrte mich, Gott zu vertrauen. Und heute habe ich ein Gefühl des Friedens und des Vertrauens, das ich nie für möglich gehalten hätte.»

Warum gibt uns der Glaube soviel Frieden und Gelassenheit und Stärke? Ich lasse William James diese Frage beantworten. Er sagt: «Die stürmischen Wellen an der unruhigen Oberfläche lassen die Tiefen des Ozeans unberührt. Und dem, der an größeren und ewigen Wirklichkeiten Halt findet, erscheinen die häufigen

Wechselfälle seines eigenen Schicksals relativ unwichtig. Der wahre religiöse Mensch ist deshalb nicht zu erschüttern und voll Gleichmut und nimmt gelassen alle Pflichten an, die der Tag ihm bringen mag.»

Wenn wir ängstlich und besorgt sind – warum es nicht mit Gott probieren? Warum nicht, wie Immanuel Kant einmal sagte, den Glauben an Gott annehmen, weil wir diesen Glauben brauchen? Warum uns nicht hier und jetzt «mit der unerschöpflichen, bewegenden Kraft verbinden, die das Universum dreht»?

Selbst wenn Sie weder durch Veranlagung noch durch Erziehung ein religiöser Mensch sind, ja sogar, wenn Sie durch und durch Skeptiker sind – das Beten kann Ihnen viel mehr helfen, als Sie glauben, denn es bedeutet, daß wir *handeln.* Was meine ich damit? Ich will es Ihnen erklären: Das Gebet befriedigt die folgenden drei sehr wesentlichen psychologischen Notwendigkeiten, die bei allen Menschen gleich sind, ob sie an Gott glauben oder nicht.

1. Im Gebet drücken wir mit Worten genau aus, was uns beschäftigt. Wir sahen im vierten Kapitel, daß es fast unmöglich ist, ein Problem zu bewältigen, solange es nebulös und nicht klar ist. In gewisser Weise ähnelt das Beten dem Aufschreiben der Probleme. Wenn wir um Hilfe bitten – auch wenn wir Gott darum bitten –, müssen wir unsere Bitte in Worte fassen.
2. Beim Beten haben wir das Gefühl, daß wir unsere Last mit jemand teilen, daß wir nicht allein sind. Die wenigsten von uns sind so stark, daß sie die schlimmsten Schicksalsschläge, die erdrückendsten Sorgen allein bewältigen können. Manchmal sind unsere Nöte auch so privater Natur, daß wir sie selbst mit unseren nächsten Angehörigen oder unseren engsten Freunden nicht besprechen wollen. Dann ist das Gebet die Lösung. Jeder Psychiater wird Ihnen sagen, daß es für einen verzweifelten und verkrampften Menschen, bei dem sich viel angestaut hat, eine heilsame Wirkung hat, jemand von seinen Sorgen zu erzählen. Wenn wir es niemand anderem sagen können – Gott können wir es immer sagen!

3. Durch das Beten tritt das positive Prinzip des *Handelns* in Kraft. Es ist der erste Schritt, etwas zu *tun.* Ich bezweifle, daß ein Mensch tagelang um die Erfüllung irgendeines Wunsches bitten kann, ohne etwas davon zu haben – mit anderen Worten, ohne daß er selbst etwas unternimmt, damit er Wirklichkeit wird. Dr. Alexis Carrel sagte: «Das Gebet ist die stärkste Form von Energie, die man erzeugen kann.» Warum diese Energie also nicht benützen? Nennen Sie es Gott oder Allah oder Geist – warum sich über Begriffsbestimmungen streiten, solange die geheimnisvollen Kräfte der Natur für uns sorgen?

Warum klappen wir dies Buch jetzt nicht zu, schließen die Tür, knien uns nieder und erleichtern unser Herz? Wenn Sie Ihren Glauben verloren haben, flehen Sie zu Gott, dem Allmächtigen, er möge ihn erneuern. Und sprechen Sie das schöne Gebet, das der heilige Franziskus von Assisi vor siebenhundert Jahren schrieb: «Herr, mach mich zu einem Instrument deines Friedens. Wo Haß ist, laß mich Liebe säen. Wo Unrecht ist, Vergebung. Wo Zweifel ist, Glaube. Wo Verzweiflung ist, Hoffnung. Wo Dunkelheit ist, Licht. Wo Trauer ist, Freude. O Herr, unser Gott, gib, daß ich nicht so sehr verlange getröstet zu werden, als zu trösten; verstanden zu werden, als zu verstehen; geliebt zu werden, als zu lieben; denn im Geben empfangen wir, im Verzeihen wird uns verziehen, und im Sterben werden wir zum ewigen Leben geboren.»

Sechster Teil

Wie Sie es schaffen, keine Angst vor Kritik zu haben

20 Vergessen Sie nicht: Einen toten Hund tritt man nie

Im Jahr 1929 geschah ein Ereignis, das in Schul- und Universitätskreisen des Landes eine Sensation war. Gelehrte aus allen Teilen der Vereinigten Staaten eilten nach Chicago, um Zeuge des Geschehens zu sein. Einige Jahre zuvor war ein junger Mann namens Robert Maynard Hutchins in Yale gewesen, der sich sein Studium als Kellner, Holzfäller, Nachhilfelehrer und Wäscheleinenverkäufer finanziert hatte. Jetzt, nur acht Jahre später, wurde er als Rektor der viertreichsten Universität von Amerika, der Universität von Chicago, in sein Amt eingeführt. Sein Alter? Dreißig Jahre. Unglaublich! Die älteren Professoren schüttelten die Köpfe. Kritik prasselte wie eine Steinlawine auf diesen «Wunderknaben» herab. Er sei dies, und er sei das – zu jung, zu unerfahren –, seine Bildungsvorstellungen seien lächerlich. Sogar die Zeitungen schlossen sich den Angriffen an.

Am Tag der Amtseinsetzung sagte ein Freund zu Hutchins' Vater: «Ich war entsetzt, als ich heute morgen den gemeinen Zeitungskommentar über Ihren Sohn las.»

«Ja», antwortete Hutchins der Ältere, «es war schlimm. Aber vergessen Sie nicht: Einen toten Hund tritt man nie.»

Ja, und je bedeutender ein Hund ist, desto mehr Spaß haben die Leute daran, ihn zu treten. Der Prinz von Wales, der spätere Edward VIII. von England, bekam dies am eigenen Hosenboden zu spüren. Zu jener Zeit besuchte er das Dartmouth College in Devonshire, es entspricht ungefähr unserer Marineakademie von Annapolis. Der Prinz war vierzehn. Da erwischte ihn ein Marineoffizier eines Tages dabei, wie er heulte, und fragte ihn, was los sei. Der Prinz wollte nicht mit der Sprache herausrücken, doch schließlich sagte er, er sei von den Kadetten in den Hintern getreten worden. Der Leiter der Schule, ein Admiral, rief die Jungen zusammen und erklärte ihnen, der Prinz habe sich nicht bei ihm beschwert, sondern er persönlich wolle nur wissen, warum man gerade beim Prinzen solche rauhen Methoden ausprobiere.

Nach vielem Herumstottern und Füßescharren gestanden die Kadetten: Wenn sie selbst einmal Admiräle und Kapitäne sein würden, wollten sie erzählen können, daß sie den König getreten hätten.

Sollten Sie also auch getreten und kritisiert werden, denken Sie immer daran, daß manche Leute dies tun, weil es ihnen ein Gefühl von Wichtigkeit gibt. Vielen Menschen verschafft es eine beinahe grausame Genugtuung, andere, die eine bessere Erziehung haben als sie oder erfolgreicher sind, herunterzumachen. Während ich an diesem Kapitel schrieb, erhielt ich zum Beispiel einen Brief, in welchem General William Booth, der Gründer der Heilsarmee, verleumdet wurde. Ich hatte in einer Rundfunksendung meine Bewunderung für den General ausgesprochen. Und die Verfasserin dieses Briefes erklärte nun, daß der General acht Millionen Dollar des Geldes, das er für die Armen sammelte, gestohlen habe. Die Behauptung war natürlich völlig absurd. Aber dieser Frau ging es gar nicht um die Wahrheit. Es befriedigte einfach ihre niederen Instinkte, jemanden, der weit über ihr stand, mit Schmutz zu bewerfen. Ich beförderte ihren bitterbösen Brief in den Papierkorb und dankte Gott, dem Allmächtigen, daß ich nicht mit ihr verheiratet war. Die Briefschreiberin hatte mir sehr wenig von General Booth verraten, desto mehr von sich selbst. Der große Arthur Schopenhauer meinte zu diesem Thema einmal, daß gewöhnliche Leute großes Vergnügen an den Fehlern und Verrücktheiten bedeutender Menschen hätten.

Man kann den Rektor einer Universität kaum als einen gewöhnlichen Mann bezeichnen. Und doch hat es Timothy Dwight, ehemaliger Rektor der Yale-Universität, offensichtlich großes Vergnügen gemacht, einen Präsidentschaftskandidaten zu verleumden. «Wenn Sie diesen Mann wählen», warnte er, «können wir erleben, wie unsere Frauen und Töchter Opfer einer legalen Prostitution werden, offen entehrt, schamlos beschmutzt, verstoßen von Tugendhaften und Zartfühlenden, verabscheut von Gott und Menschen.»

Das klingt wie eine Beschreibung von Hitler, nicht wahr? Aber Hitler war nicht damit gemeint, sondern Thomas Jefferson. Welcher Thomas Jefferson? Sicherlich nicht der *unsterbliche* Thomas Jefferson, der Verfasser der Unabhängigkeitserklärung, der Schutzheilige der Demokratie? O doch, genau dieser Mann war gemeint.

Welcher Amerikaner, glauben Sie, wurde als «Heuchler» bezeichnet, als «Betrüger, kaum besser als ein Mörder»? Eine Zeitungskarikatur zeigte ihn unter dem Fallbeil, das jeden Augenblick herabsausen und den Kopf von seinem Körper trennen konnte. Wenn er durch die Straßen ritt, johlte die Menge und verspottete und beschimpfte ihn. Wer er war? George Washington.

Doch das geschah vor langer Zeit. Vielleicht hat sich die menschliche Natur seitdem gebessert. Wollen mal sehen. Nehmen wir den Fall Admiral Pearys, des Forschers, der am 6. April 1909 zur Begeisterung der Welt mit seinen Hundeschlitten den Nordpol erreichte, ein Ziel, für das mutige Männer seit Jahrhunderten gelitten und gehungert hatten und gestorben waren, ohne es je zu erreichen. Peary selbst wäre beinahe vor Hunger und Kälte umgekommen, acht seiner zehn Zehen waren erfroren und mußten abgenommen werden. Er hatte mit so vielen Schwierigkeiten zu kämpfen, daß er beinahe verrückt geworden wäre. Seine Vorgesetzten in Washington waren eifersüchtig, weil er so bekannt war und gefeiert wurde. Deshalb beschuldigten sie ihn, Geld für wissenschaftliche Expeditionen zu sammeln und dann «nur in der Arktis herumzusitzen und nichts zu tun». Vermutlich glaubten sie dies sogar, denn es ist beinahe unmöglich, nicht zu glauben, was man glauben möchte. Ihr Entschluß, Peary zu demütigen und kaltzustellen, war so groß, daß Peary erst auf eine direkte Anweisung von Präsident McKinley hin seine Arbeit in der Arktis fortsetzen konnte.

Wäre Peary verleumdet worden, wenn er in Washington in der Marineabteilung einen Schreibtischposten gehabt hätte? Nein. Als unauffälliger Beamter hätte er keinen Neid, keine Mißgunst geweckt.

General Grant wurde sogar noch schlimmer mitgespielt als Admiral Peary. 1862 gewann General Grant die erste entscheidende Schlacht für die Nordstaaten, eine Schlacht, die nur einen Nachmittag dauerte und ihn über Nacht zu einem Nationalhelden machte, eine Schlacht, die auch weitreichende Auswirkungen auf das ferne Europa hatte, eine Schlacht, nach der die Glocken läuteten und Freudenfeuer angezündet wurden von Maine bis zum Ufer des Mississippi. Doch innerhalb sechs Wochen nach diesem großen Sieg wurde Grant – der Held des Nordens – verhaftet, und man nahm ihm seine Armee weg. Er weinte vor Demütigung und Verzweiflung.

Warum wurde General U. S. Grant auf der Höhe seines Ruhms verhaftet? Zum größten Teil, weil er Neid und Eifersucht seiner arroganten Vorgesetzten geweckt hatte.

> Wenn wir versucht sind, uns über ungerechte Kritik zu ärgern – hier Regel eins:
> Ungerechte Kritik ist oft ein verkapptes Kompliment. Vergessen Sie nicht: Einen toten Hund tritt man nie.

21 Befolgen Sie diesen Rat – und Kritik kann Sie nicht mehr treffen

Ich interviewte einmal Generalmajor Smedley Butler. Er hatte den Spitznamen Hell-Devil – Höllenteufel. Erinnern Sie sich noch an ihn? Einer der eigenwilligsten Männer, die je die Marine der Vereinigten Staaten befehligten.

In seiner Jugend, erzählte er mir, sei er versessen darauf gewesen, überall beliebt zu sein. Alle Leute sollten einen guten Eindruck von ihm haben. Schon die leiseste Kritik schmerzte und kränkte ihn. Doch habe er sich in den dreißig Jahren bei der Marine ein dickes Fell zugelegt, gestand er. «Ich wurde beschimpft und beleidigt», sagte er, «und mieser Kerl, Schlange und Stinktier genannt. Ich wurde verflucht von Leuten, die etwas vom Fluchen verstanden, und mit allen nur erdenklichen Schimpfwörtern belegt, die man im Druck nicht wiedergeben kann. Ob mich das stört? Ha! Wenn ich heute höre, wie jemand auf mich schimpft, drehe ich mich nicht einmal mehr um.»

Vielleicht war der alte Höllenteufel gegen Kritik einfach immun geworden. Eines steht jedenfalls fest: Die meisten von uns nehmen Spott und Sticheleien, mit denen man uns zu treffen versucht, viel zu ernst. Ich erinnere mich noch, wie vor Jahren ein Reporter der New Yorker Zeitung *Sun* einen Informationsabend meiner Erwachsenenbildungskurse besuchte und mich und meine Arbeit in seinem Artikel schlechtmachte. Ob ich mich darüber aufregte? Ich fühlte mich persönlich beleidigt! Ich rief den Vorsitzenden des Verwaltungsrats der Zeitung an und forderte eine Gegendarstellung. Man solle über die Tatsachen berichten, statt über mich zu spotten! Ich wollte erreichen, daß die Strafe dem unerhörten Vergehen entsprechend ausfiele.

Heute schäme ich mich über mein damaliges Benehmen. Inzwischen ist mir klargeworden, daß die Hälfte der Leute, die die Zeitung kaufte, den Artikel gar nicht bemerkte. Für die Hälfte der Leute, die ihn las, war er nur ein Quell unschuldiger Heiterkeit. Und die Hälfte derer, die sich über ihn aufregte, hatte ihn nach ein paar Wochen längst vergessen.

Inzwischen habe ich begriffen, daß die Leute nicht an Sie oder mich denken und wissen wollen, was man über uns redet. Sie denken nur an sich selbst – vor dem Frühstück und nach dem Frühstück und weiter bis zehn Minuten nach Mitternacht. Schon wenn sie nur ein wenig Kopfweh haben, beschäftigt sie das tausendmal mehr, als wenn sie erfahren würden, daß Sie oder ich gestorben sind.

Wenn jeder sechste der besten Freunde von Ihnen oder mir Sie oder mich anlügt, lächerlich macht, hintergeht, in den Rücken fällt oder Sie oder mich im Stich läßt – feiern wir keine Orgien des Selbstmitleids. Denken wir lieber daran, daß Jesus so etwas tatsächlich passierte. Einer seiner zwölf liebsten Freunde wurde aus Geldgier zum Verräter für eine Summe, die nach heutiger Währung ungefähr 19 Dollar betrüge. Ein anderer der zwölf verließ Jesus, als dieser in Not geriet, und behauptete dreimal, daß er Jesus nicht einmal kenne – und beschwor es sogar. Einer von sechs! Das passierte Jesus. Warum sollten Sie oder ich eine bessere Trefferquote erwarten können?

Vor Jahren entdeckte ich, daß ich zwar die Menschen nicht davon abhalten kann, mich ungerechtfertigterweise zu kritisieren, daß ich aber etwas viel Wichtigeres tun konnte: Ich konnte beschließen, ob ich mich davon betroffen fühlen wollte oder nicht.

Eines möchte ich allerdings klarstellen: Ich plädiere nicht dafür, alle Kritik zu ignorieren. Im Gegenteil. Ich spreche nur von der *unbilligen Kritik.* Ich fragte einmal Eleanor Roosevelt, wie sie es denn damit halte – und Allah weiß, sie hatte eine Menge einzustekken. Wahrscheinlich hatte sie mehr gute Freunde und mehr erbitterte Feinde als jede andere Frau, die je im Weißen Haus wohnte.

Als junges Mädchen sei sie fast krankhaft scheu gewesen, sagte sie zu mir, und habe sich gefürchtet, was die Leute über sie reden könnten. Sie hatte solche Angst davor, daß sie eines Tages ihre Tante, Theodore Roosevelts Schwester, um Rat fragte. «Tante Bye, ich würde gern das und das machen, aber ich möchte deswegen nicht kritisiert werden.»

Teddy Roosevelts Schwester sah ihr in die Augen und antwortete: «Was die Leute reden, kann dir gleich sein, solange du aus tiefstem Herzen überzeugt bist, daß du recht hast.» Eleanor Roosevelt erzählte mir, daß dieser Rat später, als sie im Weißen Haus leben mußte, ihr «Felsen von Gibraltar» war. Sie erklärte, man könne Kritik nur ertragen, indem man unberührt bleibe wie eine Figur aus Meißner Porzellan auf einem Regal. «Tun Sie, was Sie im Grunde Ihres Herzens für richtig halten – denn kritisiert werden Sie sowieso. Sie werden verurteilt, wenn Sie's tun, und wenn Sie's nicht tun, werden Sie auch verurteilt.» Das ist ihr Rat.

Als der verstorbene Matthew C. Brush noch Generaldirektor der American International Corporation war, fragte ich ihn, ob er je gegen Kritik empfindlich gewesen sei, und er antwortete: «Ja, am Anfang sehr. Ich wollte unbedingt, daß alle Angestellten mich für perfekt hielten, und machte mir deswegen immer Sorgen. Wenn sich jemand über mich beschwerte, bemühte ich mich, ihm zu gefallen. Aber durch meine Beschwichtigungsmanöver fühlte sich jemand anders beleidigt, und wenn ich diesen dann umzustimmen versuchte, scheuchte das ein paar andere Hummeln auf. Schließlich fand ich folgendes heraus: Je mehr ich mich bemühte, Frieden zu stiften und verletzte Gefühle zu beschwichtigen, um persönlicher Kritik zu entgehen, desto mehr Feinde machte ich mir. Deshalb sagte ich mir eines Tages: ‹Wenn du deinen Kopf zu weit vorstreckst, wirst du kritisiert. Also finde dich damit ab.› Das half mir außerordentlich. Von da an machte ich es mir zum Prinzip, mein Bestes zu tun und dann meinen alten Regenschirm aufzuspannen, damit der Regen der Kritik daran herunterlief und mir nicht in den Kragen tropfte.»

Deems Taylor ging sogar noch einen Schritt weiter: Er ließ sich den Regen der Kritik in den Kragen laufen und lachte noch darüber – in aller Öffentlichkeit. Im Rundfunkkonzert der New Yorker Philharmoniker am Sonntagnachmittag las er in der Pause als Kritiker seinen Kommentar dazu und erhielt von einer Hörerin einen Brief, in dem sie ihn einen «Lügner, Verräter, eine Schlange und einen Trottel» nannte. In seinem Buch *Der wohltemperierte Zuhörer* schreibt Deems Taylor: «Ich habe den Verdacht, daß sie meine Kritik nicht mochte.» In der Sendung am nächsten Sonntag las Taylor diesen Brief Millionen von Hörern vor – und bekam ein paar Tage später einen zweiten Brief von der Dame, «in welchem sie weiter zu ihrer Meinung stand», sagte Deems Taylor, «daß ich ‹ein Lügner, ein Verräter, eine Schlange und ein Trottel› sei.» Einen Mann, der so auf boshafte Kritik reagiert, kann man nur bewundern. Wir bewundern seine Heiterkeit und Unerschütterlichkeit und seinen Sinn für Humor.

In einem Vortrag, den der Großindustrielle Charles Schwab vor den Studenten von Princeton hielt, erzählte er, daß ein alter deutscher Mann, der in seinem Stahlwerk arbeitete, ihm eine der wichtigsten Lektionen seines Lebens beigebracht habe. Der Deutsche geriet mit Kollegen in einen heftigen Streit über den Krieg und wurde in den Fluß geworfen. «Als er in mein Büro kam», sagte Charles Schwab, «naß und voller Schlamm, fragte ich ihn, was er zu den Männern gesagt habe, die ihn in den Fluß warfen, und er antwortete: ‹Ich habe nur gelacht.›»

Diese Worte habe er sich dann zum Wahlspruch genommen, erklärte Schwab. «Einfach lachen.»

Wenn man das Opfer ungerechter Kritik ist, ist so ein Motto besonders nützlich. Einem Menschen, der einem antwortet, kann man wieder eine Antwort geben, doch was kann man sagen, wenn der andere «einfach lacht»?

Abraham Lincoln hätte vielleicht im Bürgerkrieg nicht allen Belastungen standgehalten, wenn er nicht erkannt haben würde, daß es verrückt gewesen wäre, auf alle bösartigen Verleumdungen seiner Person zu reagieren. Seine Schilderung, wie er mit Kritik fertig wurde, ist eine literarische Kostbarkeit – ein Klassiker. General MacArthur hatte sie im Krieg im Hauptquartier über seinem Schreibtisch hängen, und Winston Churchill ließ die Worte einrahmen und hängte sie in seinem Arbeitszimmer in «Chartwell» an die Wand. Sie lauten wie folgt: «Wenn ich alle Angriffe auf mich lesen oder gar beantworten wollte, könnte ich mein Geschäft ebensogut schließen. Ich gebe mein Bestes, und das, was ich kann, tue ich so gut wie möglich. Und ich werde unbeirrt so weitermachen, bis zum Schluß. Wenn sich dann erweist, daß ich recht hatte, ist alles gegen mich Gesagte unwichtig. Sollte sich jedoch erweisen, daß ich mich irrte, können auch zehn Engel, die meine Gutgläubigkeit beschwören, dies nicht ändern.»

Wenn Sie oder ich zu Unrecht kritisiert werden, erinnern wir uns an Regel zwei:
Tun Sie Ihr Bestes, und dann spannen Sie Ihren alten Regenschirm auf, damit der Regen der Kritik Ihnen nicht hinten in den Kragen läuft.

22 Dummheiten, die ich gemacht habe

In meinem Archiv habe ich eine Akte DDIGH – die Abkürzung für «Dummheiten, die ich gemacht habe». Dort lege ich die Berichte über den Unsinn ab, den ich manchmal so anstelle. Einige habe ich meiner Sekretärin diktiert, doch das meiste ist so persönlich und dumm, daß ich mich geniere und es lieber selbst mit der Hand aufschreibe.

Ich erinnere mich noch gut an einige Kritiken über Dale Carnegie, die ich vor fünfzehn Jahren in die DDIGH-Akte legte. Wenn ich immer völlig ehrlich gewesen wäre, würde das Archiv heute vor Memos über meine Dummheiten aus allen Nähten platzen. Ich kann mit gutem Gewissen wiederholen, was König Salomo schon vor dreitausend Jahren sagte: «Ich habe den Narren gespielt und viel geirrt.»

Wenn ich meine DDIGH-Akte hervorhole und die Berichte über mich wieder lese, hilft mir das, mit meinem schlimmsten Problem fertig zu werden: mit Dale Carnegies Zähmung.

Früher gab ich den andern die Schuld an meinen Schwierigkeiten. Doch jetzt bin ich älter geworden – und hoffentlich auch weiser – und habe erkannt, daß ich im Grunde selbst die Verantwortung für all mein Unglück trage. Viele Leute haben das im Lauf ihres Lebens erkannt. «Keinem außer mir», sagte Napoleon auf Helena, «keinem außer mir kann man die Schuld an meinem Sturz geben. Ich war mir selbst der schlimmste Feind – die Ursache meines unseligen Schicksals.»

Ich möchte Ihnen von einem Mann erzählen, der, was Selbsteinschätzung und Beherrschung betrifft, ein richtiger Künstler war. Er hieß H. P. Howell. Die Nachricht von seinem plötzlichen Tod im

Drugstore des New Yorker «Hotel Ambassador» schlug im Land wie ein Blitz ein. Wall Street war schockiert, denn Howell war ein großer Finanzmann gewesen – Vorsitzender des Verwaltungsrats der Commercial National Bank und Trust Company und Direktor verschiedener großer Firmen. Er wuchs ohne große Schulbildung auf, fing in einem kleinen Laden auf dem Land als Verkäufer an und wurde später Leiter des Kreditwesens bei U. S. Steel – der erste Schritt auf dem Weg zu Macht und Ansehen war getan.

«Jahrelang hatte ich einen Terminkalender, in dem alle Verabredungen des Tages eingetragen wurden», erzählte mir H. P. Howell, als ich ihn bat, mir die Gründe für seinen Erfolg zu erklären. «Meine Familie machte für den Sonnabendabend nie Pläne, denn sie wußte, daß ich einen Teil dieses Abends für meine Selbsterforschung und die Beurteilung meiner in der Woche geleisteten Arbeit brauchte. Nach dem Abendessen zog ich mich zurück, öffnete meinen Terminkalender und überdachte noch einmal alle Gespräche, Diskussionen und Treffen, die seit Montagvormittag stattgefunden hatten. Ich fragte mich dann: ‹Was für Fehler habe ich gemacht? Was war richtig – und wo hätte ich meine Sache besser machen können? Was kann ich aus dieser Erfahrung lernen?› Manchmal war so eine wöchentliche Rückschau sehr bedrückend, und manchmal staunte ich selbst über die Schnitzer, die mir passierten. Natürlich wurden sie mit den Jahren weniger. Diese Methode, sich über Jahre selbst zu analysieren, hat mir mehr gebracht als alles andere, was ich in dieser Richtung versuchte.»

Vielleicht lieh sich H. P. Howell seine Idee von Benjamin Franklin. Nur wartete Franklin nicht bis Sonnabendabend. Er unterzog sich jeden Abend einer gestrengen Selbstprüfung. Er entdeckte, daß er dreizehn große Fehler hatte. Hier sind drei davon: Zeit verschwenden, sich über Kleinigkeiten ärgern, mit Leuten streiten und ihnen widersprechen. Der weise alte Franklin begriff, daß er nicht weit kommen würde, wenn er diese Schwächen nicht bekämpfte. Deshalb nahm er sich jede für eine Woche vor und führte über seine täglich mühsam errungenen Siege genau Buch. In der nächsten Woche suchte er sich dann eine andere schlechte Gewohnheit aus, zog die Boxhandschuhe an, und wenn die Glocke die nächste Runde einläutete, kam er kampfbereit aus seiner Ecke.

Franklin kämpfte den wöchentlichen Kampf mit seinen Fehlern über zwei Jahre.

Kein Wunder, daß er einer der beliebtesten und einflußreichsten Männer wurde, die dieses Land je besaß.

Elbert Hubbard sagte einmal: «Jeder Mensch ist mindestens fünf Minuten am Tag ein verdammter Idiot. Diese Grenze nicht zu überschreiten – das ist Weisheit.»

Der kleine Mann gerät über die geringste Kritik in helle Wut, doch der kluge Mann ist begierig, von denen zu lernen, die ihn gemaßregelt und gescholten haben und ihm «den Rang streitig machen». Walt Whitman, der Dichter, drückte es so aus:

«Haben Sie nur von denen gelernt, die Sie bewunderten, die gut zu Ihnen waren und zur Seite traten? Haben Sie nicht sehr Wichtiges von denen gelernt, die Sie nicht mochten, die sich gegen Sie zur Wehr setzten und Ihnen den Rang streitig machten?»

Statt zu warten, bis unsere Gegner uns oder unsere Arbeit aburteilen, kommen wir ihnen lieber zuvor. Seien wir unsere eigenen gestrengen Kritiker. Finden wir alle unsere Schwächen heraus und stellen wir sie ab, ehe unsere Gegner die Chance haben, auch nur ein Wort darüber zu sagen. Charles Darwin tat das. Fünfzehn Jahre kritisierte er – also, die Geschichte war folgende: Nachdem Darwin das Manuskript zu seinem unsterblichen Werk *Der Ursprung der Arten* fertig hatte, erkannte er, daß die Veröffentlichung seiner revolutionären Abstammungslehre die geistige und religiöse Welt erschüttern würde. Deshalb wurde er sein eigener Kritiker und prüfte fünfzehn Jahre seine Angaben nach, zweifelte seine Gedankengänge an und kritisierte seine Schlußfolgerungen.

Angenommen, jemand nennt Sie «einen verdammten Idioten» – wie reagieren Sie? Wütend? Empört? Abraham Lincoln machte folgendes: Edward M. Stanton, sein Verteidigungsminister, bezeichnete ihn einmal als «einen verdammten Idioten», weil er sich in Stantons Angelegenheiten gemischt hatte. Um einem egoistischen Politiker zu gefallen, hatte Lincoln die Anweisung gegeben, gewisse Regimenter zu verlegen. Stanton weigerte sich nicht nur, Lincolns Befehl auszuführen, er schimpfte auch, daß Lincoln ein verdammter Idiot sei, wenn er so etwas befehle. Was geschah weiter? Als Lincoln davon erfuhr, erklärte er gelassen: «Wenn Stanton das behauptet, dann muß es stimmen, denn er hat fast immer recht. Ich geh mal rüber und spreche mit ihm.»

Lincoln suchte Stanton tatsächlich auf, und Stanton überzeugte ihn, daß er einen Fehler gemacht habe, und Lincoln widerrief die Anordnung. Lincoln war Kritik immer willkommen, wenn sie aufrichtig gemeint war, Kenntnisse dahinterstanden und sie als Hilfe gedacht war.

Sie und ich, wir sollten Kritik dieser Art auch annehmen, denn wir können von viermal höchstens dreimal recht haben. Zumindest sagte Theodore Roosevelt, daß er sich nicht mehr erhoffen könne, als er ins Weiße Haus einzog. Einstein, einer der größten Denker unserer Zeit, bekannte, daß er sich in neunundneunzig von hundert Fällen irre.

«Die Meinung unserer Feinde über uns», sagte der französische Schriftsteller La Rochefoucauld, «trifft die Wahrheit genauer als unser eigenes Urteil.»

Ich weiß, daß diese Behauptung sehr oft stimmt, trotzdem – wenn jemand anfängt, mich zu kritisieren, und ich nicht aufpasse, gehe ich sofort und ganz automatisch in die Verteidigung, sogar, wenn ich keine Ahnung habe, was der andere sagen wird. Jedesmal verabscheue ich mich hinterher. Wir alle haben die Neigung, Kritik abzulehnen und Lob gierig einzusaugen, ob sie gerechtfertigt sind oder nicht. Wir sind keine verstandesbetonten Geschöpfe. Wir sind gefühlsbetont. Unsere Logik gleicht einem Kanu aus Birkenrinde, das auf einem tiefen, dunklen, stürmischen Meer der Gefühle herumgeworfen wird.

Wenn wir erfahren, daß jemand schlecht über uns geredet hat, sollten wir uns lieber nicht verteidigen. Jeder Dummkopf macht es nämlich so. Seien wir originell – und demütig – und klug! Verwirren wir unsere Kritiker doch und ernten Applaus, indem wir sagen: «Wenn er meine andern Fehler auch noch wüßte, hätte er mich viel mehr heruntergemacht.»

Wie wir uns bei ungerechter Kritik verhalten sollten – darüber habe ich bereits gesprochen. Doch hier ist noch ein anderer Punkt: Wenn Sie merken, wie der Ärger in Ihnen hochsteigt, weil Sie zu Unrecht abgeurteilt wurden, warum nicht innehalten und sich sagen: «Augenblick mal... schließlich bin ich weit davon entfernt, vollkommen zu sein. Vielleicht verdiene ich diese Kritik. Wenn ja, sollte ich dankbar sein und versuchen, daraus zu lernen.»

Bei der Automobilfirma Ford war man so scharf darauf, festzustellen, was mit dem Management und den Produktionsverfahren nicht stimmte, daß man die Mitarbeiter befragte und sie aufforderte, das Unternehmen zu kritisieren.

Ich kenne einen ehemaligen Seifenvertreter, der sogar um Kritik *bat!* Als er anfing, für Colgate Seife zu verkaufen, waren die Bestellungen nur spärlich. Er hatte Angst, er würde seinen Job verlieren. Da er wußte, daß Seife und Preis in Ordnung waren, mußte der Grund bei ihm selbst liegen. Wenn er also keinen Auftrag bekam, pflegte er häufig um den Block zu laufen und zu überlegen, was er falsch gemacht haben könnte. War er zu unverbindlich gewesen? Zu wenig überzeugend? Manchmal drehte er dann um und ging noch einmal zu dem Händler. «Ich bin nicht noch einmal zurückgekommen, um Ihnen Seife zu verkaufen», sagte er, «ich wollte nur Ihren Rat hören und Ihre Kritik. Würden Sie mir bitte verraten, was ich eben falsch machte? Sie sind viel erfahrener und erfolgreicher als ich. Bitte, üben Sie Kritik. Seien Sie offen. Nehmen Sie kein Blatt vor den Mund!»

Mit dieser Einstellung machte er sich viele Freunde, und er erhielt viele unbezahlbare Ratschläge.

Was wohl aus ihm geworden ist? Er stieg auf bis zum Generaldirektor von Colgate-Palmolive-Peet Soap – einer der größten Seifenfirmen der Welt. Sein Name ist E. H. Little.

Um sich so zu verhalten wie H. P. Howell, Benjamin Franklin und E. H. Little – dazu braucht man Charakterstärke. Und darum werfen Sie jetzt einen raschen Blick in den Spiegel, während niemand hinsieht, und fragen Sie sich, ob Sie wohl auch in diese Gesellschaft passen würden.

> Damit wir keine Angst vor Kritik haben – hier Regel drei: Führen wir über die Dummheiten, die wir gemacht haben, Buch und analysieren wir sie. Da wir nicht vollkommen sein können, machen wir es wie E. H. Little: Bitten wir um sachliche, nützliche und aufbauende Kritik.

Zusammenfassung des sechsten Teils

Wie Sie es schaffen, keine Angst vor Kritik zu haben

Regel 1 Ungerechte Kritik ist oft ein verkapptes Kompliment. Häufig bedeutet sie auch, daß Sie Neid und Eifersucht geweckt haben. Vergessen Sie nicht: Einen toten Hund tritt man nie.

Regel 2 Tun Sie Ihr Bestes, und dann spannen Sie Ihren alten Regenschirm auf, damit der Regen der Kritik Ihnen nicht hinten in den Kragen läuft.

Regel 3 Führen wir über die Dummheiten, die wir gemacht haben, Buch und analysieren wir sie. Da wir nicht vollkommen sein können, machen wir es wie E. H. Little: Bitten wir um sachliche, nützliche und aufbauende Kritik.

Siebenter Teil

Sechs Arten, Müdigkeit und Sorgen fernzuhalten und voll Energie und in gehobener Stimmung zu sein

23 Wie Sie eine Stunde am Tag länger wach bleiben

Warum schreibe ich in einem Buch, das von dem Abbau unserer Sorgen und Ängste handelt, auch über Müdigkeit? Sehr einfach: Weil Müdigkeit häufig Sorgen und Ängste verursacht oder zumindest dafür anfälliger macht. Jeder Medizinstudent wird Ihnen sagen, daß Müdigkeit die körperliche Widerstandskraft gegen Kälte und Hunderte von Krankheiten verringert. Und jeder Psychiater wird Ihnen sagen, daß Müdigkeit auch Ihre Abwehr gegen Gefühle der Sorge und Angst vermindert. Wenn wir also verhindern, daß wir müde werden, beugen wir auch Sorgen und Ängsten vor.

Habe ich «vorbeugen» gesagt? Das ist ziemlich mild ausgedrückt. Dr. Edmund Jacobson geht noch viel weiter. Er schrieb zwei Bücher über Entspannung: *Progressive Entspannung* und *Sie müssen entspannen.* Und als Leiter des Labors für Klinische Physiologie der Universität von Chicago führte er jahrelang Untersuchungen durch über die heilende Wirkung der Entspannung. Er erklärte, daß «bei völliger Entspannung Nervosität oder Erregtheit nicht möglich» ist. Mit anderen Worten: Wenn Sie sich entspannen, können Sie sich nicht mehr sorgen und ängstigen.

Um also zu verhindern, daß wir müde werden und Angst haben, ist die erste Regel: Ruhen Sie sich häufig aus. Ruhen Sie sich aus, ehe Sie müde werden.

Warum ist dies so wichtig? Weil die allgemeine Müdigkeit mit erstaunlicher Geschwindigkeit wächst. Die Armee der Vereinigten Staaten hat durch wiederholte Tests festgestellt, daß sogar junge Männer – Männer, die durch jahrelange militärische Ausbildung abgehärtet waren – besser marschierten und länger durchhielten, wenn sie jede Stunde ihre Ausrüstung zehn Minuten ablegen und sich ausruhen konnten. Also machte es die Armee zur Vorschrift. Ihr Herz ist nicht weniger intelligent als die amerikanische Armee. Es pumpt täglich eine Menge Blut durch Ihren Körper, die einen Tankwaggon füllen könnte, und seine Leistung in 24 Stunden entspricht der Kraft, die man braucht, um 20 Tonnen Kohle einen Meter höher zu schaufeln. Es tut diese unglaublich viele Arbeit 50, 70 oder vielleicht sogar 90 Jahre lang. Wie hält das Herz das aus? Dr. Walter B. Cannon von der Harvard-Universität erklärt es so: «Die meisten Menschen haben die Vorstellung, daß das Herz ständig arbeitet. Bei einem Durchschnitt von 70 Pulsschlägen in der Minute arbeitet es aber in Wirklichkeit nur neun von 24 Stunden. Alle Herzpausen zusammengerechnet, ergeben eine Summe von vollen 15 Stunden täglich.»

Während des Zweiten Weltkriegs konnte Winston Churchill noch mit Ende Sechzig und Anfang Siebzig 16 Stunden am Tag arbeiten, und das jahrelang, und die Geschicke des Britischen Empire lenken. Ein unerhörter Rekord. Sein Geheimnis? Morgens arbeitete er bis elf Uhr im Bett, las Berichte, diktierte Anweisungen, telefonierte und hielt wichtige Konferenzen ab. Nach dem Mittagessen legte er sich wieder hin und schlief eine Stunde. Am Abend ging er wieder ins Bett und schlief zwei Stunden, ehe er um acht Uhr zu Abend aß. Er heilte seine Müdigkeit nicht. Das war nicht notwendig. Er kam ihr zuvor. Durch seine häufigen Ruhepausen konnte er immer weiter arbeiten, munter und geistig fit, bis lange nach Mitternacht.

Das Original John D. Rockefeller stellte zwei außergewöhnliche Rekorde auf. Er sammelte das größte bis zu seiner Zeit bekannte Vermögen auf der Welt an, und er wurde 98 Jahre alt. Wie er das machte? Der Hauptgrund dafür war natürlich, daß Langlebigkeit in seiner Familie lag. Eine andere Ursache war seine Gewohnheit, jeden Mittag ein halbstündiges Schläfchen zu machen. Er legte sich auf die Couch in seinem Büro – und nun hätte ihn nicht einmal der Präsident der Vereinigten Staaten ans Telefon bekommen können.

In seinem hervorragenden Buch *Warum müde sein* stellt Daniel W. Josselyn fest: «Ruhe ist nicht eine Sache des absoluten Nichtstuns. Ruhen heißt regenerieren.» Eine kurze Ruhepause enthält so viel Energie, daß sogar fünf Minuten Schlaf schon ausreichen, daß wir nicht müde werden.

Als ich Eleanor Roosevelt fragte, wie sie während der zwölf Jahre im Weißen Haus ihr tägliches anstrengendes Programm durchgehalten habe, antwortete sie, daß sie vor einem Auftritt in der Öffentlichkeit oder vor einer Rede häufig auf einem Stuhl gesessen oder einer Couch gelegen, die Augen geschlossen und sich 20 Minuten lang entspannt habe.

Ich interviewte einmal Gene Autry in seiner Garderobe im Madison Square Garden, wo er der Star der Rodeo-Weltmeisterschaften war. Mir fiel eine Armeepritsche auf. «Ich lege mich jeden Nachmittag hin», sagte Gene Autry, «und schlafe zwischen den Vorstellungen eine Stunde. Wenn ich in Hollywood einen Film drehe», fuhr er fort, «setze ich mich zwei- oder dreimal am Tag in einen bequemen Sessel und schlafe zehn Minuten. Das möbelt mich unerhört auf.»

Edison schrieb seine enorme Energie und Ausdauer seiner Gewohnheit zu, zu schlafen, wann immer er Lust hatte.

Ich interviewte Henry Ford kurz vor seinem 80. Geburtstag. Ich war erstaunt, wie frisch und munter er aussah. Ich fragte ihn nach seinem Geheimnis. «Ich stehe nie, wenn ich sitzen kann», antwortete er. «Und ich sitze nie, wenn ich liegen kann.»

Horace Mann, «der Vater der modernen Erziehung», machte es, als er älter wurde, genauso. Als Präsident des Antioch College pflegte er auf einer Couch liegend mit seinen Studenten zu sprechen.

Ich überredete einen Filmregisseur von Hollywood, eine ähnliche Technik auszuprobieren. Er gestand, daß sie Wunder wirkte. Ich meine Jack Chertock, einen der bedeutendsten Filmregisseure von Hollywood. Als er mich vor ein paar Jahren besuchte, war er Direktor der Kurzfilmabteilung von MGM. Er fühlte sich ausgelaugt und erschöpft und hatte schon alles mögliche ausprobiert, um sich zu kurieren: Anregungsmittel, Vitamine, Medikamente. Nichts hatte viel genützt. Ich schlug ihm vor, jeden Tag einen kleinen Urlaub zu machen. Wie? Indem er sich in seinem Büro auf einer Couch ausstreckte und entspannte, während er mit seinen Filmautoren Konferenzen abhielt.

Zwei Jahre später traf ich ihn wieder. «Ein Wunder ist geschehen», erklärte er. «Jedenfalls behauptet das mein Arzt. Früher saß ich angespannt und nervös im Stuhl, während wir über Einfälle für neue Kurzfilme diskutierten. Jetzt liege ich in den Konferenzen auf meiner Bürocouch. Ich fühle mich besser als in den letzten 20 Jahren. Obwohl ich jetzt täglich zwei Stunden länger arbeite, werde ich kaum müde.»

Wie können Sie das alles nun für sich selbst verwerten? Wenn Sie eine Büroangestellte sind, können Sie nicht im Büro ein Nickerchen machen wie Edison oder Sam Goldwyn. Und wenn Sie Buchhalter sind, können Sie sich nicht bei einem Gespräch mit dem Chef über finanzielle Fragen auf einer Couch ausstrecken. Doch wenn Sie zum Beispiel in einer Kleinstadt wohnen und zum Essen nach Hause gehen, könnten Sie danach ein Schläfchen von zehn Minuten machen. General George C. Marshall pflegte dies auch zu tun. Er fand, das Kriegskommando über die amerikanische Armee sei so aufreibend, daß er mittags unbedingt ruhen müsse. Wenn Sie über 50 Jahre alt sind und das Gefühl haben, Sie könnten sich dies aus Zeitmangel nicht leisten, schließen Sie sofort eine möglichst hohe Lebensversicherung ab. Beerdigungen sind teuer heutzutage – und werden immer fällig, wenn man es nicht erwartet. Und Ihre Frau kann das Geld aus der Versicherung sicherlich gut brauchen, wenn sie einen jüngeren Mann heiratet.

Sollten Sie mittags kein Schläfchen machen können, legen Sie sich wenigstens vor dem Abendessen eine Stunde hin. Es ist billiger als ein Cocktail und auf die Dauer gesehen 5467mal wirksamer. Eine Stunde Schlaf um fünf, sechs oder sieben Uhr abends, und Sie können eine Stunde am Tag länger wach bleiben. Wie? Warum? Weil eine Stunde Schlaf vor dem Abendessen und sechs Stunden Nachtschlaf – also zusammen sieben Stunden – Ihnen besser tun als acht Stunden Schlaf hintereinander.

Ein Mensch, der körperlich arbeitet, leistet mehr, wenn er sich mehr Zeit zum Ausruhen nimmt. Frederick Taylor wies dies nach, während er als Ingenieur des wissenschaftlichen Managements bei der Bethlehem Steel Company arbeitete. Er stellte fest, daß jeder Arbeiter am Tag zwölfeinhalb Tonnen Roheisen auf die Frachtloren verlud und mittags erschöpft war. Er machte eine wissenschaftliche Studie aller hineinspielenden Müdigkeitsfaktoren und erklärte, daß die Arbeiter nicht zwölfeinhalb Tonnen am Tag verladen müßten, sondern *siebenundvierzig!* Er hatte ausgerechnet, daß sie fast das Vierfache leisten könnten, ohne erschöpft zu sein. Aber er mußte es auch beweisen.

Taylor wählte einen Mann namens Schmidt aus, der genau nach der Stoppuhr arbeiten sollte. Der Mann, der auf Schmidt aufpassen sollte, befahl ihm also: «Jetzt das Eisen aufnehmen und gehen ... jetzt hinsetzen und ausruhen ... jetzt gehen ... jetzt ausruhen.»

Was geschah? Schmidt schaffte siebenundvierzig Tonnen Eisen täglich, während die anderen Arbeiter es nur auf zwölfeinhalb Tonnen pro Mann brachten. Während der drei Jahre, die Frederick Taylor bei Bethlehem Steel war, arbeitete Schmidt immer in diesem Rhythmus. Er konnte dies tun, weil er sich ausruhte, ehe er ermüdete. Er arbeitete ungefähr 26 Minuten in der Stunde und ruhte sich 34 Minuten aus. Er ruhte sich *mehr* aus, als er arbeitete – und trotzdem leistete er viermal soviel wie die andern! Hat man mir das nur erzählt? Nein, Sie können den Bericht darüber in *Prinzipien des wissenschaftlichen Managements,* verfaßt von Frederick Winslow Taylor, selbst nachlesen.

> Ich möchte wiederholen: Machen Sie es wie die Armee – ruhen Sie sich häufig aus. Machen Sie es wie Ihr Herz – *ruhen Sie sich aus, ehe Sie müde werden,* und Sie können eine Stunde am Tag länger aufbleiben.

24 Was Sie müde macht – und was Sie dagegen unternehmen können

Geistige Arbeit allein macht nicht müde – eine erstaunliche und bedeutsame Behauptung. Sie klingt verrückt. Aber vor ein paar Jahren versuchten Wissenschaftler herauszufinden, wie lange das menschliche Gehirn arbeiten kann, ohne «Verminderung der Arbeitsleistung», wie die wissenschaftliche Definition der Ermüdung heißt. Zum Erstaunen dieser Wissenschaftler entdeckten sie, daß das durch das aktive Gehirn fließende Blut keine Spuren von Ermüdung aufwies! Wenn man einem Arbeiter während der Arbeit Blut aus der Vene entnimmt, weist es viele «Ermüdungstoxine» auf und durch Ermüdung hervorgerufene Abbauprodukte. Aber wenn man einen Tropfen Blut aus dem Gehirn eines Mannes wie Albert Einstein untersuchte, würde man auch abends noch keine durch Ermüdung verursachten Giftstoffe feststellen können.

Soweit es das Gehirn betrifft, kann es nach acht oder sogar zwölf Stunden Anstrengung noch so gut und rasch arbeiten wie am Anfang. Das Gehirn ist fast unermüdlich. Was macht Sie also müde?

Die Psychiater erklären, daß der größte Teil unserer Müdigkeit durch unsere geistige und seelische Haltung verursacht wird. Einer von Englands bekanntesten Psychotherapeuten, J. A. Hadfield, schreibt in seinem Buch *Die Psychologie der Macht:* «Der größere Teil der Müdigkeit, an der wir leiden, ist geistigen Ursprungs. Tatsächlich ist Erschöpfung aus rein physischen Gründen selten.»

Dr. A. A. Brill, ein berühmter amerikanischer Psychiater, geht sogar noch weiter. Er behauptet: «Hundert Prozent der Müdigkeit eines gesunden Menschen mit sitzender Lebensweise ist auf psychologische Faktoren zurückzuführen, womit wir emotionale Faktoren meinen.»

Was sind das für emotionale Faktoren, die den Menschen mit sitzender Lebensweise ermüden? Freude? Zufriedenheit? Nein, niemals. Langeweile, Unmut, ein Gefühl, verkannt zu werden, Frustration, Hast, Angst, Sorge – das sind emotionale Faktoren, die ihn erschöpfen, grippeanfällig machen, seine Leistung beeinträchtigen und ihn mit einem nervösen Kopfweh nach Hause schicken. Ja, wir werden müde, weil unsere Gefühle im Körper nervöse Spannungen verursachen.

Die Metropolitan-Lebensversicherungsgesellschaft stellte dies in ihrer Broschüre über die Müdigkeit auch fest. «Harte Arbeit allein», schreibt diese große Versicherungsfirma, «verschuldet selten Müdigkeit, die nicht mit gesundem Schlaf oder durch Ruhe kuriert werden kann ... Sorgen, Anspannung und Aufregung sind die drei Hauptursachen der Ermüdung. Sie sind dafür verantwortlich zu machen, wenn physische oder geistige Arbeit dem äußeren Anschein nach die Schuld tragen ... Bedenken Sie, daß ein verspannter Muskel ein arbeitender Muskel ist. Seien Sie locker! Sparen Sie Ihre Energie für wichtige Dinge!»

Halten Sie inne, da, wo Sie sind, und prüfen Sie sich. Während Sie diese Zeilen lesen, runzeln Sie die Stirn? Spüren Sie eine gewisse Spannung zwischen den Augen? Sitzen Sie locker auf Ihrem Stuhl? Oder ziehen Sie die Schultern hoch? Sind Ihre Gesichtsmuskeln angespannt? Wenn nicht Ihr ganzer Körper so schlapp und beweglich ist wie eine alte Lumpenpuppe, erzeugen Sie jetzt, in dieser Sekunde, nervöse Spannung und Muskelspannungen. *Sie erzeugen nervöse Spannungen und nervöse Ermüdung!*

Warum produzieren wir diese überflüssigen Spannungen, wenn wir geistig arbeiten? Daniel W. Josselyn sagt: «Ich stelle fest, daß das Haupthindernis ... der fast überall verbreitete Glaube ist, harte Arbeit verlange ein Gefühl von Anstrengung, sonst mache man sie nicht gut.» Deshalb runzeln wir die Stirn, wenn wir uns konzentrieren. Wir machen krumme Schultern. Wir veranlassen unsere Muskeln, sich anzustrengen, obwohl dies unserem Gehirn bei seiner Arbeit überhaupt nicht hilft.

Eine erstaunliche und traurige Wahrheit ist: Millionen Menschen, die nicht einmal im Traum daran dächten, ihr Geld zu verschwenden, verschwenden und verzetteln ständig ihre Energien mit der Unbekümmertheit von sieben betrunkenen Matrosen in Singapur.

Was für ein Mittel gibt es nun gegen diese nervöse Erschöpfung? Entspannen! Entspannen! Entspannen! Lernen Sie, sich bei Ihrer Arbeit zu entspannen!

Einfach? Nein. Wahrscheinlich müssen Sie lebenslange Gewohnheiten auf den Kopf stellen. Doch es ist der Mühe wert, denn es könnte Ihr Leben völlig verändern. William James schrieb in seinem Aufsatz *Das Prinzip der Entspannung:* «Die Exaltiertheit und Sprunghaftigkeit des Amerikaners, seine Atemlosigkeit und Heftigkeit und seine Angst vor Gefühlen ... sind schlechte Gewohnheiten, nicht mehr und nicht weniger.» Spannung ist eine Gewohnheit. Entspannung ist eine Gewohnheit. Und mit schlechten Gewohnheiten kann man brechen; gute Gewohnheiten kann man sich anerziehen. Wie entspannt man? Fängt man mit dem Verstand an, oder mit den Nerven? Weder noch. Man fängt immer damit an, daß man die Muskeln entspannt!

Machen wir einen Versuch. Beginnen wir mit dem Üben einmal bei den Augen. Lesen Sie diesen Absatz durch, und wenn Sie am Ende angekommen sind, lehnen Sie sich zurück, schließen die Augen und befehlen ihnen leise: «Laßt los! Laßt los! Keine Spannung mehr! Kein Runzeln mehr! Laßt los! Laßt los!» Wiederholen Sie das langsam eine Minute lang wieder und wieder ...

Haben Sie bemerkt, daß Ihre Augenmuskeln nach ein paar Sekunden zu *gehorchen begannen?* Hatten Sie nicht das Gefühl, eine Hand habe Ihre Spannung weggewischt? Nun, so unglaublich es auch scheinen mag, in dieser einen Minute haben Sie die ganze Tonart, das ganze Geheimnis der Kunst der Entspannung ausprobiert. Das gleiche können Sie mit dem Kinn machen, mit Ihren Gesichtsmuskeln, mit dem Nacken, den Schultern, dem ganzen Körper. Aber das wichtigste Organ sind die Augen. Dr. Edmund Jacobson von der Universität von Chicago ging sogar so weit, zu behaupten, daß man alle seine Probleme vergessen könne, wenn man gelernt habe, seine Augenmuskeln völlig zu entspannen. Der

Grund, warum die Augen für den Abbau nervöser Spannungen so wichtig sind, liegt darin, daß sie ein Viertel der vom Körper verbrauchten Nervenenergie verbrennen. Deshalb leiden auch so viele Menschen mit vollkommen normaler Sehkraft an «Augenbrennen». Sie spannen ihre Augen zu sehr an.

Die bekannte Schriftstellerin Vicki Baum erzählte, daß sie als Kind einen alten Mann traf, der ihr eine der wichtigsten Lektionen ihres Lebens erteilte. Sie war hingefallen und hatte sich die Knie aufgeschürft und ihr Handgelenk verletzt. Der alte Mann hob sie auf. Er war einmal Zirkusclown gewesen, und während er sie säuberte, sagte er: «Weil du nicht weißt, wie du dich entspannen mußt, hast du dir weh getan. Du mußt dir vorstellen, du seist so schlapp wie eine Socke, wie eine alte, zerknitterte Socke. Komm, ich zeig dir, wie man's macht.»

Jener alte Mann lehrte Vicki Baum und die andern Kinder, wie man fällt, Purzelbäume schlägt und Saltos macht. Immer wieder erinnerte er sie: «Stellt euch vor, ihr wärt eine alte, zerknitterte Socke! Dann könnt ihr gar nicht anders, als euch entspannen!»

Sie können in den seltsamsten Augenblicken entspannen, fast überall und immer. Nur geben Sie sich keine Mühe dabei! Entspannung ist das Fehlen jeder Spannung und Anstrengung. Stellen Sie sich vor, daß Sie sich lockern und entspannen. Fangen Sie damit an, daß Sie sich vorstellen, wie Sie Ihre Augen- und Gesichtsmuskeln entspannen, und wiederholen Sie immer wieder: «Laßt los! Laßt los . . . loslassen und entspannen.» Spüren Sie, wie die Energie aus Ihren Gesichtsmuskeln zum Zentrum Ihres Körpers fließt? Stellen Sie sich so frei von Spannungen vor wie ein Baby.

Das pflegte auch die große Sopranistin Amelita Galli-Curci zu tun. Helen Jepson erzählte mir, daß sie die Galli-Curci vor der Vorstellung häufig in der Garderobe besuchte. Die Diva saß mit völlig entspannten Muskeln in einem Sessel, und ihr Unterkiefer war so schlaff, daß er buchstäblich herunterhing. Eine hervorragende Übung – sie verhinderte, daß die Sängerin vor ihrem Auftritt zu nervös wurde, eine Vorbeugungsmaßnahme gegen Ermüdung.

Hier sind vier hilfreiche Vorschläge, wie Sie lernen, sich zu entspannen.

1. *Entspannen Sie, wann immer Sie Zeit haben!* Machen Sie Ihren Körper schlaff wie eine alte Socke. Ich habe beim Arbeiten eine alte braune Socke auf meinem Schreibtisch liegen, als Erinnerung daran, wie schlapp ich sein sollte. Wenn Sie keine Socke haben, geht auch eine Katze. Haben Sie schon einmal ein Kätzchen aufgehoben, das in der Sonne schlief? Beide Enden sacken dann herunter wie nasses Zeitungspapier. Sogar die Yogis in Indien sagen, daß man die Katzen studieren soll, wenn man die Kunst der Entspannung beherrschen möchte. Ich habe nie eine müde Katze erlebt, eine Katze mit einem Nervenzusammenbruch oder eine Katze, die an Schlaflosigkeit litt, an Magengeschwüren oder die sich Sorgen machte. Wahrscheinlich werden Sie alle diese Dinge vermeiden, wenn Sie lernen, sich zu entspannen wie die Katzen.
2. *Arbeiten Sie soviel wie möglich in bequemer Haltung.* Denken Sie daran, daß Spannungen im Körper Schulterschmerzen und nervöse Erschöpfung verursachen.
3. *Prüfen Sie sich vier- oder fünfmal am Tag* und fragen Sie sich: «Mache ich mir die Arbeit schwerer, als sie tatsächlich ist? Gebrauche ich Muskeln, die mit meiner Arbeit nichts zu tun haben?» Dies wird Ihnen helfen, sich das Entspannen *anzugewöhnen,* denn wie Dr. David Harold Fink sagt: «Jeder gute Psychologe weiß, daß die Chancen, sich etwas abzugewöhnen, immer eins zu zwei stehen.
4. *Fragen Sie sich am Ende des Tages wieder: «Wie müde bin ich eigentlich?»* Wenn ich müde bin, dann nicht wegen der geistigen Arbeit, die ich getan habe, sondern *wie* ich sie tat.»
   «Ich messe meine Leistungen nicht daran, wie müde ich bin, sondern wie müde ich abends *nicht* bin», sagt Daniel W. Josselyn. «Wenn ich am Ende eines Tages besonders erschöpft bin oder meine Gereiztheit mir verrät, daß meine Nerven müde sind, dann weiß ich ohne jeden Zweifel, daß es ein erfolgloser Tag war, sowohl quantitativ wie qualitativ.» Wenn alle Geschäftsleute diese Lektion lernten, würde die Sterbequote durch Bluthochdruckkrankheiten über Nacht sinken. Und wir würden aufhören, unsere Sanatorien und Heime mit Menschen zu füllen, die an Erschöpfung und Angst zerbrochen sind.

25 Wie man Müdigkeit vermeidet und immer jung aussieht

Vor einiger Zeit flog meine Mitarbeiterin nach Boston, um am Unterricht eines höchst ungewöhnlichen medizinischen Seminars teilzunehmen. Medizinisch? Nun, ja. Das Seminar findet regelmäßig einmal in der Woche in der Bostoner Poliklinik statt, und die Patienten, die daran teilnehmen, werden ordnungsgemäß und gründlich untersucht, ehe sie aufgenommen werden. Aber eigentlich ist es eine psychologische Klinik. Obwohl die Sache offiziell «Seminar für Angewandte Psychologie» heißt (vormals «Kurs zur Gedankenkontrolle», ein Name, den das erste Mitglied vorschlug), ist der eigentliche Zweck, sich um Menschen zu kümmern, die durch Angst und Sorgen krank geworden sind. Und viele der Patienten sind gefühlsgestörte Hausfrauen.

Wie fing alles an? Also: Im Jahre 1930 beobachtete Dr. Joseph H. Pratt – der übrigens einer von Sir William Oslers Schülern war –, daß viele ambulante Patienten, die in die Bostoner Poliklinik kamen, offensichtlich körperlich ganz in Ordnung waren. Trotzdem wiesen sie Symptome aller nur erdenklichen Krankheiten auf. Die Hände einer Frau waren so verkrüppelt von «Arthritis», daß sie sie nicht mehr gebrauchen konnte. Eine andere litt unter heftigen Schmerzen und hatte die typischen Symptome von «Magenkrebs». Andere hatten Rückenschmerzen, Kopfweh, waren chronisch müde oder klagten über nicht genau zu lokalisierende Schmerzen. Sie spürten sie tatsächlich! Doch selbst die gründlichste medizinische Untersuchung ergab, daß diesen Menschen nichts fehlte – physisch gesehen. Viele altmodische Ärzte würden es als Einbildung abgetan haben – «existiert alles nur in Ihrem Kopf».

Doch Dr. Pratt erkannte, daß es keinen Zweck hatte, diesen

Patienten zu sagen, sie «sollten nach Hause gehen und alles vergessen». Er wußte, daß die meisten von ihnen nicht krank sein wollten. Wenn es so leicht gewesen wäre, ihre Leiden zu vergessen, hätten sie dies längst getan. Wie konnte er also helfen?

Er führte diese Seminare ein – und ein Chor von zweifelnden Stimmen erhob sich aus dem medizinischen Lager. Doch diese Seminare wirkten Wunder! Mit den Jahren sind Tausende von Patienten, die daran teilnahmen, «geheilt» worden. Einige von ihnen kamen über lange Zeit regelmäßig, so gläubig und regelmäßig, als gingen sie in die Kirche. Meine Mitarbeiterin sprach mit einer Frau, die in mehr als neun Jahren kaum einen Seminartag versäumte. Als sie in die Klinik kam, erzählte die Frau, habe sie geglaubt, eine Wanderniere und einen Herzfehler zu haben. Sie war so voller Angst und so verspannt, daß sie manchmal ihre Sehfähigkeit verlor und vorübergehend blind wurde. Sie sah jetzt aus wie vierzig, aber sie hielt ein schlafendes Enkelkind auf dem Schoß. «Ich machte mir soviel Sorgen wegen meiner Familie», erzählte sie, «daß ich am liebsten gestorben wäre. Doch in diesem Seminar habe ich gelernt, wie wenig es nützt, sich zu sorgen und zu ängstigen. Ich habe gelernt, es nicht mehr zu tun. Und heute kann ich ehrlich behaupten, daß mein Leben ruhig und heiter ist.»

Dr. Rose Hilferding, die medizinische Beraterin des Seminars, erklärte, eines der besten Mittel, seine Sorgen abzubauen, sei «ein Gespräch mit jemand, dem man vertraut. Wir nennen es seelische Entspannung. Die Patienten, die hierherkommen, können so lange über ihre Probleme sprechen, bis sie sie von der Seele haben. Allein vor sich hinzubrüten und seine Sorgen für sich zu behalten, verursacht große Nervenanspannungen. Wir alle müssen unsere Schwierigkeiten, unsere Ängste und Sorgen mit andern Menschen teilen. Wir brauchen das Gefühl, daß es jemand auf der Welt gibt, der zum Zuhören bereit ist und uns verstehen kann.»

Meine Mitarbeiterin erlebte mit, wie eine Frau über ihre Sorgen sprach und danach wie ausgewechselt war. Sie hatte häusliche Probleme, und als sie zu erzählen begann, war sie wie eine gespannte Feder. Dann allmählich fing sie an, sich zu beruhigen. Am Ende des Berichts lächelte sie sogar. War ihr Problem jetzt gelöst? Nein, so einfach war es nicht. Die Veränderung geschah, weil sie mit jemand sprechen konnte, einen kleinen Rat erhielt und ein wenig Mitgefühl. Die Ursache dafür war also eigentlich die erstaunliche Heilkraft des *Wortes*!

Die Psychoanalyse beruht bis zu einem gewissen Grad auf dieser Heilkraft. Seit den Tagen Sigmund Freuds wissen die Psychotherapeuten, daß sich ein Patient von inneren Spannungen befreien kann, einfach durch das Sprechen, nur dadurch, daß er redet. Warum, was steckt dahinter? Vielleicht sehen wir unsere Probleme genauer, erkennen den Zusammenhang besser, wenn wir sie aussprechen. So ganz genau weiß es niemand.

Doch wir alle wissen, daß wir uns fast sofort erleichtert fühlen, wenn wir es «ausgespuckt», wenn wir es uns «von der Seele geredet» haben.

Wenn wir also das nächstemal ein Problem haben, über das wir uns aufregen – warum sehen wir uns nicht nach jemand um, mit dem wir darüber reden können? Natürlich meine ich damit nicht, daß wir nur noch klagen und jammern und jedem, der uns über den Weg läuft, auf die Nerven gehen. Wir sollten vielmehr überlegen, wem wir vertrauen können, und dann eine Verabredung treffen. Vielleicht ist es ein Verwandter, ein Arzt, ein Anwalt, ein Geistlicher, ein Priester. Dann sagen Sie zu dieser Person: «Ich brauche Ihren Rat. Ich habe ein Problem und wäre Ihnen dankbar, wenn Sie mir zuhörten. Ich möchte es gern in Worte fassen, und vielleicht können Sie mir raten. Sicherlich sehen Sie ein paar Dinge, die mir entgangen sind. Auf jeden Fall helfen Sie mir außerordentlich, wenn Sie einfach nur dasitzen und mir zuhören, während ich mich ausspreche.»

Sich auszusprechen ist auch eine der wichtigsten Therapien in den Seminaren von Dr. Pratt. Doch wir haben noch einige andere Anregungen von dort erhalten – nach denen Sie zu Hause arbeiten können.

1. *Führen Sie ein Ringheft oder ein Tagebuch mit «erbauender» Lektüre*. In dieses Buch oder Heft kleben Sie alle Gedichte, kurzen Gebete oder Aussprüche, die Ihnen gefallen und Sie aufmuntern. Dann, an einem regnerischen Nachmittag, wenn Ihre Stimmung auf den Nullpunkt sinkt, finden Sie in diesem

Buch vielleicht eine «Medizin», die Ihre düsteren Gedanken zerstreut. Viele Patienten führten jahrelang ein solches Sammelbuch. Sie sagten, es sei ihre «geistige Vitaminspritze».

2. *Beschäftigen Sie sich nicht zuviel mit den Fehlern anderer Leute*! Eine Frau im Seminar, die sich immer mehr zu einer schimpfenden und nörgelnden Ehefrau entwickelte und die ständig ein böses Gesicht machte, wurde mit folgender Frage aufgeschreckt: «Was würden Sie tun, wenn Ihr Mann stirbt?» Sie war über diese Vorstellung so erschüttert, daß sie sich sofort hinsetzte und eine Liste mit allen guten Seiten ihres Mannes aufstellte. Sie wurde ziemlich lang. Warum probieren Sie es nicht auch, wenn Sie wieder einmal das Gefühl haben, mit einem Tyrannen verheiratet zu sein? Wenn Sie dann die lange Liste mit den Tugenden Ihrer besseren Hälfte lesen, finden Sie vielleicht, daß er oder sie ein Mensch ist, den Sie gern kennenlernen würden.
3. *Interessieren Sie sich für Menschen!* Entwickeln Sie ein freundliches, gesundes Interesse an denen, die zu Ihrem Leben gehören. Einer kranken Frau, die sich so «erhaben» vorkam, daß sie keine Freunde hatte, wurde im Seminar geraten, sie solle zum nächstbesten Menschen, dem sie begegne, eine Lebensgeschichte erfinden. Im Bus fing sie an, sich das Leben und die Umgebung der Leute vorzustellen, die neben ihr saßen. Sie dachte sich ganze Geschichten aus. Und ehe sie es noch merkte, unterhielt sie sich überall mit den Menschen – und heute ist sie ein glückliches, charmantes Wesen, das an allem Anteil nimmt, völlig geheilt von ihren «Schmerzen».
4. *Machen Sie sich abends vor dem Schlafengehen einen Arbeitsplan für den nächsten Tag*. Im Seminar wurde festgestellt, daß viele Menschen sich gehetzt und bedrängt fühlen durch das sich ständig drehende Karussell von Arbeit und Pflichten. Sie wurden nie fertig. Die Uhr jagte sie. Um diesem Gefühl, keine Zeit zu haben und sich Sorgen machen zu müssen, abzuhelfen, wurde der Vorschlag gemacht, jeden Abend vor dem Zubettgehen für den nächsten Tag einen Arbeitsplan aufzustellen. Was passierte? Mehr Arbeit wurde getan. Die Versuchspersonen waren viel weniger müde, sie hatten das stolze Gefühl, etwas

geleistet zu haben, und fanden sogar noch Zeit für Entspannung und Vergnügen.

5. *Schließlich und endlich – vermeiden Sie Spannung und Erschöpfung. Entspannen! Entspannen!* Nichts macht Sie so schnell alt wie Spannung und Müdigkeit. Nichts wirkt sich auf Ihre Frische, Ihr Aussehen verheerender aus! Meine Mitarbeiterin war über eine Stunde im Bostoner Seminar zur Gedankenkontrolle, während Professor Paul E. Johnson, der Leiter des Programms, viele der Methoden und Grundsätze besprach, die wir im vorangegangenen Kapitel bereits erwähnten – die Regeln zur Entspannung. Am Ende der zehnminütigen Entspannungsübungen, die meine Mitarbeiterin zusammen mit den anderen Seminarteilnehmerinnen machte, wäre sie auf ihrem Stuhl beinahe eingeschlafen! Warum wird auf diese körperliche Entspannung soviel Wert gelegt? Weil die Medizin heute weiß, daß die Leute entspannen müssen, wenn man ihnen ihre Ängste und Sorgen austreiben will.

Ja, Sie müssen entspannen! Seltsamerweise ist dafür ein schöner harter Boden geeigneter als eine Sprungfedermatratze. Er bietet mehr Widerstand. Es ist besser für die Wirbelsäule.

Hier sind also ein paar Übungen, die Sie machen können. Probieren Sie sie eine Woche lang aus – und Sie werden merken, was Sie für Ihr Aussehen und Ihre Konstitution getan haben!

a) Wenn Sie sich müde fühlen, legen Sie sich sofort flach auf den Boden. Strecken Sie sich, so weit Sie können. Rollen Sie herum, wenn Sie Lust haben. Machen Sie es zweimal am Tag.

b) Schließen Sie die Augen! Sie können sich etwas vorsagen, wie Professor Johnson es empfiehlt, etwa so: «Die Sonne scheint auf mich herab. Der Himmel ist blau und strahlend. Die Natur ist friedlich, und ihrer Ordnung gehorcht die Welt – und ich, ein Kind der Natur, bin eins mit dem Universum.» Oder – besser noch – Sie beten.

c) Wenn Sie sich aus Zeitmangel nicht hinlegen können, hat das Sitzen beinahe die gleiche Wirkung. Ein harter Stuhl mit gerader Lehne ist zum Entspannen am besten. Sitzen Sie aufrecht, wie eine ägyptische Statue, und lassen Sie die Hände mit dem Handrücken nach oben auf Ihren Schenkeln ruhen.

d) Jetzt spannen Sie langsam die Zehen an – dann lockern Sie sie wieder. Spannen Sie die Beinmuskeln an – und lassen Sie wieder locker. Arbeiten Sie sich auf diese Weise langsam im Körper hoch, bis Sie zu den Halsmuskeln kommen. Dann rollen Sie den Kopf, langsam und entspannt, als sei er ein Fußball. Sagen Sie immer wieder zu Ihren Muskeln (wie im vorangegangenen Kapitel): «Laßt los! Laßt los . . .»

e) Beruhigen Sie Ihre Nerven durch langsames, regelmäßiges Atmen. Atmen Sie von tief unten. Die indischen Yogis haben recht: Gleichmäßiges Atmen ist eine der besten Methoden, die je entdeckt wurden, um die Nerven zu beruhigen.

f) Denken Sie an die Falten und Runzeln in Ihrem Gesicht und glätten Sie sie. Lösen Sie die Sorgenfalten auf, die Sie zwischen den Brauen spüren und neben den Mundwinkeln. Machen Sie dies zweimal täglich. Vielleicht brauchen Sie dann keine Schönheitsmassagen mehr. Vielleicht verschwinden die Falten sogar ganz.

26 Vier gute Arbeitsgewohnheiten gegen Müdigkeit und Sorgen

Gute Arbeitsgewohnheit Nummer eins: Räumen Sie alle Papiere von Ihrem Schreibtisch, die nicht unmittelbar zu Ihrer aktuellen Arbeit gehören.

Roland L. Williams, Generaldirektor der Eisenbahngesellschaft Chicago and Northwestern Railway, sagte einmal: «Es arbeitet sich leichter und genauer, wenn sich auf dem Schreibtisch nicht die Aktenstapel türmen, sondern nur die Papiere liegen, die zu der Sache gehören, mit der man gerade beschäftigt ist. Ich nenne dies richtig wirtschaften, ein Grundpfeiler der Tüchtigkeit.»

Wenn Sie einmal die Kongreßbibliothek in Washington besuchen, können Sie folgenden Spruch an der Decke lesen. Er stammt von dem englischen Dichter Alexander Pope: «Ordnung ist des Himmels oberstes Gebot.»

Ordnung sollte auch das oberste Gebot im Geschäftsleben sein. Aber ist sie es? Nein, gewöhnlich liegen Papiere und Akten auf dem Schreibtisch herum, die seit Wochen nicht angesehen wurden. Der Herausgeber einer Zeitung in New Orleans erzählte mir, daß seine Sekretärin beim Aufräumen eines seiner Schreibtische sogar einmal eine Schreibmaschine entdeckte, die man seit zwei Jahren vermißte!

Der bloße Anblick eines mit unbeantworteten Briefen, Berichten und Memos überhäuften Schreibtischs genügt, um Verwirrung, Spannung und Sorgen hervorzurufen. Eigentlich ist es sogar noch viel schlimmer. Die ständige Erinnerung an «eine Million Dinge, die man tun müßte und zu denen man keine Zeit hat», kann Sie nicht nur so besorgt machen, daß Sie müde und nervös werden, sondern Sie können sich dadurch sogar in einen hohen Blutdruck hineinsteigern, in Herzkrankheiten und Magengeschwüre.

Dr. John H. Stokes, Professor an der medizinischen Fakultät der Universität von Pennsylvania, hielt bei einem nationalen Treffen des amerikanischen Ärztevereins einen Vortrag mit dem Titel «Funktionsneurosen als Komplikation organischer Erkrankungen». Dabei führte er elf Punkte an zu der Frage: «Worauf wir bei der geistigen Verfassung eines Patienten zu achten haben.» Der erste lautete:

«Das Gefühl des Müssens oder der Verpflichtung. Die endlose Strecke von Dingen, die unbedingt getan werden muß.»

Aber wie kann etwas so Einfaches wie das Aufräumen eines Schreibtisches oder das Treffen einer Entscheidung verhindern helfen, daß wir einen hohen Blutdruck bekommen oder das Gefühl, unter einem Zwang zu stehen, das Gefühl, daß eine endlose Strecke von Dingen vor einem liegt, die unbedingt getan werden muß? Dr. William L. Sadler, der bekannte Psychiater, berichtete von einem Patienten, der auf diese Weise einen Nervenzusammenbruch verhinderte. Der Patient war ein leitender Angestellter einer großen Firma in Chicago. Als er zu Dr. Sadler kam, war er nervös, angespannt, besorgt. Er wußte, daß er auf einen Zusammenbruch zusteuerte, aber er konnte seine Arbeit nicht aufgeben. Er brauchte Hilfe.

«Während dieser Mann mir seine Geschichte erzählte», sagte Dr. Sadler, «klingelte das Telefon. Es war das Krankenhaus. Statt die Klärung des Problems hinauszuschieben, traf ich sofort am Apparat eine Entscheidung. Wenn möglich, erledige ich eine Frage immer sofort. Kaum hatte ich eingehängt, klingelte es schon wieder. Wieder eine dringende Angelegenheit, über die eine längere Diskussion notwendig wurde. Die dritte Unterbrechung verursachte ein Kollege, der im Sprechzimmer erschien, um sich wegen eines schwerkranken Patienten Rat zu holen. Nachdem er wieder gegangen war, wandte ich mich an meinen Besucher und wollte mich entschuldigen, weil er habe warten müssen. Doch mein Patient war inzwischen bester Laune. Er hatte einen völlig anderen Gesichtsausdruck.»

«Bitte, entschuldigen Sie sich nicht, Doktor!» sagte der Mann zu Sadler. «Ich glaube, in den letzten zehn Minuten habe ich so eine Ahnung bekommen, was mit mir nicht stimmt. Ich fahre jetzt ins Büro zurück und ändere meine Arbeitsgewohnheiten ... Aber vorher würde ich gern noch einen Blick in Ihre Schublade werfen, wenn Sie gestatten.»

Dr. Sadler zog die Schubladen seines Schreibtisches auf. Alles leer – bis auf Büromaterial. «Sagen Sie mal», fragte der Patient, «wo sind Ihre unerledigten Fälle?»

«Erledigt.»

«Und die unbeantwortete Post?»

«Beantwortet!» erwiderte Sadler. «Ich habe es mir zum Prinzip gemacht, keinen Brief hinzulegen, ehe ich ihn nicht beantwortet habe. Ich diktiere meiner Sekretärin die Antwort immer sofort.»

Sechs Wochen später bat jener leitende Angestellte Dr. Sadler, bei ihm im Büro vorbeizukommen. Er hatte sich verändert – und sein Schreibtisch auch. Er öffnete die Schubladen, um zu zeigen, daß keine unerledigten Akten darin lagen. «Noch vor sechs Wochen», sagte der Mann, «hatte ich drei verschiedene Schreibtische in zwei verschiedenen Räumen – und war mit Arbeit überlastet. Ich wurde nie fertig. Nach dem Gespräch mit Ihnen kehrte ich hierher ins Büro zurück und räumte eine Wagenladung Berichte und alte Akten aus. Jetzt arbeite ich nur noch an einem Schreibtisch, regle alle Dinge sofort, soweit das möglich ist, und habe keinen Berg unerledigter Probleme herumliegen, der an mir zehrt und mich beunruhigt und nervös macht. Aber das erstaunlichste ist, daß ich wieder völlig gesund bin. Mit meiner Gesundheit stimmt es wieder.»

Charles Evans Hughes, ehemaliger Erster Richter am Obersten Gerichtshof der Vereinigten Staaten, sagte: «Die Menschen sterben nicht an Überarbeitung. Sie sterben an Unkonzentriertheit und innerer Unruhe.» Ja, weil sie ihre Energien vergeuden und sich Sorgen über die viele Arbeit machen, die nie fertig wird.

Gute Arbeitsgewohnheit Nummer zwei: Tun Sie die Dinge in der Reihenfolge ihrer Wichtigkeit.

Henry L. Doherty, Gründer der Cities Service Company mit Filialen in ganz Amerika, sagte, daß er, gleichgültig wieviel Gehalt er zahle, noch nie jemand gefunden habe, der die folgenden zwei Eigenschaften besaß:

Erstens, die Fähigkeit zu denken, und zweitens, die Fähigkeit, die Dinge in der Reihenfolge ihrer Wichtigkeit zu erledigen.

Charles Luckman, ein Seifenvertreter, der bei Null anfing und zwölf Jahre später Generaldirektor von Pepsodent war, verdiente hunderttausend Dollar im Jahr und machte außerdem noch eine Million nebenbei – dieser Mann erklärte, daß er seinen Erfolg zu einem großen Teil der Ausbildung der beiden Fähigkeiten verdankte, die Henry L. Doherty nirgends entdecken konnte. «Solange ich mich erinnern kann», sagte Charles Luckman, «stand ich um fünf Uhr morgens auf, weil ich dann am besten denken kann – dann kann ich besser denken und meinen Tag einteilen und überlegen, welche Dinge wichtiger sind als andere.»

Frank Bettger, einer von Amerikas erfolgreichsten Versicherungsvertretern, wartete mit der Tagesplanung nicht bis fünf Uhr früh. Er plante bereits am Abend vorher – und steckte sich ein Ziel, das Ziel, am nächsten Tag soundsoviel Versicherungen zu verkaufen. Wenn er es nicht schaffte, wurde die Differenz dem nächsten Tag zugeschlagen – und so weiter.

Ich weiß aus langer Erfahrung, daß man die Dinge nicht immer in der Reihenfolge ihrer Wichtigkeit erledigen kann, doch ich weiß auch, daß eine Aufstellung ihrer Wichtigkeit unendlich viel nützlicher ist, als ohne Vorbereitung den Tag sozusagen vom Blatt zu spielen.

Wenn George Bernard Shaw es sich nicht zur strikten Gewohnheit gemacht hätte, das Wichtigste zuerst zu tun, hätte er als Dramatiker vielleicht keinen Erfolg gehabt und wäre sein Leben lang Bankkassierer geblieben. Sein Plan bestand darin, jeden Tag fünf Seiten zu schreiben. Und nur so gelang es ihm, täglich fünf Seiten zu schreiben, neun herzzerreißende Jahre lang, obwohl er in dieser ganzen Zeit insgesamt nur dreißig Dollar verdiente – etwa einen Penny am Tag. Sogar Robinson Crusoe machte sich einen genauen Stundenplan für jeden Tag.

Gute Arbeitsgewohnheit Nummer drei: Wenn Sie ein Problem haben, lösen Sie es sofort, falls Sie die zur Entscheidung nötigen

Informationen haben. Schieben Sie eine Entscheidung nicht auf die lange Bank.

Einer meiner ehemaligen Studenten, der verstorbene H. P. Howell, erzählte mir, daß die Sitzungen des Verwaltungsrates von U.S. Steel sich immer sehr in die Länge zogen; viele Probleme wurden diskutiert, doch nur wenige Entscheidungen getroffen. Das Ergebnis war, daß er und die anderen Mitglieder des Verwaltungsrates Stöße von Berichten zum Durcharbeiten mit nach Hause nehmen mußten.

Schließlich überredete H. P. Howell den Verwaltungsrat, nur ein Problem zu besprechen und dann darüber zu entscheiden. Kein Zögern, kein Hinausschieben. Die Entscheidung konnte zum Beispiel sein, daß noch mehr Unterlagen angefordert werden mußten, mehr Informationen notwendig waren, daß man etwas unternehmen müsse oder die Sache auf sich beruhen lasse. Aber es wurde bei jedem Problem Stellung bezogen, ehe man zum nächsten überging. H. P. Howell berichtete, daß die Ergebnisse erstaunlich und erfreulich gewesen seien: alles wurde erledigt, alle Punkte der Tagesordnung konnten abgehakt werden. Keiner mußte mehr Aktenstöße zur Durchsicht mit nach Hause nehmen. Und niemand hatte das unbehagliche Gefühl, daß Probleme ungelöst geblieben waren.

Eine gute Regel, nicht nur für den Verwaltungsrat von U.S. Steel, sondern auch für Sie und mich.

Gute Arbeitsgewohnheit Nummer vier: Lernen Sie zu organisieren, zu delegieren und zu beaufsichtigen.

Viele Geschäftsleute bringen sich vorzeitig ins Grab, weil sie nie lernten, anderen Verantwortung zu übertragen, und immer darauf bestanden, alles selbst zu machen. Das Ergebnis: Die Einzelheiten und die Unübersichtlichkeit erdrücken sie. Diese Leute fühlen sich ständig gehetzt, sie machen sich Sorgen und sind nervös und angespannt. Es ist schwierig, Verantwortung zu delegieren. Ich weiß Bescheid. Auch mir fiel das schwer, sehr schwer sogar. Und aus Erfahrung weiß ich auch, was für Reinfälle man erleben kann, wenn man an die Falschen gerät. Aber so schwierig es auch ist, Verantwortung zu delegieren, leitende Angestellte müssen es tun, um Sorgen, Müdigkeit und Streß zu vermeiden.

Geschäftsleute, die große Firmen aufbauen und leiten und nicht lernen zu organisieren, zu delegieren und zu beaufsichtigen, gehen gewöhnlich an Herzkrankheiten hops, wenn sie Ende Fünfzig, Anfang Sechzig sind, Herzkrankheiten, die durch Streß und Sorgen verursacht wurden. Möchten Sie ein Beispiel? Werfen Sie einen Blick auf die Todesanzeigen in Ihrer Zeitung.

27 Wie man die Langeweile vertreibt, die Müdigkeit, Sorgen und Unzufriedenheit verursacht

Eine der Hauptursachen der Müdigkeit ist die Langeweile. Ein gutes Beispiel dafür ist Alice, eine Sekretärin, die in Ihrer Straße wohnen könnte. An einem Abend kam sie völlig erledigt nach Hause. Sie *benahm* sich, als sei sie sehr erschöpft, und sie *war* auch erschöpft. Sie hatte Kopfweh. Und Rückenschmerzen. Sie war so müde, daß sie sofort ins Bett gehen wollte, ohne etwas zu essen. Ihre Mutter überredete sie, sich doch an den gedeckten Tisch zu setzen ... Dann klingelte das Telefon. Ihr Freund! Er wollte mit ihr ausgehen. Alices Augen blitzten, ihre Stimmung stieg wie eine Rakete. Sie rannte hinauf, zog ihr schönes blaues Kleid an und tanzte bis drei Uhr morgens. Und als sie schließlich wieder zu Hause war, fühlte sie sich nicht im geringsten erschöpft. Sie war im Gegenteil so aufgekratzt, daß sie nicht einschlafen konnte.

War Alice acht Stunden früher, als sie müde aussah und sich auch so benahm, wirklich erschöpft gewesen? Selbstverständlich. Sie war müde, weil ihre Arbeit sie langweilte, vielleicht sogar das Leben. Es gibt Millionen von Alices. Sie könnten auch eine sein.

Es ist eine allgemein bekannte Tatsache, daß unsere Gefühlswelt mit dem Entstehen von Müdigkeit viel mehr zu tun hat als physische Anstrengung. Vor einigen Jahren veröffentlichte der Doktor der Philosophie Joseph E. Barmack in «Archives of Psychology» einen Bericht seiner Experimente über den Zusammenhang von Müdigkeit und Langeweile. Dr. Barmack machte mit einer Gruppe von Studenten einige Tests, die sie sehr wenig interessierten, wie er wußte. Das Ergebnis? Die Studenten fühlten sich müde und schläfrig und klagten über Kopfweh und Augenbrennen und waren gereizt. In einigen Fällen traten sogar Magenbeschwerden auf. War es alles «Einbildung»? Nein. Das Blut der Studenten wurde untersucht. Man stellte fest, daß nicht nur der Blutdruck nach den Tests niedriger war, auch der Sauerstoffverbrauch war zurückgegangen. Es ergab sich ferner, daß der Stoffwechsel sofort angeregt wurde, wenn die Versuchspersonen an ihrer Arbeit Freude und Interesse hatten.

Wir werden selten müde, wenn wir etwas Aufregendes und Spannendes tun. Ich machte zum Beispiel kürzlich Urlaub in den kanadischen Rocky Mountains. Mehrere Tage fischte ich Forellen und kämpfte mich durch übermannshohes Gebüsch, stolperte über umgefallene Bäume und Äste – und trotzdem war ich acht Stunden später nicht erschöpft. Wieso? Weil ich begeistert und fröhlich war. Ich hatte auch etwas geleistet: sechs Flußforellen hatte ich gefangen. Aber angenommen, ich hätte mich beim Fischen gelangweilt, wie hätte ich mich da wohl gefühlt? Was glauben Sie? Ich wäre von den Anstrengungen in über zweitausend Meter todmüde gewesen.

Sogar beim Klettern kann die Langeweile viel mehr Müdigkeit verursachen als die körperliche Anstrengung selbst. S. H. Kingman, der Direktor einer Bank in Minneapolis erzählte mir von einem Vorfall, der dafür ein sehr gutes Beispiel ist. Im Juli 1953 bat die kanadische Regierung den kanadischen Alpenverein, Bergführer zu stellen, die mit Soldaten der Prince of Wales Rangers das Klettern üben sollten. Kingman war einer dieser Bergführer. Er erzählte mir, wie er und seine Kollegen – alles Männer zwischen zweiundvierzig und neunundfünfzig – mit diesen jungen Soldaten lange Gletscherwanderungen unternahmen, Schneefelder querten und am Seil eine fünfzehn Meter senkrecht abfallende Felswand hochkletterten, die nur kleine Trittlöcher und brüchige Handhalterungen hatte. Sie bestiegen den Michael's Peak, den Vice-President Peak und noch viele andere namenlose Gipfel in den kanadischen Rockies. Nach fünfzehn Stunden Klettern waren die jungen Leute völlig erschlagen, trotz der Hochform, in der sie waren, denn sie hatten gerade ein sechswöchiges Nahkampftraining hinter sich.

Waren sie so müde, weil sie beim Bergsteigen Muskeln gebraucht hatten, die während der Nahkampfschulung nicht trainiert worden waren? Wer je so eine Schulung durchmachen mußte, kann über eine so dumme Frage nur spöttisch lächeln. Nein, die Soldaten waren so erschöpft, weil das Bergsteigen sie langweilte. Sie waren so müde, daß viele einschliefen, ehe es Essen gab. Aber die Bergführer – zwei- bis dreimal so alt – waren die müde? Das schon, aber nicht erschlagen. Die Bergführer aßen ihr Abendessen und blieben noch ein paar Stunden auf und sprachen über die Ereignisse des Tages. Sie waren nicht erschöpft, weil es ihnen gefallen hatte.

Als Dr. Edward Thorndike von der Columbia-Universität Untersuchungen über Müdigkeit durchführte, hielt er die jungen Versuchspersonen fast eine Woche lang wach, weil er sie ständig mit interessanten Dingen beschäftigte. Am Ende seiner langen Untersuchungen soll er gesagt haben: «Langeweile ist die einzige wahre Ursache für verminderte Arbeitsleistung.»

Bei geistiger Arbeit ist es selten die Arbeitsmenge, die ermüdet. Manchmal ermüdet einen die Arbeit, die man *nicht* tut. Erinnern Sie sich zum Beispiel noch an den Tag in der letzten Woche, an dem man Sie ständig unterbrach? Briefe blieben unbeantwortet liegen, Verabredungen wurden nicht eingehalten, überall Probleme. An jenem Tag ging alles schief. Sie schafften überhaupt nichts, und trotzdem kamen Sie völlig erledigt nach Hause – mit einem Brummschädel.

Am nächsten Tag lief im Büro alles wie am Schnürchen. Sie schafften das Vierzigfache. Und doch kamen Sie frisch wie eine schneeweiße Gardenie nach Hause. Sie haben so etwas schon erlebt, nicht wahr? Ich auch.

Was folgt daraus? Nur dies: *Unsere Müdigkeit entsteht häufig nicht durch Arbeit, sondern durch Sorgen, Frustration und Unzufriedenheit.*

Während ich an diesem Kapitel schrieb, besuchte ich eine Probe von Jerome Kerns entzückendem Musical *Show Boat*. Captain Andy, der Kapitän der *Cotton Blossom*, sagt in einem seiner nachdenklichen Augenblicke: «Die Leute sind glücklich dran, die nur tun müssen, was ihnen Spaß macht.» Diese Menschen sind glücklich, weil sie mehr Energie, mehr Fröhlichkeit und weniger Sorgen haben und weniger müde sind. Wo Ihre Interessen liegen, da sind auch Ihre Energien. Zehn Block weit mit einer nörgelnden Ehefrau oder einem gereizten Ehemann gehen zu müssen, kann ermüdender sein als zehn Kilometer mit einem angebeteten Wesen zu wandern.

Und was weiter? Was kann man dagegen tun? Nun, eine Stenotypistin bei einer Ölfirma machte folgendes: Mehrere Tage im Monat mußte sie eine denkbar langweilige Arbeit erledigen: Formulare über Öllieferungen ausfüllen, nichts als Zahlen und Statistiken. Es war so entsetzlich eintönig, daß sie aus reinem Selbsterhaltungstrieb beschloß, die Geschichte interessanter zu machen. Wie? Sie stellte mit sich selbst jeden Tag einen Wettbewerb an. Sie zählte die erledigten Formulare vom Vormittag und versuchte am Nachmittag, noch mehr auszufüllen. Sie errechnete die Tagesproduktion und setzte ihren Ehrgeiz daran, sie am nächsten Tag zu übertreffen. Das Ergebnis? Bald füllte sie mehr langweilige Formulare aus als alle anderen Stenotypistinnen ihrer Abteilung. Und was bekam sie dafür? Lob? Nein... Dank? Nein... Wurde sie befördert? Nein... Erhielt sie eine Gehaltserhöhung? Nein... Es half ihr nur, gegen die Müdigkeit anzukämpfen, die die Langeweile erzeugt. Weil sie ihr möglichstes tat, eine langweilige Arbeit interessant zu gestalten, hatte sie mehr Energie, mehr Eifer und fühlte sich in ihrer Freizeit viel glücklicher.

Ich weiß zufällig, daß diese Geschichte wahr ist, denn ich habe jene Stenotypistin geheiratet.

Hier ist noch die Geschichte einer anderen Stenotypistin, Vallie G. Golden, die feststellte, daß es sich bezahlt macht, wenn man so tut, *als ob* einem die Arbeit Spaß macht. Sie schrieb mir folgendes:

«Wir waren vier Stenotypistinnen im Büro, und jede von uns mußte für verschiedene Leute Briefe schreiben. Manchmal kam da viel zusammen. Eines Tages, als ein stellvertretender Abteilungsleiter darauf bestand, daß ich einen langen Brief noch einmal schriebe, fing ich an zu protestieren. Ich versuchte, ihm klarzumachen, daß ich die Fehler korrigieren könne, ohne daß man etwas merke, doch er antwortete, wenn ich keine Lust habe, würde er sich eben jemand anders suchen. Ich kochte vor Wut. Während ich dann die Sache erneut abtippte, fiel mir plötzlich ein, daß eine Menge Leute sich auf die Gelegenheit stürzen und meine Arbeit mit Freuden machen würde. Schließlich wurde ich dafür bezahlt, daß ich Briefe schrieb, und für nichts anderes. Ich beschloß, von nun an meine Arbeit so zu tun, als ob sie mir tatsächlich gefiele – obwohl ich sie haßte. Da entdeckte ich etwas sehr Wichtiges: Wenn ich so tat, ‹als ob› – dann wurde es bis zu einem gewissen Grad sogar Wirklichkeit. Ich stellte auch fest, daß ich auf diese Weise mehr erledigte. Und so brauche ich seitdem kaum noch Überstunden zu machen. Meine neue Einstellung brachte mir den Ruf ein, sehr tüchtig zu sein. Und als einer der Abteilungsleiter eine Privatsekretärin brauchte, verlangte er mich, weil, wie er sagte, ich bereit sei, auch einmal etwas mehr zu arbeiten, ohne gleich den Mund zu verziehen. Wieviel eine Änderung des Blickwinkels ausmachen kann», schrieb Vallie Golden mir, «war für mich eine schrecklich wichtige Entdeckung. Es hat Wunder getan.»

Vallie Golden handelte nach der wundertätigen «Als ob»-Lebensphilosophie von Professor Hans Vaihinger. Er lehrte zu handeln, «als ob» wir glücklich seien – und so weiter.

Wenn Sie tun, «als ob» Sie Spaß an Ihrem Job haben, dann kann dieses bißchen Theaterspielen dazu führen, daß er Ihnen tatsächlich gefällt. Und es kann dazu führen, daß Sie weniger müde sind, weniger nervös, weniger besorgt.

Vor ein paar Jahren traf Harlan A. Howard eine Entscheidung, die sein Leben völlig veränderte. Er beschloß, einen langweiligen Job interessant zu gestalten – und der war wirklich langweilig: Er mußte in der Kantine seiner Schule Teller waschen, Tische schrubben und Eis ausgeben, während die andern Jungen mit den Mädchen herumalberten oder Ball spielten. Harlan Howard haßte die Arbeit, doch da er sie nicht aufgeben konnte, beschloß er, sich genauer mit dem Eis zu beschäftigen – wie es gemacht wurde, welche Zutaten man brauchte, warum das eine besser schmeckte als das andere. Er untersuchte die chemischen Eigenschaften von Eis und war bald im Chemieunterricht der Klassenbeste. Inzwischen interessierte er sich so für Lebensmittelchemie, daß er später Lebensmitteltechnik studierte. Als die Kakaobörse von New York einen Preis von einhundert Dollar für die beste Arbeit über die Verwendung von Kakao und Schokolade aussetzte, ein Wettbewerb, bei dem alle Collegestudenten mitmachen konnten – wer, glauben Sie, siegte? Genau. Harlan A. Howard.

Später stellte er fest, daß es schwierig war, einen Job zu finden, und so richtete er im Keller seines Hauses in Amherst, Massachusetts, ein eigenes Labor ein. Kurz darauf wurde ein neues Gesetz erlassen: Die Bakterien in der Milch mußten regelmäßig überprüft und gezählt werden. Und bald zählte Harlan A. Howard für vierzehn Amherster Milchfirmen die Bakterien – und war gezwungen, zwei Hilfskräfte einzustellen.

Was er wohl in fünfundzwanzig Jahren machen wird? Nun, die Leute, die heute in der Lebensmittelchemie den Ton angeben, werden dann pensioniert oder tot sein, und ihren Platz werden jüngere Männer einnehmen, die Initiative und Begeisterung haben. In fünfundzwanzig Jahren wird Harlan A. Howard vermutlich zu den führenden Köpfen seines Berufs gehören, während manche seiner Klassenkameraden, denen er Eis über die Theke verkaufte, verbittert und arbeitslos sein werden, auf die Regierung schimpfen und sich darüber beklagen, daß sie nie eine Chance bekommen haben. Harlan A. Howard hätte vielleicht auch nie seine Chance bekommen, wenn er nicht beschlossen haben würde, einen langweiligen Job interessanter zu machen.

Vor Jahren gab es einen jungen Mann, der es satt hatte, an der Drehbank zu stehen und Bolzen herzustellen. Sein Vorname war Sam. Am liebsten wäre er davongelaufen, doch er hatte Angst, er würde keine andere Arbeit finden. Da ihm also nichts anderes übrigblieb, als diese langweilige Arbeit zu tun, beschloß er, sie interessanter zu gestalten. Deshalb schlug er dem Mechaniker, der an der nächsten Maschine stand, einen Wettkampf vor. Der eine der beiden mußte an seiner Drehbank die Rohstücke vorbehandeln, der andere die Bolzen auf den genauen Durchmesser zurechtschleifen. Sie wollten nun von Zeit zu Zeit ihren Platz tauschen und feststellen, wer mehr Bolzen schaffte. Der Vorarbeiter, den Sams Schnelligkeit und Genauigkeit beeindruckte, besorgte ihm bald eine bessere Arbeit. Und das war der Beginn einer Reihe von Beförderungen. Dreißig Jahre später war Sam – Samuel Vauclain – Generaldirektor der Baldwin Locomotive Works. Aber vielleicht wäre er sein Leben lang Mechaniker geblieben, wenn er nicht beschlossen hätte, eine langweilige Arbeit interessanter zu machen.

H. V. Kaltenborn – der bekannte Rundfunkkommentator –

erzählte mir einmal, wie er einen langweiligen Job spannend machte. Mit zweiundzwanzig Jahren arbeitete er seine Schiffspassage über den Atlantik auf einem Viehdampfer ab und fütterte und tränkte die Stiere. Nach einer Radtour durch England traf er hungrig und pleite in Paris ein. Er versetzte seinen Fotoapparat für fünf Dollar und gab in der Pariser Ausgabe des *New York Herald* eine Anzeige auf. Er erhielt einen Job als Stereoskopverkäufer. Ich kann mich noch an jene altmodischen Projektoren erinnern. Man hielt sich einen vor die Augen, um zwei ganz genau gleiche Bilder zu betrachten. Und jedesmal geschah ein Wunder. Die beiden Linsen im Stereoskop verschmolzen die beiden Bilder zu einer einzigen, dreidimensionalen Szene. Man sah in die Tiefe. Es ergab sich eine verblüffende Perspektive.

Nun, wie ich schon sagte, Kaltenborn begann, mit diesen Apparaten in Paris von Tür zu Tür zu gehen – und er konnte kein Französisch! Trotzdem verdiente er schon im ersten Jahr fünftausend Dollar Provision und wurde in jenem Jahr auch zu einem der bestbezahlten Vertreter Frankreichs. Kaltenborn erzählte, daß diese Erfahrung ein unerhörtes Erfolgstraining für ihn gewesen sei, das nicht ein ganzes Jahr Studium an einer teuren Universität hätte ersetzen können. Eine Frage des Selbstvertrauens? Er sagte, daß er danach das Gefühl hatte, sogar Sitzungsprotokolle des amerikanischen Kongresses an französische Hausfrauen verkaufen zu können.

Er erfuhr dabei auch sehr viel über das Leben in Frankreich, und das war für ihn später, als er im Rundfunk eruopäische Ereignisse kommentierte, von unschätzbarem Wert.

Wie schaffte er es, ein glänzender Vertreter zu werden, ohne ein Wort Französisch zu sprechen? Nun, er bat seinen Arbeitgeber, die Verkaufsgespräche in schönem Französisch aufzuschreiben, und dann lernte er sie auswendig. Er klingelte also an einer Tür, eine Hausfrau öffnete, und Kaltenborn begann sein Sprüchlein aufzusagen, mit einem so schrecklichen Akzent, daß er schon wieder komisch war. Er zeigte der Hausfrau seine Bilder, und wenn sie etwas fragte, zuckte er mit den Schultern und sagte: «Amerikaner ... Amerikaner ...» Darauf nahm er seinen Hut ab und deutete auf eine Kopie seines Verkaufsgesprächs in schönstem Französisch, die er in den Hut geklebt hatte. Die Hausfrau lachte, er lachte – und zeigte ihr noch mehr Bilder. Als Kaltenborn mir davon erzählte, gestand er auch, daß der Job alles andere als leicht gewesen sei. Eigentlich habe er es nur aus einem einzigen Grund geschafft: Weil er beschlossen hatte, den Job interessant zu gestalten. Jeden Morgen, ehe er aufbrach, sah er in den Spiegel und redete sich gut zu: «Kaltenborn, du mußt diese Dinger verkaufen, denn du willst essen. Und wenn du sie schon verkaufen mußt, kannst du dich genausogut dabei ein wenig amüsieren. Stell dir beim Klingeln an der Tür einfach vor, du seist ein Schauspieler auf der Bühne und das Publikum sieht dich erwartungsvoll an. Was du da treibst, ist schließlich genauso lustig, wie auf irgendeiner Bühne Witze zu machen. Warum nicht mit Eifer und Schwung bei der Sache sein?»

Diese täglichen Ermunterungen halfen ihm, eine anfangs verhaßte Arbeit, vor der er sich auch fürchtete, zu einem spannenden Abenteuer zu machen. Und außerdem verdiente er viel Geld damit.

Als ich H. V. Kaltenborn fragte, ob er für die erfolgshungrigen jungen Leute von heute einen Rat habe, antwortete er: «Ja, sie sollten sich jeden Morgen einen Ruck geben. Wir reden viel von körperlichen Übungen und wie wichtig sie sind, um uns aus dem Halbschlaf zu reißen, in dem so viele von uns umherlaufen. Aber viel dringender wäre es, täglich ein paar geistige und seelische Übungen zu machen, um uns in Gang zu bringen. Sagen wir uns jeden Tag ein paar aufmunternde Worte.»

Ist das verrückt, oberflächlich, kindisch? Nein, im Gegenteil, es ist sehr vernünftig, beste angewandte Psychologie. «Unser Leben ist das Produkt unserer Gedanken.» Diese Worte sind heute noch so wahr wie vor achtzehnhundert Jahren, als Mark Aurel sie in seinen *Selbstbetrachtungen* zum erstenmal niederschrieb: «Unser Leben ist das Produkt unserer Gedanken.»

Wenn Sie jede Stunde am Tag mit sich reden, können Sie sich so beeinflussen, daß Sie mutige und glückliche Gedanken denken, Gedanken an Kraft und Frieden. Wenn Sie sich selbst erzählen, für wie viele Dinge Sie dankbar sein müssen, können Sie Ihren Geist mit erhebenden, fröhlichen Gedanken füllen.

Denken Sie die richtigen Gedanken, und Ihre Arbeit – jede Arbeit

– *wird weniger unerfreulich sein*. Ihr Chef möchte, daß Sie Ihren Job interessant finden, damit er mehr Geld verdienen kann. Doch vergessen wir einmal die Wünsche des Chefs. Überlegen wir doch, was wir für uns selbst erreichen, wenn wir unserer Arbeit positiv gegenüberstehen. Denken Sie immer daran, daß Sie dadurch doppelt soviel Spaß am Leben haben können, denn die Hälfte Ihrer wachen Stunden verbringen Sie bei Ihrer Arbeit, und wenn Sie in Ihrer Arbeit keine Erfüllung finden, finden Sie sie vielleicht nirgends. Erinnern Sie sich immer wieder daran, daß das Interesse an Ihrer Arbeit Sie von Ihren Sorgen ablenkt und Ihnen auf die Dauer gesehen vielleicht eine Beförderung und ein besseres Gehalt einbringt. Auf jeden Fall werden Sie auf diese Weise Ihre Müdigkeit auf ein Minimum beschränken und Ihre Mußestunden mehr genießen.

28 Wie man aufhört, sich wegen Schlaflosigkeit Sorgen zu machen

Machen Sie sich Sorgen, wenn Sie nicht gut schlafen? Dann interessiert es Sie vielleicht zu erfahren, daß Samuel Untermyer, ein international bekannter Anwalt, keine Nacht seines Lebens ordentlich schlief.

Schon auf dem College grübelte er ständig über zwei Dinge nach, die ihn quälten – sein Asthma und seine Schlaflosigkeit. Da es ihm offensichtlich nicht gelingen wollte, sich davon zu kurieren, beschloß er, das Nächstliegende zu tun – sein Wachsein auszunützen. Statt sich im Bett herumzuwerfen und sich vor Sorgen in einen Nervenzusammenbruch hineinzusteigern, stand er auf und lernte. Das Ergebnis? Er bekam in allen Fächern eine Auszeichnung nach der anderen und wurde einer der besten Studenten des College of the City of New York.

Auch als junger Anwalt litt er weiter an Schlaflosigkeit. Doch er machte sich keine Gedanken mehr darüber. «Die Natur wird sich schon darum kümmern», pflegte Untermyer zu sagen. Und so war es auch. Trotz des wenigen Schlafs, den er bekam, blieb er gesund und konnte soviel arbeiten wie jeder junge Anwalt, der sich in New York niederließ. Er arbeitete sogar mehr, denn er arbeitete auch, wenn die anderen schliefen!

Im Alter von einundzwanzig Jahren verdiente Sam Untermyer 75000 Dollar im Jahr, und andere junge Verteidiger eilten in den Gerichtssaal, um seine Methoden zu studieren. 1931 erhielt er für die Vertretung eines Falles eine Million Dollar, bar auf den Tisch. Das war zu jener Zeit wahrscheinlich das höchste je gezahlte Anwaltshonorar.

Doch er konnte immer noch nicht richtig schlafen. Er las halbe

Nächte lang und stand um fünf Uhr auf und diktierte Briefe. Wenn die anderen Leute schließlich anfingen zu arbeiten, war sein eigenes Tagespensum bereits zur Hälfte erledigt. Sam Untermyer wurde 81 Jahre alt, dieser Mann, der kaum eine Nacht durchschlief. Aber wenn er über seine Schlaflosigkeit ständig nachgegrübelt und sich Sorgen gemacht hätte, würde er sich sicherlich sein Leben ruiniert haben.

Ein Drittel unseres Lebens schlafen wir – aber niemand weiß genau, was Schlaf eigentlich ist. Wir wissen, daß es eine Gewohnheit und ein Zustand der Ruhe ist, in dem die Natur unseren durch Ängste und Sorgen aufgetrennten Ärmel wieder hochstrickt, doch wir haben keine Ahnung, wieviel Stunden der einzelne schlafen muß. Ob wir überhaupt Schlaf *brauchen*!

Nichts als Phantasie? Nun, im Ersten Weltkrieg wurde Paul Kern, einem ungarischen Soldaten, durch den Stirnlappen des Großhirns geschossen. Er überlebte die Verwundung, doch seltsamerweise konnte er nie mehr schlafen. Gleichgültig, was die Ärzte unternahmen – und sie probierten alle Arten von Beruhigungs- und Betäubungsmitteln aus, sogar Hypnose –, Paul Kern konnte nicht zum Schlafen gebracht werden. Er wurde nicht einmal schläfrig.

Die Ärzte prophezeiten, daß er nicht lange leben werde. Doch er täuschte sie. Er fand Arbeit und war noch jahrelang gesund und munter. Er pflegte sich nur auszustrecken und die Augen zu schließen und zu ruhen, denn schlafen konnte er nicht. Sein Fall blieb ein medizinisches Rätsel, das viele Hypothesen über den Schlaf umwarf.

Manche Menschen brauchen weit mehr Schlaf als andere. Der italienische Dirigent Arturo Toscanini brauchte nur fünf Stunden Nachtschlaf, Calvin Coolidge, der dreißigste Präsident der Vereinigten Staaten, dagegen mehr als das Doppelte. Coolidge schlief regelmäßig elf von vierundzwanzig Stunden. Mit anderen Worten, Toscanini verschlief etwa ein Fünftel seines Lebens, Coolidge fast die Hälfte.

Sich über Schlaflosigkeit Sorgen zu machen, schadet viel mehr als die Schlaflosigkeit selbst. Einer meiner Studenten zum Beispiel – Ira Sandner – hätte aus chronischer Schlaflosigkeit beinahe Selbstmord begangen.

«Ich dachte wirklich, ich würde verrückt», erzählte er mir. «Mein Problem war, daß ich ursprünglich zu fest schlief. Wenn der Wecker läutete, wachte ich nicht auf, und so kam ich oft zu spät zur Arbeit. Ich machte mir deshalb Sorgen – und mein Chef hatte mich sogar schon ermahnt, pünktlich zu sein. Ich wußte, daß ich meinen Job verlieren würde, wenn ich weiter verschlief.

Ich erzählte meinen Freunden davon, und einer von ihnen schlug vor, ich solle mich vor dem Einschlafen fest auf den Wecker konzentrieren. Damit fing alles an! Das Ticken des verdammten Weckers verfolgte mich. Es hielt mich wach, ich warf mich die ganze Nacht im Bett hin und her. Am Morgen war ich richtig krank, krank vor Müdigkeit und Sorgen. Acht Wochen ging das so. Ich finde keine Worte für die Qualen, die ich erduldete. Ich war überzeugt, ich würde durchdrehen. Manchmal lief ich stundenlang im Zimmer auf und ab, und ich überlegte mir sogar ganz ehrlich, ob ich nicht aus dem Fenster springen und allem ein Ende machen sollte.

Schließlich ging ich zu einem Arzt, den ich schon lange kannte. ‹Ira, ich kann Ihnen nicht helfen›, sagte er. ‹Niemand kann es. Weil Sie die Geschichte selbst verschuldet haben. Legen Sie sich abends einfach hin, und wenn Sie nicht einschlafen, versuchen Sie, alles zu vergessen. Sagen Sie sich nur: ‹Es ist mir völlig egal, ob ich schlafe oder nicht. Und wenn ich bis morgen früh wach bleibe – es ist mir auch recht.› Halten Sie die Augen geschlossen und denken Sie: Solange ich ruhig liegen bleibe und mir keine Sorgen mache, erhole ich mich auf jeden Fall.›

Ich befolgte seinen Rat», erzählte mir Ira, «und nach zwei Wochen konnte ich wieder schlafen. In weniger als einem Monat schlief ich acht Stunden durch, und meine Nerven hatten sich wieder beruhigt.»

Nicht die Schlaflosigkeit selbst wurde Ira Sandner gefährlich, sondern die Sorgen, die er sich deshalb machte.

Dr. Nathaniel Kleitman, Professor an der Universität von Chicago, hat mehr Forscherarbeit über den Schlaf geleistet als jeder andere lebende Mensch. Er war ein Fachmann auf diesem Gebiet und erklärte, er habe noch nie erlebt, daß jemand an Schlaflosigkeit gestorben sei. Natürlich könne man sich so darüber aufregen und schwächen, daß man gegen Krankheiten anfälliger

werde und schließlich sterbe. Doch es seien die Sorgen über die Schlaflosigkeit, die schadeten, nicht die Schlaflosigkeit selbst.

Dr. Kleitman sagte auch, viele Leute, die behaupteten, sie machten kein Auge zu, schliefen viel mehr, als ihnen bewußt sei. Derjenige, der schwört, er sei die ganze Nacht wach gelegen, kann lange geschlafen haben, ohne es zu merken. Dazu ein Beispiel. Herbert Spencer, einer der größten Denker des neunzehnten Jahrhunderts, blieb Junggeselle und lebte als alter Mann in einer Pension. Er langweilte alle Welt mit Berichten über seine Schlaflosigkeit. Er steckte sich sogar Stöpsel in die Ohren, um nichts zu hören und seine Nerven zu beruhigen. Manchmal nahm er Opium, um den Schlaf herbeizulocken. Einmal mußten er und Professor Sayce aus Oxford ein Hotelzimmer teilen. Am nächsten Morgen erklärte Spencer, er habe die ganze Nacht kein Auge zugetan. In Wirklichkeit war es Professor Sayce, der nicht schlafen konnte – weil Herbert Spencer schnarchte.

Für einen gesunden Schlaf ist vor allem ein Gefühl der Sicherheit nötig. Wir wollen glauben, daß eine Macht, die größer ist als wir, sich bis zum nächsten Morgen um uns kümmert. Dr. Thomas Hyslop von der Irrenanstalt Great West Riding betonte diesen Umstand in einem Vortrag vor dem britischen Ärzteverein ganz besonders. «Mein jahrelanger Umgang mit Patienten hat mir gezeigt», sagte er, «daß eines der besten Schlafmittel das Gebet ist. Ich stelle dies nur in meiner Eigenschaft als Mediziner fest. Für die Menschen, die regelmäßig ein Gebet sprechen, ist es das beste und einfachste aller Beruhigungsmittel. Es besänftigt Geist und Nerven. Überlaß alles Gott – laß los!»

Die Filmschauspielerin Jeanette MacDonald erzählte mir, daß sie immer ein Gefühl der Sicherheit bekam, wenn sie den 23. Psalm sprach. Es half ihr bei Depressionen, Sorgen und Schlafstörungen. «Der Herr ist mein Hirte; mir wird nichts mangeln. Er weidet mich auf einer grünen Aue und führet mich zum frischen Wasser ...»

Aber wenn Sie nicht gläubig sind und es auf die harte Tour probieren müssen, dann lernen Sie, sich durch Körperübungen zu entspannen. Dr. David Harold Fink, der Autor von *Befreiung von nervöser Spannung,* sagte, die beste Methode sei, mit seinem Körper zu sprechen. Worte seien der Schlüssel zu den verschiedensten Arten von Hypnose. Und wenn Sie ständig unter Schlafstörungen litten, sei die Ursache darin zu suchen, daß Sie sie sich einredeten. Man müsse sich also selbst wieder aus der Hypnose aufwecken – am besten, indem man zu den Muskeln seines Körpers spreche. «Laßt los, laßt los – lockert euch und entspannt euch.» Wir wissen bereits, daß Kopf und Nerven nicht entspannen können, wenn die Muskeln angespannt sind. Wenn Sie also schlafen möchten, müssen wir mit den Muskeln anfangen. Dr. Fink empfiehlt – und macht es in seiner Praxis bei seinen Patienten ebenso –, sich ein Kissen unter die Knie zu legen, um die Spannung in den Beinen zu verringern, und kleine Kissen unter die Arme, zum gleichen Zweck. Dann befehlen wir dem Kinn, sich zu entspannen, den Augen, den Armen und den Beinen, und ehe wir es uns versehen, sind wir eingeschlafen. Ich habe es ausprobiert, ich weiß, daß es wahr ist.

Eines der besten Mittel gegen Schlafstörungen ist körperliche Anstrengung: Gartenarbeit, Schwimmen, Tennis, Golf, Skifahren oder einfach Schwerarbeit. Theodore Dreiser glaubte dies auch. Als junger, ehrgeiziger Autor machte er sich so viel Sorgen wegen seiner Schlaflosigkeit, daß er sich einen Job als Streckenarbeiter bei der New Yorker Bahn suchte. Und nach einem Tag Bolzen einschlagen und Schotter schaufeln war er so ausgepumpt, daß er beim Essen beinahe eingeschlafen wäre.

Wenn wir müde genug sind, zwingt uns die Natur zu schlafen, selbst wenn wir noch auf den Beinen sind. Hier ein Beispiel. Als ich dreizehn Jahre alt war, mußte mein Vater eine Wagenladung fetter Schweine nach Saint Joe in Missouri bringen. Da er zwei Freifahrscheine für die Bahn bekam, nahm er mich auf diese Reise mit. Bis dahin hatte ich noch nie eine Stadt mit mehr als 4000 Einwohnern gesehen. Als wir in Saint Joe ankamen – eine Stadt mit 60000 Einwohnern –, war ich vor Aufregung völlig durcheinander. Da gab es sechsstöckige Wolkenkratzer und – Wunder über Wunder – eine Straßenbahn. Ich kann die Augen schließen und sehe und höre sie wieder. Nach einem der aufregendsten und herrlichsten Tage meines Lebens fuhren mein Vater und ich nach Ravenwood in Missouri zurück. Wir kamen morgens um zwei Uhr auf dem Bahnhof an und mußten über sechs Kilometer bis zur Farm zu Fuß laufen. Und jetzt komme ich zum Kernpunkt der Geschichte: Ich war so erschöpft, daß ich im Gehen schlief und träumte. Ich habe auch beim Reiten oft geschlafen. Und ich lebe noch und kann Ihnen davon erzählen.

Wenn Menschen völlig erschöpft sind, schlafen sie sogar, wenn die Welt um sie her aus den Fugen gerät, wie zum Beispiel im Krieg. Dr. Foster Kennedy, der berühmte Neurologe, erzählte mir, daß er 1918, beim Rückzug der fünften britischen Armee, Soldaten erlebt habe, die so erschöpft waren, daß sie umfielen, wo sie standen, und in tiefen Schlaf versanken, der fast einer Bewußtlosigkeit glich. Sie wachten nicht einmal auf, wenn er mit dem Finger ihr Augenlid hochschob. Ihm fiel auf, daß die Augen jedesmal nach oben gedreht waren. «Später, wenn ich Probleme mit dem Einschlafen hatte», berichtete Dr. Kennedy, «pflegte ich auch die Augen nach oben zu verdrehen, und innerhalb von Sekunden begann ich zu gähnen und fühlte mich schläfrig. Es war ein automatischer Reflex, ich konnte nichts dagegen tun.»

Noch nie hat jemand versucht, durch Schlafentzug Selbstmord zu begehen, und sicherlich wird es auch niemand versuchen. Die Natur würde ihn gegen seinen Willen zwingen zu schlafen. Wir können länger ohne Essen oder Wasser auskommen als ohne Schlaf.

Dabei fällt mir ein Fall ein, den Dr. Henry C. Link in seinem Buch *Die Wiederentdeckung des Menschen* beschreibt. Dr. Link war Zweiter Vorsitzender der Psychologischen Gesellschaft und sprach mit vielen Leuten, die deprimiert waren und sich Sorgen machten. Er berichtet von einem Patienten, der Selbstmord begehen wollte. Dr. Link wußte, daß es die Sache nur verschlimmert haben würde, wenn er es ihm auszureden versuchte. Deshalb sagte er zu diesem Mann: «Wenn Sie sich sowieso umbringen, dann könnten Sie es wenigstens auf eine spektakuläre Weise tun. Laufen Sie um den Block, bis Sie tot zusammenbrechen.»

Der Mann versuchte es, nicht nur einmal, sondern mehrmals, und jedesmal fühlte er sich hinterher in seinem Kopf wohler, wenn auch nicht in seinen Muskeln. Am dritten Abend war er an dem Punkt angelangt, den Dr. Link von Anfang an im Auge gehabt hatte – der Mann war körperlich so müde und dadurch auch so entspannt, daß er wie ein Stein schlief. Später wurde er Mitglied eines Sportvereins und aktiver Sportler. Bald fühlte er sich so gut, daß er am liebsten ewig gelebt hätte.

Hier sind fünf Regeln, die Sie davor bewahren, sich über Schlaflosigkeit Sorgen zu machen.

1. Wenn Sie nicht schlafen können, machen Sie es wie Samuel Untermyer. Stehen Sie auf und arbeiten oder lesen Sie, bis Sie sich schläfrig fühlen.
2. Vergessen Sie nicht: Kein Mensch starb je an Schlafmangel. Sorgen über Schlaflosigkeit richten gewöhnlich viel mehr Schaden an als die Schlaflosigkeit selbst.
3. Versuchen Sie zu beten – oder sprechen Sie den dreiundzwanzigsten Psalm wie Jeanette MacDonald.
4. Entspannen Sie sich körperlich.
5. Arbeiten Sie sich aus. Machen Sie sich so müde, daß Sie nicht wach bleiben können.

Zusammenfassung des siebenten Teils

Sechs Methoden, Müdigkeit und Sorgen fernzuhalten und voll Energie und in gehobener Stimmung zu bleiben

Regel 1 Ruhen Sie sich aus, ehe Sie müde werden.

Regel 2 Lernen Sie, sich bei Ihrer Arbeit zu entspannen.

Regel 3 Lernen Sie, sich zu Hause zu entspannen.

Regel 4 Eignen Sie sich folgende vier gute Arbeitsgewohnheiten an:

a) Räumen Sie alle Papiere von Ihrem Schreibtisch, die nicht unmittelbar zu Ihrer augenblicklichen Arbeit gehören.

b) Tun Sie die Dinge in der Reihenfolge ihrer Wichtigkeit.

c) Wenn Sie ein Problem haben, lösen Sie es sofort, falls Sie die zur Entscheidung nötigen Informationen haben.

d) Lernen Sie zu organisieren, zu delegieren und zu beaufsichtigen.

Regel 5 Um Sorgen und Müdigkeit zu verhindern, machen Sie Ihre Arbeit mit Begeisterung.

Regel 6 Vergessen Sie nicht: Kein Mensch starb je an Schlafmangel. Es sind die Sorgen über die Schlaflosigkeit, die Ihnen schaden – nicht die Schlaflosigkeit selbst.

Achter Teil

Wie ich meine Sorgen besiegte

30 Erlebnisberichte

Sechs Probleme auf einmal

von C. I. Blackwood

Über vierzig Jahre hatte ich ein normales, sorgenfreies Leben geführt, mit den üblichen Problemen, die man als Ehemann, Vater und Geschäftsmann hat. Meistens wurde ich mit ihnen leicht fertig, aber eines schönen Tages – wum! Wum!! Wum!!! WUM!!! Plötzlich hatte ich sechs große Probleme auf einmal am Hals und das Gefühl, ich müßte die Hälfte aller Sorgen der Welt auf meinen Schultern tragen. Nachts wälzte ich mich schlaflos im Bett von einer Seite auf die andere, aus Angst vor dem nächsten Tag. Ich mußte eine Lösung für diese sechs Probleme finden.

1. Meine Handelsschule stand kurz vor dem finanziellen Zusammenbruch, weil die jungen Männer eingezogen worden waren und die jungen Frauen in kriegswichtigen Betrieben ohne Ausbildung mehr Geld verdienten als meine Absolventen mit ihrem ganzen Wissen in einem Büro.

2. Mein älterer Sohn war Soldat, und ich hatte die gleiche herzbeklemmende Angst um ihn wie alle Eltern, deren Söhne im Feld waren.

3. Oklahoma City hatte bereits ein Verfahren zur Enteignung des Bodens eingeleitet, auf dem ein neuer Flughafen entstehen sollte, und mein Haus – das Haus meines Vaters – stand mitten auf diesem Land. Ich wußte, daß ich höchstens ein Zehntel des Werts bekäme und, was noch schlimmer war, daß ich mein Zuhause verlieren würde. Und wegen des herrschenden Wohnungsmangels machte ich mir Sorgen, ob ich für meine sechsköpfige Familie eine andere passende Unterkunft finden könnte. Ich fürchtete, daß wir vielleicht in einem Zelt hausen müßten. Ich grübelte sogar darüber nach, ob wir uns so ein Zelt überhaupt leisten konnten.

4. Die Quelle auf meinem Grund war wegen eines Abwasserkanals, den man in der Nähe gezogen hatte, vertrocknet. Einen neuen Brunnen zu graben, würde 500 Dollar kosten, hinausgeworfenes Geld, wenn man bedachte, daß der Boden enteignet werden sollte. Ich hatte zwei Monate lang jeden Morgen das Wasser für mein Vieh

mit Eimern holen müssen und hatte Angst, es würde den ganzen Krieg hindurch so weitergehen.

5. Ich wohnte über 16 Kilometer von der Handelsschule entfernt und hatte Benzinkarte B: Das bedeutete, daß ich keine neuen Reifen kaufen konnte, und so machte ich mir Sorgen, wie ich zur Schule kommen sollte, da die uralten Reifen meines klapprigen Ford bald den Geist aufgeben würden.

6. Meine älteste Tochter hatte die High-School ein Jahr früher als geplant abgeschlossen. Sie wollte unbedingt aufs College, und ich hatte schlicht und einfach kein Geld, um ihr dies zu ermöglichen. Ich wußte, daß ihr Herz brechen würde.

An einem Nachmittag saß ich in meinem Büro und machte mir Sorgen über meine Sorgen, als ich plötzlich beschloß, sie aufzuschreiben, weil ich das Gefühl hatte, kein Mensch auf der Welt hätte je so viele Probleme gehabt wie ich. Mich mit Schwierigkeiten auseinanderzusetzen, bei denen ich eine Chance hatte, machte mir nichts aus, doch diesmal dachte ich, daß sie über meine Kräfte gingen. Ich war hilflos, ich wurde mit ihnen nicht fertig. So tippte ich meine Liste und legte sie ab, und mit der Zeit vergaß ich, daß ich sie überhaupt geschrieben hatte. Anderthalb Jahre später, als ich Akten auflöste, stieß ich zufällig wieder auf sie. Ich las sie mit großem Interesse – und Nutzen. Ich stellte fest, daß nichts von dem eingetreten war, was ich befürchtet hatte.

Folgendes war mit meinen sechs Problemen geschehen:

1. Die Sorgen, die ich mir wegen der finanziellen Situation der Handelsschule gemacht hatte, waren überflüssig gewesen, weil die Regierung die Ausbildung ehemaliger Kriegsteilnehmer subventionierte und meine Schule bald voll ausgebucht war.

2. Auch meine Sorgen wegen meines Sohnes waren überflüssig gewesen. Er kehrte, ohne einen Kratzer abbekommen zu haben, aus dem Krieg zurück.

3. Auch meine Sorgen wegen der Landenteignung für einen Flughafen waren verflogen. Keine zwei Kilometer von meiner Farm entfernt hatte man Öl gefunden, und der Preis für das Land war so gestiegen, daß eine Enteignung nicht mehr in Frage kam.

4. Auch die Sorgen, die ich mir wegen des Wassers und meines Viehs gemacht hatte, erwiesen sich als unbegründet. Denn sobald

ich wußte, daß ich mein Land behalten konnte, gab ich das nötige Geld für einen neuen Brunnen aus, der tiefer gegraben wurde als der alte. Ich fand eine reiche Wasserader.

5. Auch meine Sorgen wegen der alten Autoreifen waren umsonst gewesen. Ich hatte sie runderneuern lassen und fuhr sehr vorsichtig, und irgendwie hatten die Reifen alle Strapazen gut überstanden.

6. Auch meine Sorgen wegen der Ausbildung meiner Tochter erwiesen sich als überflüssig, denn sechzig Tage vor dem Beginn des College bot man mir – fast wie ein Wunder – eine Arbeit als Buchprüfer an, die ich neben meinen Unterrichtsstunden erledigen konnte. Dadurch wurde es mir möglich, meine Tochter pünktlich aufs College zu schicken.

Ich habe oft die Behauptung gehört, daß 99 Prozent aller Dinge, über die wir uns aufregen und wegen denen wir uns Sorgen machen, nie eintreffen, doch ich hatte nie besonders darauf geachtet. Erst als ich die Liste mit meinen Sorgen wiederentdeckte, dachte ich daran. Es ist achtzehn Monate her, daß ich sie an jenem trüben Nachmittag zusammenstellte.

Heute bin ich dankbar, daß ich mich wegen jener sechs großen Probleme umsonst sorgte. Diese Erfahrung hat mir eine Lehre erteilt, die ich nie vergessen werde. Sie hat mir gezeigt, wie unsinnig und traurig es ist, sich über Ereignisse aufzuregen, die noch gar nicht passiert sind – Ereignisse, auf die wir keinen Einfluß haben und die vielleicht nie geschehen.

> Vergessen Sie nicht: Heute ist das Morgen, über das Sie sich gestern den Kopf zerbrachen. Fragen Sie sich jedesmal: Wie will ich wissen, daß die Sache, über die ich mir Sorgen mache, tatsächlich passiert?

In einer Stunde verwandle ich mich in einen unverbesserlichen Optimisten

von Roger W. Babson

Wenn ich entdecke, daß ich über den Stand der Dinge deprimiert bin, kann ich innerhalb einer Stunde mit meinen Sorgen fertig werden und mich in einen unverbesserlichen Optimisten verwandeln.

Ich mache es so: Ich gehe in meine Bibliothek, schließe die Augen und steure auf bestimmte Regale zu, die nur geschichtliche Werke enthalten. Die Augen immer noch geschlossen, greife ich nach einem Buch und weiß nicht, ob ich einen Band von William Prescotts *Geschichte der Eroberung Mexikos* erwische oder Suetons *Kaiserviten*. Ich schlage das Buch blind irgendwo auf. Dann öffne ich die Augen und lese eine Stunde. Und je länger ich lese, um so klarer wird mir, daß die Welt schon immer mit ihrem Untergang kämpfte, unsere Zivilisation schon immer auf den Abgrund zutaumelte. Die Seiten der Geschichte quellen förmlich über vor traurigen Berichten von Krieg, Hunger, Armut, Pestilenz und der Unmenschlichkeit des Menschen. Nachdem ich eine Stunde lang in einem Geschichtswerk gelesen habe, wird mir klar, daß die Verhältnisse, so schlimm sie auch sein mögen, heute unendlich viel besser sind als früher. Nun kann ich meine augenblicklichen Probleme im richtigen Zusammenhang sehen und mich entsprechend verhalten, und ich erkenne auch, daß die Welt im Ganzen betrachtet immer besser wird.

Dies ist eine Methode, die ein ganzes Kapitel verdient hätte. Lesen Sie Geschichtsbücher! Bemühen Sie sich, die Dinge aus einer Distanz von zehntausend Jahren zu sehen, und erkennen Sie, wie klein Ihre Probleme sind, gemessen an der Ewigkeit.

Wie ich meinen Minderwertigkeitskomplex loswurde

von Elmer Thomas

Mit fünfzehn Jahren quälte ich mich immerzu mit Sorgen und Ängsten und Selbstvorwürfen. Für mein Alter war ich sehr groß und dazu dünn wie eine Zaunlatte. Ich maß 1,88 Meter und wog dabei nur etwa 54 Kilo. Trotz meiner Größe war ich nicht kräftig und konnte mich mit den andern Jungen beim Baseballspielen und Laufen nicht messen. Sie machten sich über mich lustig und nannten mich «langer Lulatsch». Ich war so gehemmt und unsicher, daß ich mich vor allen Leuten fürchtete und meistens für mich allein blieb. Unsere Farm lag nicht an einer öffentlichen Straße und war von dichtem Wald umgeben, der seit Urzeiten nicht abgeholzt worden war. Wir wohnten ungefähr einen Kilometer von der nächsten Landstraße entfernt. Und oft verstrich eine Woche, ohne daß ich jemand sah, außer meiner Mutter, meinem Vater und meinen Geschwistern.

Ich wäre ein Versager geworden, wenn ich mich von meinen Sorgen und Ängsten hätte unterkriegen lassen. Jeden Tag und jede Stunde des Tages brütete ich über meinem großen, hageren, schwächlichen Körper. Ich konnte kaum an etwas anderes denken. Meine Verwirrung und meine Furcht waren so stark, daß sie sich fast nicht beschreiben lassen. Meine Mutter wußte, wie es um mich stand. Sie war Lehrerin gewesen und sagte eines Tages zu mir: «Junge, du solltest eine ordentliche Erziehung bekommen, weil du dir deinen Lebensunterhalt mit dem Kopf verdienen mußt. Dein Körper wird immer ein Handicap für dich sein.»

Da meine Eltern mich nicht aufs College schicken konnten, mußte ich mich auf mich allein verlassen, das wußte ich. Deshalb jagte und fing ich Opossums, Stinktiere, Nerze und Waschbären. Das war im Winter. Im Frühling verkaufte ich meine Felle für vier Dollar und kaufte dafür zwei Ferkel. Ich zog sie groß, erst mit der Flasche, dann mit Mais, und verkaufte sie im nächsten Herbst für 40 Dollar. Mit dem Erlös aus dem Verkauf fuhr ich nach Danville in

Indiana und schrieb mich auf dem Central Normal College ein. Ich bezahlte einen Dollar vierzig in der Woche für mein Essen und fünfzig Cent die Woche für mein Zimmer. Ich trug ein braunes Hemd, das meine Mutter genäht hatte (natürlich hatte sie braunen Stoff genommen, weil man bei dem den Schmutz nicht so sah). Mein Anzug stammte von meinem Vater. Er paßte mir nicht, und auch seine Schuhe paßten mir nicht. Sie hatten seitlich einen Gummizug, der sich dehnte, wenn man sie anzog. Jetzt war er völlig ausgeleiert, so daß mir die Schuhe beim Gehen beinahe von den Füßen rutschten. Vor Verlegenheit wollte ich mit den anderen Studenten so wenig wie möglich zu tun haben und saß nur in meinem Zimmer und lernte. Es war mein sehnlichster Wunsch, mir ein paar Sachen von der Stange kaufen zu können, die paßten, so daß ich mich nicht mehr schämen mußte.

Kurz darauf ereigneten sich vier Dinge, die mir halfen, meine Angst und meinen Minderwertigkeitskomplex zu überwinden. Eines dieser Ereignisse gab mir Mut und Hoffnung und Vertrauen und änderte mein Leben völlig. Ich möchte die Ereignisse kurz schildern:

1. Nachdem ich acht Wochen auf dem College war, machte ich eine Prüfung und schloß mit einer Drei ab. Das bedeutete, daß ich an einer Landschule unterrichten durfte. Dieses Zeugnis galt allerdings nur sechs Monate, doch es war ein erster Beweis, daß jemand an mich glaubte – der erste Vertrauensbeweis, den ich bis dahin erhalten hatte, abgesehen von denen meiner Mutter.

2. Die Landschule eines Ortes namens Happy Hollow stellte mich als Lehrer ein, für zwei Dollar am Tag oder 40 Dollar im Monat. Noch ein Beweis, daß jemand an mich glaubte.

3. Von meinem ersten selbstverdienten Geld kaufte ich mir sofort einen Anzug – einen Anzug, den ich tragen konnte, ohne mich zu schämen. Wenn mir heute jemand eine Million Dollar gäbe, würde es mir keine solche Freude machen wie jener erste ordentliche Anzug, für den ich nur ein paar Dollar bezahlte.

4. Der wahre Wendepunkt in meinem Leben, der erste große Sieg im Kampf gegen meine Unzulänglichkeit geschah auf dem alljährlichen Jahrmarkt von Bainbridge in Indiana. Meine Mutter hatte mich gedrängt, an einem Redewettbewerb mitzumachen, der

dort stattfand. Allein die Vorstellung daran war schon phantastisch. Ich hatte nicht den Mut, auch nur mit einem Menschen zu reden – geschweige denn zu einer Menge von Zuhörern. Aber der Glaube meiner Mutter hatte fast schon etwas Rührendes. Sie hatte große Träume für meine Zukunft. Sie lebte nur durch mich. Ihr Glaube an mich führte dann dazu, daß ich mich zu dem Wettbewerb anmeldete. Als Thema wählte ich einen Stoff, von dem ich nicht die geringste Ahnung hatte. Ich wollte über «die schönen und freien Künste von Amerika» sprechen. Offen gestanden wußte ich, ehe ich mich auf meinen Vortrag vorzubereiten begann, überhaupt nicht, was die «freien Künste» waren, aber es spielte keine Rolle, denn meine Zuhörer wußten es auch nicht. Ich lernte meine blumige Rede auswendig und probte sie Hunderte von Malen, Kühe und Bäume als Zuschauer. Um meiner Mutter eine Freude zu machen, wollte ich unbedingt gut abschneiden und muß meine Rede mit viel Gefühl gehalten haben. Jedenfalls gewann ich den ersten Preis. Ich war darüber völlig verblüfft. Die Zuhörer ließen mich hochleben. Die Jungen, die mich früher verspottet und lächerlich gemacht hatten und mich Lulatsch nannten, klopften mir nun auf die Schulter und sagten: «Ich wußte, daß du's schaffst, Elmer!» Meine Mutter schlang die Arme um mich und schluchzte. Wenn ich jetzt daran zurückdenke, erkenne ich, daß mein Sieg bei diesem Redewettbewerb der Wendepunkt in meinem Leben war. Die Lokalzeitungen brachten einen Artikel über mich auf der ersten Seite und prophezeiten mir eine große Zukunft. Ich war jetzt im Ort bekannt und genoß ein gewisses Ansehen, und, was viel wichtiger war, mein Selbstvertrauen verhundertfachte sich. Ich weiß heute, daß ich vermutlich nicht Senator geworden wäre, wenn ich diesen Wettbewerb nicht gewonnen hätte, denn durch ihn wuchs mein Vertrauen, wurde mein Blickfeld größer und begriff ich, daß ich Fähigkeiten besaß, an die ich nicht im Traum gedacht hatte. Am wichtigsten war jedoch, glaube ich, die Tatsache, daß mit dem ersten Preis ein Jahresstipendium am Central Normal College verbunden war.

Ich hungerte jetzt nach mehr Wissen. In den nächsten Jahren teilte ich meine Zeit auf in Unterrichten und Lernen. Um die Studiengebühren der Universität bezahlen zu können, arbeitete ich als Kellner, Heizer, Buchhalter, mähte Rasen, arbeitete im Sommer auf den Weizen- und Maisfeldern und schaufelte Kies beim Straßenbau.

Mit nur neunzehn Jahren hielt ich 28 Wahlreden für den Präsidentschaftskandidaten William Jennings Bryan. Das war eine so spannende und aufregende Sache, daß ich Lust bekam, selbst in die Politik zu gehen. Nachdem ich promoviert hatte, ging ich in den Südwesten, in ein neues Land: Oklahoma. Als die Kiowa-, Comanchen- und Apachen-Reservate geöffnet wurden, siedelte ich auf einem Stück Land, das ich von der Regierung erhielt, und eröffnete in Lawton eine Anwaltskanzlei. Ich war dreizehn Jahre im Senat von Oklahoma, vier Jahre im Abgeordnetenhaus und wurde mit 50 Jahren zum US-Senator von Oklahoma gewählt, was mein lebenslanger Ehrgeiz gewesen war.

Ich habe diese Geschichte nicht erzählt, um mit meinen vergänglichen Taten zu prahlen, die sicherlich kaum jemand interessieren, sondern in der Hoffnung, dadurch irgendeinem armen Jungen neuen Mut zu machen und sein Selbstvertrauen zu stärken, einem Jungen, der die gleichen Ängste und Komplexe hat wie ich damals, als ich den abgelegten Anzug meines Vaters trug und seine Gummizugschuhe, die mir bei jedem Schritt fast von den Füßen rutschten.

Ich lebte in Allahs Garten

von R. V. C. Bodley

1918 wandte ich der mir vertrauten Welt den Rücken und fuhr nach Nordwestafrika, wo ich bei den Arabern in der Sahara lebte, in Allahs Garten. Ich blieb sieben Jahre dort. Ich lernte die Sprache der Nomaden, ich trug ihre Kleider, aß ihr Essen und nahm ihre Lebensweise an, die sich in den letzten zweitausend Jahren kaum geändert hatte. Ich wurde Schafzüchter und schlief in arabischen Zelten auf dem Boden. Ich erforschte auch ihre Religion und schrieb später sogar ein Buch über Mohammed. Es hieß *Der Prophet*.

Jene sieben Jahre, die ich bei den herumziehenden Schafhirten verbrachte, waren die friedlichsten und zufriedensten Jahre meines Lebens.

Ich hatte schon viel erlebt. Ich wurde in Paris geboren, meine Eltern waren Engländer. Neun Jahre lebte ich in Frankreich. Später studierte ich in Eton und an der königlichen Militärakademie von Sandhurst. Dann verbrachte ich sechs Jahre als britischer Armeeoffizier in Indien, wo ich Polo spielte und jagte und den Himalaya erforschte und nebenbei auch ein wenig Soldat war. Ich kämpfte im Ersten Weltkrieg und wurde nach seinem Ende als zweiter Militärattaché zur Pariser Friedenskonferenz geschickt. Was ich dort erlebte, enttäuschte und schockierte mich. Während des vierjährigen Gemetzels an der Westfront hatte ich geglaubt, wir würden für die Rettung der Zivilisation kämpfen. Doch auf der Pariser Friedenskonferenz beobachtete ich, wie kurzsichtige Politiker den Grundstein für den Zweiten Weltkrieg legten – alle Länder wollten möglichst viel für sich ergattern, so daß sie sich untereinander wieder anfeindeten und die Intrigen der Geheimdiplomatie die schönsten Blüten trieb.

Ich hatte den Krieg satt, ich hatte die Armee satt, die Gesellschaft überhaupt. Zum erstenmal in meinem Leben schlief ich schlecht und grübelte darüber nach, was ich tun sollte. Lloyd George riet mir, in die Politik zu gehen. Ich dachte noch über seinen Rat nach, als etwas Seltsames passierte, etwas sehr Seltsames, das in den nächsten sieben Jahren mein Leben beeinflussen und formen sollte. Ursache war ein Gespräch von weniger als zweihundert Sekunden mit «Ted», Lawrence von Arabien, der farbigsten und romantischsten Gestalt, die der Erste Weltkrieg hervorbrachte. Er hatte in der Wüste bei den Arabern gelebt und riet mir, ich solle es ebenso machen. Zuerst fand ich die Vorstellung phantastisch.

Allerdings war ich entschlossen, die Armee zu verlassen, und ich mußte schließlich irgend etwas tun. Zivilisten wollten Leute wie mich nicht einstellen – ehemalige Offiziere der regulären Armee –, vor allem, da der Arbeitsmarkt mit Millionen Arbeitslosen überschwemmt war. Ich befolgte also Lawrences Vorschlag: Ich fuhr nach Afrika zu den Arabern. Ich bin froh darüber. Von ihnen lernte ich, mit meinen Ängsten fertig zu werden. Wie alle gläubigen Moslems sind sie Fatalisten. Sie glauben, daß jedes Wort, das Mohammed im Koran schrieb, eine göttliche Eingebung, eine Eingebung von Allah ist. Wenn also der Koran sagt: «Gott erschuf dich und alle deine Handlungen», dann nehmen sie es wörtlich. Deshalb nehmen sie das Leben so gelassen und haben es nie eilig und regen sich nicht unnötig auf, wenn irgendwelche Dinge schiefgehen. Sie wissen, was bestimmt ist, das ist bestimmt, und nur Gott kann es ändern, sonst niemand. Das bedeutet jedoch nicht, daß sie sich angesichts drohender Schwierigkeiten einfach hinsetzen und nichts tun. Als Beispiel möchte ich Ihnen von einem heftigen, beißenden Schirokko erzählen, den ich während meiner Zeit in der Sahara miterlebte. Er heulte und stöhnte drei Tage und drei Nächte. Er war so heftig, so kräftig, daß er den Sand aus der Sahara Hunderte von Kilometern über das Mittelmeer trieb, bis zum Rhonetal in Frankreich. Der Wind war so heiß, daß ich das Gefühl hatte, mir würden die Haare versengt. Meine Kehle fühlte sich wie Pergamentpapier an. Meine Augen brannten, in meinen Zähnen knirschte der Sand. Es war, als stünde man vor dem Ofen einer Glasbläserei. Beinahe hätte ich durchgedreht. Doch die Araber klagten nicht. Sie zuckten mit den Schultern und sagten: «*Mektub* – das Buch der Vorsehung. Es steht geschrieben ...»

Doch kaum war der Sturm vorbei, krempelten sie die Ärmel auf. Sie schlachteten alle Lämmer, weil sie wußten, daß sie ohnedies sterben würden. Sie hofften, sie könnten auf diese Weise die Mutterschafe retten. Nachdem alle Lämmer geschlachtet worden waren, trieben sie die Herden Richtung Süden, zum Wasser. Alles geschah gelassen, ohne Angst, ohne über den Schaden zu jammern oder zu klagen. Der Stammesälteste sagte: «Es war nicht so schlimm. Wir hätten auch alles verlieren können. Aber gelobt sei Gott, wir haben vierzig Prozent unserer Schafe behalten und können neu anfangen.»

Ich erinnere mich an ein anderes Ereignis, als wir durch die Wüste fuhren und ein Reifen platzte. Der Fahrer hatte vergessen, den Reservereifen zu flicken. Es waren also nur noch drei Reifen in Ordnung. Ich schimpfte und ärgerte mich und regte mich auf und fragte die Araber, was wir jetzt tun würden. Sie erinnerten mich daran, daß es nichts nütze, sich aufzuregen, daß man dann nur noch mehr schwitze. Der geplatzte Reifen, sagten sie, sei der Wille Allahs, und man könne nichts dagegen tun. Wir fuhren also weiter und krochen auf drei Reifen und einer Felge dahin. Und prompt stotterte der Motor und blieb stehen. Das Benzin war alle! Der Stammesälteste bemerkte nur: «*Mektub*». Und statt den Fahrer zu beschimpfen, weil er nicht genug Benzin mitgenommen hatte, blieben alle wieder völlig gelassen, und wir gingen zu Fuß weiter und sangen dabei sogar noch.

Die sieben bei den Arabern verbrachten Jahre überzeugten mich, daß die Neurotiker, die Verrückten und Alkoholsüchtigen Amerikas und Europas das Produkt eines gehetzten und gestreßten Lebens sind, das wir in unserer sogenannten Zivilisation führen.

Solange ich in der Sahara lebte, hatte ich keine Sorgen. Dort, in Allahs Garten, fand ich die heitere Zufriedenheit und das körperliche Wohlgefühl, das so viele von uns voll Anspannung und Verzweiflung suchen.

Viele Leute spotten über den Fatalismus. Vielleicht haben sie recht. Wer weiß es? Doch wir alle müssen zugeben, daß unser Schicksal häufig von außen bestimmt wird. Wenn ich zum Beispiel an jenem heißen Augusttag im Jahr 1919 nicht um drei Minuten nach zwölf Uhr mit Lawrence von Arabien gesprochen hätte, wären alle Jahre danach völlig anders gewesen. Wenn ich jetzt auf mein Leben zurückblicke, erkenne ich, daß es immer wieder von Ereignissen geformt und gesteuert wurde, die außerhalb meines Einflusses lagen. Die Araber sagen dazu *mektub*, *kismet*, Allahs Wille. Nennen Sie es, wie Sie wollen. Jedenfalls tut es mit einem die seltsamsten Dinge. Und ich weiß, daß ich mich auch heute noch – siebzehn Jahre nachdem ich die Sahara verließ – gelassen und ergeben ins Unvermeidliche füge, wie ich es von den Arabern lernte. Diese Lebensphilosophie hat mehr zur Besänftigung meiner Nerven beigetragen, als tausend Beruhigungsmittel hätten bewirken können.

Wenn die Stürme des Lebens über uns hinwegbrausen – und wir nichts dagegen tun können –, akzeptieren auch wir das Unvermeidliche (siehe 9. Kapitel). Und dann krempeln wir die Ärmel hoch und sammeln die Scherben auf.

Fünf Methoden, mit denen ich Sorgen und Ängste überwand

von Professor William Lyon Phelps

1. Mit 24 Jahren wurden plötzlich meine Augen schlecht. Nach drei oder vier Minuten Lesen hatte ich das Gefühl, als seien sie voll Nadeln. Und auch wenn ich nicht las, waren sie so empfindlich, daß ich nicht zum Licht sehen konnte. Ich konsultierte die besten Augenärzte in New Haven und New York. Niemand wußte Rat. Nach vier Uhr nachmittags saß ich nur noch auf einem Stuhl in der dunkelsten Ecke des Zimmers und wartete auf die Schlafenszeit. Ich war vor Angst wie gelähmt. Ich fürchtete, daß ich meinen Beruf als Lehrer aufgeben und westwärts ziehen und mir meinen Lebensunterhalt als Holzfäller verdienen müßte. Dann geschah etwas Seltsames, ein Beweis, was für eine wundersame Wirkung der Geist auf ein körperliches Gebrechen ausüben kann. Als es mit meinen Augen in jenem unglücklichen Winter am schlimmsten stand, nahm ich die Einladung an, vor einer Gruppe von Studenten zu sprechen. Der Raum wurde durch große ringförmige Gaslampen an der Decke beleuchtet. Das Licht blendete mich so, daß ich, während ich auf dem Podium saß, meinen Blick gesenkt halten mußte. Doch während meines dreißigminütigen Vortrags spürte ich überhaupt keine Schmerzen. Ohne zu blinzeln, konnte ich in die Lampen sehen. Dann, als die Versammlung vorbei war, taten mir wieder die Augen weh.

Da dachte ich, daß ich vielleicht geheilt wäre, wenn ich mich auf irgend etwas nicht nur dreißig Minuten, sondern eine Woche lang stark konzentrierte. Denn offensichtlich handelte es sich hier um einen Fall, wo positive geistige Erregung über körperliches Leiden gesiegt hatte.

Eine ähnliche Erfahrung machte ich später noch einmal bei einer Reise über den Atlantik. Ich bekam einen Hexenschuß und konnte nicht laufen. Wenn ich versuchte, mich aufzurichten, hatte ich unerträgliche Schmerzen. Während ich in diesem Zustand war, lud man mich ein, einen Vortrag zu halten. Sobald ich zu sprechen begann, waren alle Schmerzen verflogen. Ich war nicht mehr steif. Ich stand aufgerichtet da, bewegte mich leicht und geschmeidig und sprach eine Stunde lang. Nach dem Vortrag kehrte ich ohne Schwierigkeiten in meine Kabine zurück. Einen Augenblick lang dachte ich schon, ich sei geheilt. Doch es war nur vorübergehend. Die Schmerzen überfielen mich wieder mit aller Macht. Der Hexenschuß war noch da.

Diese Erfahrungen bewiesen mir die lebenswichtige Bedeutung der geistigen Einstellung, die man hat. Sie lehrten mich auch, wie wichtig es ist, das Leben zu genießen, solange man es genießen kann. Jetzt lebe ich jeden Tag, als sei es der erste und letzte, den ich noch erleben würde. Ich finde das Leben höchst abenteuerlich und spannend, und niemand, der in einem derartigen Zustand der Begeisterung ist, wird über Gebühr von Sorgen und Ängsten geplagt. Ich liebe meine tägliche Arbeit als Lehrer. Ich schrieb sogar ein Buch mit dem Titel *Die Freude am Lehren*. Das Lehren ist für mich immer mehr gewesen als eine Kunst oder eine Beschäftigung. Für mich ist es eine Leidenschaft. Ich lehre so gern, wie ein Maler malt oder ein Sänger singt. Vor dem Aufstehen denke ich schon mit Freude und Begeisterung an meine erste Vorlesung. Ich war immer der Überzeugung, daß eine der Hauptursachen für Erfolg im Leben die Begeisterung ist.

2. Ich habe festgestellt, daß ich durch das Lesen eines interessanten Buches meine Sorgen verscheuchen kann. Mit 59 Jahren hatte ich einen Nervenzusammenbruch und war längere Zeit nicht voll einsatzfähig. Damals begann ich David Alec Wilsons monumentales Werk *Das Leben von Carlyle* zu lesen. Es hatte großen Einfluß auf meine Genesung, denn ich vertiefte mich so in die Lektüre, daß ich meine Verzweiflung vergaß.

3. Ein andermal, als ich sehr deprimiert war, zwang ich mich fast jede wache Stunde zu körperlicher Aktivität. Jeden Morgen spielte ich fünf oder sechs anstrengende Tennismatchs, dann nahm ich ein Bad, aß zu Mittag und spielte Golf auf einem Platz mit achtzehn Löchern. Am Freitag tanzte ich bis ein Uhr morgens. Ich bin ein überzeugter Anhänger des Schwitzens. Ich stellte fest, daß der Schweiß der Anstrengung Depression und Sorgen aus meinen Eingeweiden wusch.

4. Ich habe schon vor langer Zeit eingesehen, wie verrückt es ist, sich hetzen zu lassen und unter Streß zu arbeiten. Ich habe immer versucht, nach der Maxime zu leben, die Wilbur Cross vertrat. Als er Gouverneur von Connecticut war, sagte er zu mir: «Manchmal, wenn ich zu viele Dinge auf einmal tun müßte, setze ich mich hin und entspanne mich und rauche meine Pfeife und tue eine Stunde gar nichts.»

5. Ich habe auch erkannt, daß Geduld und Zeit die Probleme auf ihre Weise lösen. Wenn ich mir wegen irgend etwas Gedanken mache, versuche ich, meine Probleme im richtigen Zusammenhang zu sehen. Ich sage zu mir: «Heute in zwei Monaten wirst du dir über dein Pech nicht mehr den Kopf zerbrechen. Warum denkst du nicht heute schon so wie in zwei Monaten?»

Zusammengefaßt:

1. Leben Sie mit Freude und Begeisterung: «Ich lebe jeden Tag, als wäre es der erste und letzte, den ich noch erleben würde.»
2. Lesen Sie ein interessantes Buch: «. . . ich vertiefte mich so in die Lektüre, daß ich meine Verzweiflung vergaß.»
3. Arbeiten Sie sich körperlich aus: «Als ich sehr deprimiert war, zwang ich mich fast jede wache Stunde zu körperlicher Aktivität.»
4. Entspannen Sie sich während der Arbeit: «Ich habe schon vor langer Zeit eingesehen, wie verrückt es ist, sich hetzen zu lassen und unter Streß zu arbeiten.»
5. «Ich versuche, meine Probleme im richtigen Zusammenhang zu sehen. Ich sage zu mir: ‹Heute in zwei Monaten wirst du dir über dein Pech nicht mehr den Kopf zerbrechen. Warum denkst du nicht heute schon so wie in zwei Monaten?›»

Ich habe gestern durchgehalten – ich halte auch heute durch

von Dorothy Dix

Ich bin durch alle Tiefen der Armut und der Krankheit gegangen. Wenn mich die Leute fragen, wie ich mit den Problemen fertig wurde, die wir ja alle haben, antworte ich immer: «Ich habe gestern durchgehalten. Ich halte auch heute durch. Und ich erlaube mir nicht, daran zu denken, was morgen sein *könnte*.»

Ich habe Not und Kampf und Angst und Verzweiflung gekannt. Ich mußte immer hart arbeiten, oft ging es über meine Kräfte. Wenn ich jetzt auf mein Leben zurückblicke, sehe ich es als Schlachtfeld, auf dem die Reste meiner gestorbenen Träume und zerbrochenen Hoffnungen und zerstörten Illusionen liegen – einer Schlacht, bei der ich immer gegen eine erdrückende Übermacht ankämpfen mußte und die mich voll Narben, verletzt und entstellt und frühzeitig gealtert zurückgelassen hat.

Trotzdem habe ich kein Mitleid mit mir. Ich weine keine Tränen über die Vergangenheit und vergangenes Leid. Ich beneide die Frauen nicht, denen erspart blieb, was ich durchmachte. Denn ich habe gelebt. Sie dagegen haben nur existiert. Ich habe den Kelch meines Lebens bis zum letzten Tropfen geleert. Sie dagegen haben nur den Schaum an der Oberfläche geschlürft. Ich kenne Dinge, die sie niemals kennen werden. Ich sehe Dinge, für die sie blind sind. Nur Frauen, deren Augen von den Tränen saubergewaschen wurden, haben jenen weiten Blick, der sie zu barmherzigen Schwestern für die ganze Welt macht.

Ich habe auf der großartigen Universität der Nackenschläge eine Lebensphilosophie gelernt, die keine Frau mit einem einfachen, leichten Leben je kennenlernen wird. Ich habe gelernt, jeden Tag zu nehmen, wie er kommt, und mir nicht noch zusätzliche Sorgen über das Morgen zu machen. Es ist die dunkle Drohung unserer Vorstellungskraft, die uns zu Feiglingen macht. Ich habe jene Angst vor der Zukunft besiegt, weil mich die Erfahrung lehrte, daß, wenn die Zeit kommt, Angst zu haben, auch die Kraft und die

Weisheit da ist, sie zu bekämpfen. Ärgerliche Kleinigkeiten können mich nicht mehr erschüttern. Wenn man erlebt hat, wie das ganze Gebäude seines Glücks ins Wanken gerät und um einen zusammenstürzt, spielt es nie wieder eine Rolle, ob das Mädchen vergessen hat, Deckchen unter die Fingerschalen zu legen, oder die Köchin die Suppe verschüttete.

Ich habe gelernt, nicht zuviel von den Menschen zu erwarten, und deshalb kann ich immer noch über einen Freund glücklich sein, der es nicht ganz ehrlich meint mit mir, oder über eine Bekannte, die klatscht. Vor allem habe ich einen Sinn für Humor entwickelt, denn es gab so viele Dinge, über die ich entweder weinen oder lachen mußte. Und wenn eine Frau über ihre Probleme scherzen kann, statt hysterische Anfälle zu bekommen, kann sie nicht mehr viel umwerfen. Ich bedaure nicht, soviel Not kennengelernt zu haben, denn dadurch spürte ich das Leben in jedem Augenblick, den ich lebte. Und das war den Preis wert, den ich dafür bezahlen mußte.

Dorothy Dix besiegte ihre Sorgen und Ängste, weil sie ihr Leben in «Einheiten von Tagen gliederte».

Ich dachte, ich würde den nächsten Tag nicht mehr erleben

von J. C. Penney

Vor Jahren machte ich die schlimmste Zeit meines Lebens durch. Aber meine Sorgen waren in keiner Weise mit der J.-C.-Penney-Gesellschaft verbunden. Das Geschäft war grundsolide und expandierte immer mehr. Es handelt sich vielmehr darum, daß ich persönlich einige unkluge Verpflichtungen eingegangen war, vor dem Bankkrach von 1929. Wie vielen anderen Leuten gab man auch mir die Schuld an Verhältnissen, für die ich nicht im mindesten verantwortlich war. Ich quälte mich so mit meinen Problemen herum, daß ich nicht schlafen konnte und eine höchst schmerzhafte Gürtelrose bekam – einen roten Hautausschlag mit vielen Bläschen. Ich ging zum Arzt – einem Mann, mit dem ich als Junge zur Schule gegangen war: Dr. Elmer Eggleston. Er gehörte zur Ärzteschaft eines Sanatoriums in Michigan. Dr. Eggleston steckte mich ins Bett und sagte mir, daß ich ein sehr kranker Mann sei. Eine strenge Behandlung folgte. Doch nichts half. Ich wurde täglich schwächer. Ich war nervlich und körperlich am Ende, voll Verzweiflung, ohne auch nur einen Schimmer von Hoffnung. Das Leben hatte keinen Sinn mehr, ich hatte das Gefühl, keinen einzigen Freund mehr zu haben, und sogar meine Familie schien sich von mir abgewandt zu haben. An einem Abend gab mir Dr. Eggleston ein Beruhigungsmittel, doch die Wirkung hielt nicht lange an, und ich erwachte mit der niederschmetternden Überzeugung, daß die letzte Nacht meines Lebens da sei. Ich kletterte aus dem Bett und schrieb Abschiedsbriefe an meine Frau und meinen Sohn, weil ich meinte, den nächsten Tag wohl nicht mehr zu erleben.

Als ich erwachte, war es hell, und zu meinem Erstaunen lebte ich noch immer. Ich ging hinunter und hörte nebenan in der kleinen Kapelle die Leute singen. Dort wurde täglich Andacht gehalten. Das Lied werde ich nie vergessen: *Gott wird immer für dich sorgen*. Ich ging in die Kapelle, lauschte mit müdem Herzen dem Gesang und dem Bibeltext und dem Gebet. Plötzlich – plötzlich geschah etwas Seltsames. Ich kann es nicht erklären. Ich glaube, es war ein Wunder. Mir war, als habe man mich aus einem dunklen Verlies ans warme, helle Sonnenlicht geholt. Ich hatte das Gefühl, als sei ich aus der Hölle ins Paradies geführt worden. Ich spürte die Kraft Gottes, wie ich sie noch nie im Leben gespürt hatte. Plötzlich erkannte ich, daß ich allein für all meine Sorgen verantwortlich war. Und ich wußte auch, daß Gott mir in seiner großen Güte und Liebe helfen würde. Von diesem Tag an war mein Leben frei von Ängsten und Sorgen. Ich bin 71 Jahre alt, und die aufregendsten und schönsten zwanzig Minuten meines Lebens waren jene, die ich damals in der Kapelle saß. «Gott wird immer für dich sorgen.»

Ich boxe mit dem Sandsack oder wandere hinaus aufs Land

von Oberst Eddie Eagan

Wenn ich mir Sorgen mache und entdecke, daß sich meine Gedanken endlos im Kreis drehen wie die Kamele an ägyptischen Wasserrädern, dann hilft es mir, mich körperlich auszuarbeiten, um meine trübe Stimmung zu verscheuchen. Ich jogge oder mache eine Wanderung aufs Land hinaus, oder ich boxe im Sportzentrum eine halbe Stunde mit dem Punchingball oder spiele Squash. Es ist gleichgültig, was es ist – jede körperliche Bewegung klärt meinen geistigen Horizont. Am Wochenende treibe ich viel Sport; ich spiele zum Beispiel eine Runde Golf oder Tennis oder fahre zum Skifahren in die Berge. Wenn ich mich körperlich ermüde, kann sich mein Kopf ausruhen, und ich denke nicht mehr an meine Klienten. Bei meiner Rückkehr in die Stadt habe ich dann wieder neuen Schwung und neue Kraft.

Manchmal habe ich auch in New York, wo ich als Rechtsanwalt arbeite, die Möglichkeit, für eine Stunde in das Sportzentrum des

Yale Club zu gehen. Kein Mensch kann sich ängstigen oder sich Sorgen machen, während er Tennis spielt oder Ski fährt. Er ist viel zu beschäftigt. Die riesigen Gebirge von Problemen werden zu winzigen Maulwurfshügeln, die neue Gedanken und Taten rasch einebnen.

Sich körperlich auszuarbeiten, ist meiner Meinung nach der beste Sorgenbrecher. Gebrauchen Sie Ihre Muskeln mehr und denken Sie weniger, wenn Sie deprimiert sind. Sie werden über die Wirkung staunen. Bei mir funktioniert es jedenfalls. – Die Sorgen gehen, wenn die Bewegung kommt.

Man nannte mich Sorgenwrack

von Jim Birdsall

Vor siebzehn Jahren, als ich auf dem Militärcollege von Blacksburg in Virginia war, nannte man mich «Sorgenwrack». Ich machte mir so viele Sorgen, daß ich oft krank wurde. Eigentlich war ich so häufig krank, daß man mir auf der Krankenstation sogar immer ein Bett freihielt. Wenn die Krankenschwester mich kommen sah, rannte sie schon los und holte die Spritze. Ich ängstigte mich wegen allem und nichts. Manchmal vergaß ich sogar, weshalb ich mir solche Sorgen machte. Ich hatte Angst, man würde mich wegen meiner schlechten Noten aus dem College werfen. Ich hatte die Physikprüfung nicht bestanden und ein paar andere Prüfungen auch nicht. Ich machte mir Gedanken über meine Gesundheit, die schmerzhaften Anfälle von Durchfall, meine Schlaflosigkeit. Ich grübelte über meine Finanzen nach. Es bedrückte mich, daß ich meiner Freundin nicht so viele Süßigkeiten kaufen konnte, wie ich wollte, und nicht oft mit ihr zum Tanzen gehen konnte. Ich hatte Angst, sie würde vielleicht einen anderen Kadetten heiraten. Tag und

Nacht war ich wie eingehüllt von einem Dutzend nicht greifbarer Probleme.

In meiner Verzweiflung schüttete ich Professor Duke Baird, unserem Lehrer in Betriebsführung, mein Herz aus.

Die Viertelstunde, die ich mit ihm sprach, machte mich gesünder und glücklicher als die ganzen restlichen vier Jahre, die ich auf dem College verbrachte. «Jim», sagte er, «du solltest dich einmal hinsetzen und den Tatsachen ins Auge sehen! Wenn du auch nur die Hälfte deiner Zeit und Energie, die du jetzt mit Grübeleien verschwendest, dazu verwendetest, deine Probleme zu lösen, würdest du keine mehr haben. Sich Sorgen zu machen, ist nur eine schlechte Gewohnheit. Und die hast du angenommen.»

Er nannte mir drei Verhaltensmaßregeln, die mir helfen würden:

1. Stell fest, welcher Art das Problem ist, das dir solche Sorgen macht.
2. Klär die Ursache dieses Problems.
3. Unternimm sofort etwas zur Lösung des Problems.

Nach dieser Unterhaltung stellte ich einen genauen, sachlichen Plan auf. Statt mir Sorgen zu machen, weil ich die Physikprüfung nicht bestanden hatte, fragte ich mich jetzt nach dem Grund. Ich wußte, daß es nicht Dummheit sein konnte, denn schließlich war ich Chefredakteur einer technischen Zeitschrift.

Ich stellte fest, daß die Ursache mein mangelndes Interesse an dem gestellten Thema gewesen war. Ich hatte mich nicht besonders bemüht, weil ich fand, daß es mir bei meinem späteren Beruf als Industrieingenieur nicht viel nützen würde. Jetzt änderte ich meine Meinung. Ich sagte zu mir: «Wenn die Collegeleitung verlangt, daß ich meine Physikprüfung mache, weil sie für meinen Abschluß notwendig ist, wer bin denn ich, daß ich ihre Entscheidung anzweifeln könnte?»

Also belegte ich wieder Physikvorlesungen. Die nächste Prüfung bestand ich, weil ich eifrig gelernt hatte und meine Zeit nicht mit mißmutigen Grübeleien über den schweren Stoff vergeudete.

Meine finanziellen Probleme löste ich, indem ich mir Aushilfsarbeit suchte. Ich verkaufte zum Beispiel Punsch bei den Collegebällen, und ich lieh mir Geld von meinem Vater, das ich bald nach meinem Abschlußexamen zurückzahlte.

Meine Angst, das Mädchen, das ich liebte, könne einen anderen Kadetten heiraten, schaffte ich aus der Welt, indem ich sie bat, meine Frau zu werden.

Wenn ich jetzt zurückblicke, erkenne ich, daß mein eigentliches Problem meine Unsicherheit war, die Abneigung, die Ursachen meiner Sorgen herauszufinden und ihnen offen und ehrlich ins Gesicht zu sehen.

Jim Birdsall lernte, seine Sorgen zu besiegen, weil er seine Probleme analysierte. Und dabei wendete er genau die Methode an, die im 4. Kapitel beschrieben wird.

Ich ging zu Boden und stand wieder auf

von Ted Ericksen

Früher war ich ein schrecklicher Schwarzseher. Heute bin ich es nicht mehr, denn ich hatte ein Erlebnis, das alle meine Sorgen vertrieb, ein für allemal, wie ich hoffe. Im Vergleich zu dem, was ich durchmachte, waren alle anderen Schwierigkeiten winzig klein.

Jahrelang hatte ich mir gewünscht, den Sommer auf einem Fischkutter verbringen zu können, und deshalb heuerte ich eines schönen Tages in Alaska auf einem Zehnmeterboot an, das zum Lachsfang ausfuhr. Auf einem Schiff dieser Größe gibt es nur eine kleine Besatzung: den Skipper, der alles überwacht, eine Nummer zwei, die dem Skipper hilft, und ein Arbeitspferd, meistens ein Skandinavier. Ich bin Skandinavier.

Da der Lachsfang von den Gezeiten abhängt, arbeitete ich oft 24 Stunden am Tag, immer ungefähr eine Woche lang. Ich erledigte alles, wozu die andern keine Lust hatten. Ich wusch das Boot, ich verstaute die Gerätschaften, ich kochte mit Holz auf einem kleinen Ofen in einer winzigen Kombüse, wo die Hitze und der Gestank des Motors mich beinahe umbrachten. Ich spülte das Geschirr. Ich reparierte das Boot. Ich beförderte den Lachs von unserem Boot in einen Kutter, der ihn zur Fischfabrik fuhr. Die Füße in den Gummistiefeln waren immer naß. Meine Stiefel waren oft voll Wasser, aber ich hatte keine Zeit, sie auszuschütten. Das alles war jedoch ein Kinderspiel verglichen mit meiner Hauptarbeit. Sie bestand darin, die sogenannte Korkleine einzuholen. Es heißt einfach, daß man sich am Heck aufbaut und die Netzkorken und das Netz hereinzieht. Jedenfalls sollte es so gemacht werden. Aber in Wirklichkeit war das Netz zu schwer. Wenn ich zog, rührte es sich nicht vom Fleck. Tatsache war, daß ich auf diese Weise das Boot weiterzog. Ich zog es aus eigener Kraft weiter, weil das Netz sich nicht bewegen ließ. Das ging wochenlang so, ohne Ende. Für mich wäre es auch fast das Ende gewesen. Ich hatte schreckliche Schmerzen. Mir tat alles weh. Monatelang nichts als Schmerzen.

Wenn ich zwischendurch einmal eine Gelegenheit zum Ausruhen hatte, schlief ich auf einer feuchten, klumpigen Matratze, die auf der Vorratskiste mit Lebensmitteln lag. Einen Klumpen der Füllung schob ich mir ins Kreuz, wo es am meisten wehtat, und dann schlief ich wie betäubt. Betäubt von der totalen Erschöpfung.

Heute bin ich froh, daß ich die vielen Schmerzen und Strapazen durchstehen mußte, denn es half mir, meine Sorgen und Ängste zu besiegen. Jedesmal, wenn ich jetzt ein Problem habe, frage ich mich: «Ericksen, kann es so schlimm sein, wie die Korkleine einzuholen?» Und Ericksen antwortet immer: «Nein. Was Schlimmeres gibt's nicht.» Das muntert mich auf, und ich packe die Sache energisch an. Ich finde, es ist wichtig, daß man manchmal eine schlimme Erfahrung durchstehen muß. Ein gutes Gefühl, wenn man zu Boden geht und wieder aufstehen kann. Im Vergleich dazu sehen alle unsere Alltagsprobleme auf einmal unbedeutend aus.

Ich war der größte Esel der Welt

von Percy H. Whiting

Ich bin öfter an den unterschiedlichsten Krankheiten gestorben als jeder andere Mensch, ob lebendig, tot oder halbtot. Ich war kein gewöhnlicher Hypochonder. Meinem Vater gehörte ein Drugstore, in dem ich praktisch aufwuchs. Ich sprach jeden Tag mit Ärzten und Krankenschwestern und kannte Namen und Symptome von mehr und schlimmeren Krankheiten als der durchschnittliche Laie. Ich war kein gewöhnlicher Hypochonder – ich hatte auch die entsprechenden Symptome. Ich konnte mich in ein paar Stunden so in eine Krankheit hineinsteigern, daß ich tatsächlich alle für sie typischen Symptome bekam. Ich erinnere mich, daß in meiner Heimatstadt einmal eine schwere Diphtherieepidemie ausbrach. Im Drugstore meines Vaters verkaufte ich tagelang Medikamente an Leute aus betroffenen Familien. Und schließlich erschien der Teufel auch, den ich an die Wand gemalt hatte: Ich bekam selbst Diphtherie. Es bestand kein Zweifel. Ich legte mich ins Bett und steigerte mich so in meine Angst hinein, daß ich alle typischen Symptome bekam. Ich ließ einen Arzt holen. Er untersuchte mich und sagte: «Ja, Percy, Sie haben sich angesteckt.» Da fiel mir ein Stein vom Herzen. Wenn ich die Krankheit endlich hatte, fürchtete ich mich nicht mehr vor ihr. Ich drehte mich also auf die Seite und schlief ein. Am nächsten Morgen war ich völlig gesund.

Jahrelang machte ich mich mit ungewöhnlichen und bizarren Krankheiten wichtig und erntete damit viel Beachtung und Mitgefühl: Mehrmals starb ich an Kieferklemme oder Tollwut. Später gab ich mich mit den heute üblichen Krankheiten zufrieden, wie etwa Krebs oder Tuberkulose.

Jetzt kann ich darüber lachen, aber damals war das Ganze wirklich sehr traurig. Über Jahre war ich felsenfest davon überzeugt, daß ich buchstäblich am Rand des Grabes lebte. Wenn es im Frühling zum Beispiel Zeit für einen neuen Anzug wurde, überlegte ich: «Sollst du dafür noch Geld ausgeben, wenn du doch weißt, daß du ihn nicht mehr viel tragen wirst?»

Doch kann ich zum Glück berichten, daß ich Fortschritte gemacht habe: In den letzten zehn Jahren bin ich nicht ein einziges Mal gestorben!

Wie ich das schaffte? Ich verspottete mich selbst wegen meines Phantasiereichtums. Jedesmal, wenn ich merkte, daß es wieder losging, lachte ich mich aus und sagte: «Hör mal, Whiting, seit zwanzig Jahren stirbst du an einer schlimmen Krankheit nach der anderen, und trotzdem bist du heute immer noch kerngesund. Sogar die Lebensversicherung hat dich weiter versichert. Findest du nicht, Freundchen, daß du dich mal hinstellen und ordentlich über dich lachen solltest, weil du so ein Esel bist?»

Ich fand sehr bald heraus, daß ich nicht gleichzeitig über mich lachen und mir Sorgen machen konnte. Seitdem lache ich über mich.

> Moral: Wer sich selbst nicht zu ernst nimmt, sondern über seine törichten Sorgen zu lachen versucht, wird ihnen sehr bald den Garaus machen.

Meine Nachschubwege sollten immer offenbleiben

von Gene Autry

Ich glaube, die meisten Sorgen macht man sich wegen der Familie oder wegen Geld. Ich hatte Glück, weil ich ein Mädchen aus einer Kleinstadt in Oklahoma heiratete, denn sie kam aus dem gleichen Milieu wie ich und mochte dieselben Dinge wie ich. Wir bemühen uns beide, nach dem Versprechen zu leben, das wir uns bei der Hochzeit gaben, und es gelang uns immer, unsere häuslichen Probleme auf ein Minimum zu beschränken.

Auch finanzielle Sorgen habe ich wenig, und zwar aus folgenden zwei Gründen: Mein oberstes Prinzip in allen Dingen ist hundertprozentige Ehrlichkeit. Wenn ich mir Geld leihe, zahle ich es bis auf den letzten Cent zurück. Unehrlichkeit ist mit am häufigsten an unseren Schwierigkeiten schuld.

Und zweitens habe ich mir immer ein As aufgehoben, wenn ich etwas Neues anfing. Militärexperten sagen, daß bei einer Schlacht das Offenhalten der Nachschubwege das wichtigste sei. Ich finde, daß sich dieser Grundsatz nicht nur auf strategische Fragen anwenden läßt, sondern auch auf persönliche. Als ich zum Beispiel als junger Mann in Texas und Oklahoma lebte, habe ich viel wirkliche Armut gesehen, die die katastrophale Dürre verschuldet hatte. Wir mußten alles zusammenkratzen, um nicht draufzugehen. Wir waren so arm, daß mein Vater mit dem Pferdewagen und ein paar Pferden über Land fuhr und mit ihnen Tauschhandel trieb, damit wir etwas zu essen hatten. Ich wollte etwas Sichereres. Deshalb arbeitete ich als Schalterbeamter bei der Eisenbahn und lernte in meiner Freizeit auch noch das Morsealphabet. Später wurde ich als Aushilfe eingesetzt, und die Frisco Railway schickte mich hierhin und dorthin, um andere Bahnhofsbeamte zu ersetzen, die krank oder auf Urlaub waren, oder um ihnen zu helfen, weil sie zuviel zu tun hatten. Damit verdiente ich 150 Dollar im Monat. Später, als ich vorwärtskommen wollte, war ich immer davon überzeugt, daß jener Job bei der Eisenbahn wirtschaftliche Sicherheit verhieß. Und deshalb hielt ich mir die Möglichkeit offen, zu meiner alten Arbeit zurückkehren zu können. Das war meine ganz private Nachschublinie. Erst als ich eine bessere und ebenso sichere Arbeit hatte, gab ich sie auf.

Als ich zum Beispiel 1928 als Telegraphist in Chelsea, Oklahoma, aushalf, erschien eines Abends ein fremder Mann und gab ein Telegramm auf. Er hörte mich Gitarre spielen und Cowboylieder singen und sagte, ich sei gut. Ich solle nach New York fahren und mir einen Job beim Radio oder Theater suchen. Natürlich fühlte ich mich geschmeichelt. Und als ich den Namen sah, mit dem er sein Telegramm unterzeichnet hatte, blieb mir fast der Atem weg: Will Rogers!

Statt nun alles stehen- und liegenzulassen und nach New York zu fahren, überlegte ich mir die Sache neun Monate sorgfältig. Schließlich kam ich zu dem Schluß, daß ich nichts zu verlieren und alles zu gewinnen hätte, wenn ich hinfuhr und ein bißchen Wind machte. Ich hatte einen Ausweis von der Eisenbahn: Ich konnte überall umsonst fahren. Ich würde in meinem Sitz schlafen und Sandwiches und Obst als Proviant mitnehmen.

Also fuhr ich los. In New York mietete ich mir ein möbliertes Zimmer für fünf Dollar die Woche, aß im Automatenrestaurant und klapperte zehn Wochen lang alles ab, die Straßen rauf und runter – ohne Erfolg. Wenn ich nicht meinen alten Job gehabt hätte, wäre ich vor Angst krank geworden. Ich war schon fünf Jahre bei der Eisenbahn. Es bedeutete, daß ich ein gewisses Dienstalter und damit auch gewisse Rechte hatte. Aber um diese Rechte zu sichern, konnte ich nicht länger als neunzig Tage wegbleiben. Jetzt lebte ich schon über siebzig Tage in New York. Ich fuhr mit meinem Freipaß nach Oklahoma zurück und arbeitete weiter, um meine Nachschubwege offenzuhalten. Ich arbeitete mehrere Monate und sparte Geld und fuhr wieder nach New York, um es noch einmal zu probieren. Ich hatte Glück. Als ich im Schallplattenstudio auf ein Gespräch wartete, spielte ich der Empfangsdame auf meiner Gitarre etwas vor und sang dazu. Da kam zufällig der Mann, der den Song geschrieben hatte, herein. Natürlich freute er sich, daß da jemand sein Lied sang. Und er gab mir ein Einführungsschreiben an die Victor Recording mit. Dort machte ich eine Platte. Ich war nicht gut – zu verkrampft und unsicher. Deshalb befolgte ich den Rat der Leute von Victor Recording: Ich fuhr nach Tulsa zurück, arbeitete tagsüber bei der Eisenbahn und sang abends in einem lokalen Rundfunksender. Mir gefiel dieses Arrangement. Auf diese Weise blieb meine Nachschublinie intakt, und ich brauchte mir keine Sorgen zu machen.

Neun Monate lang sang ich beim Sender KVOO in Tulsa. Jimmy Long und ich schrieben in dieser Zeit einen Song mit dem Titel *That Silver-Haired Daddy of Mine,* der ein Hit wurde. Der Generaldirektor der American Recording schlug mir vor, eine Platte zu machen. Sie war ein Erfolg. Es entstanden noch mehr Platten, für jede erhielt ich fünfzig Dollar, und schließlich stellte man mich bei WLS in Chicago als singenden Cowboy ein. Lohn: 40 Dollar in der Woche. Nachdem ich vier Jahre bei dem Sender gesungen hatte, wurde mein Gehalt auf 90 Dollar in der Woche erhöht, und ich verdiente noch einmal 300 Dollar mit meinen abendlichen Auftritten in Theatern.

Dann, 1934, erhielt ich eine Chance, die ganz neue Möglichkeiten eröffnete. Die Sittenvereine entstanden, die für eine saubere Leinwand kämpften. Deshalb beschlossen die Hollywoodproduzenten, Cowboyfilme zu drehen, aber sie wollten eine neue Art von Cowboy haben – er sollte singen können. Dem Besitzer der American Recording Company gehörten auch Anteile an den Republic Pictures. «Wenn ihr einen singenden Cowboy braucht», sagte er zu den Direktoren, «ich habe einen, der bei mir Platten macht.» So kam ich zum Film. Ich fing mit Rollen als singender Cowboy für 100 Dollar in der Woche an. Ich hatte große Zweifel, ob ich Erfolg haben würde, aber ich machte mir keine Sorgen. Ich konnte jederzeit in meinen alten Job zurückkehren.

Meine Filmerfolge überstiegen meine kühnsten Erwartungen. Ich verdiente jetzt 100000 Dollar im Jahr. Dazu kam der fünfzigprozentige Gewinnanteil an meinen Filmen. Trotzdem – mir ist klar, daß es nicht ewig so weitergehen wird. Aber ich habe keine Angst. Ich weiß, egal, was passiert – selbst wenn ich jeden Dollar verliere, den ich habe –, ich kann immer nach Oklahoma zurückfahren und wieder in meinem alten Job bei der Frisco Railway arbeiten. Ich habe mir die Nachschubwege offengehalten.

Einmal, in Indien, hörte ich eine Stimme

von E. Stanley Jones

Vierzig Jahre habe ich als Missionar in Indien gearbeitet. Anfangs ertrug ich die fürchterliche Hitze nicht, und auch nicht die nervliche Anspannung, denn die Aufgabe, die vor mir lag, war riesengroß. Nach acht Jahren war ich so erschöpft und am Ende, daß ich zusammenbrach, nicht nur einmal, sondern öfters. Mir wurde ein einjähriger Heimaturlaub verordnet. Auf der Rückreise nach Amerika kollabierte ich bei der Predigt, die ich am Sonntagmorgen hielt, und der Schiffsarzt steckte mich für den Rest der Überfahrt ins Bett.

Nach der einjährigen Ruhepause wollte ich nach Indien zurückkehren. Unterwegs, in Manila, hielt ich Bibellesungen mit Universitätsstudenten, und die Anstrengung war so groß, daß ich verschiedentlich zusammenbrach. Die Ärzte warnten mich davor, wieder in Indien zu arbeiten, doch ich fuhr weiter. Aber meine Stimmung wurde immer gedrückter. Bei meiner Ankunft in Bombay war ich so erledigt, daß ich sofort zur Erholung für mehrere Monate in die Berge reiste. Dann versuchte ich wieder, in der Ebene mit meiner Arbeit weiterzumachen. Es war sinnlos. Ich brach zusammen und war gezwungen, abermals in die Berge zu fahren, um mich auszuruhen. Danach probierte ich es erneut, und zu meinem Schrecken mußte ich feststellen, daß ich die Strapazen noch immer nicht ertrug. Ich war geistig und körperlich erledigt, mit den Nerven am Ende. Meine Kräfte waren erschöpft. Ich hatte Angst, ich würde für den Rest meines Lebens ein körperliches Wrack sein.

Wenn ich nicht von irgendwoher Hilfe bekam, würde ich meinen Beruf als Missionar aufgeben und nach Amerika zurückkehren müssen. Um wieder gesund zu werden, war es wohl das beste, wenn ich auf einer Farm arbeitete. Es waren die dunkelsten Stunden meines Lebens. Zu jener Zeit hielt ich eine Reihe von Versammlungen in Lucknow ab. Eines Abends, während wir beteten, geschah etwas, das mein Leben völlig verwandelte. Während des Gebets – und ich dachte dabei nicht besonders viel an mich – schien eine Stimme zu sagen: «Bist du bereit für die Arbeit, zu der ich dich rief?»

«Nein, Herr!» antwortete ich. «Ich bin am Ende. Meine Kräfte sind erschöpft.»

«Überlaß alles mir und sorge dich nicht!» sagte die Stimme. «Dann will ich mich um dich kümmern.»

«Herr», erwiderte ich rasch, «ich bin einverstanden.»

Ein großer Friede breitete sich in meinem Herzen aus und strömte durch alle meine Glieder. Ich spürte, daß etwas geschehen war. Leben – Leben im Überfluß hatte von mir Besitz ergriffen. Ich war so beschwingt an jenem Abend, daß ich auf dem stillen Nachhauseweg kaum den Boden zu berühren schien. Mit jedem Schritt trat ich auf heilige Erde. Noch lange danach merkte ich fast nicht, daß ich einen Körper hatte. Ich arbeitete einen Tag nach dem anderen bis tief in die Nacht hinein, und wenn es Zeit wurde, ins Bett zu gehen, fragte ich mich, warum in aller Welt ich überhaupt schlafen sollte. Ich war nicht im geringsten müde in keiner Beziehung. Ich schien besessen von Leben und Frieden und Gelassenheit – von Christus selbst.

Die Frage erhob sich, ob ich von meinem Erlebnis erzählen sollte. Ich schrak davor zurück, doch ich hatte das Gefühl, daß ich es tun sollte, und tat es auch. Dann, nachdem alle Bescheid wußten, hieß es siegen oder untergehen. Die anstrengendsten Jahrzehnte meines Lebens sind seitdem vergangen, doch die alten Schwierigkeiten sind nie wieder aufgetreten. Noch nie bin ich so gesund gewesen. Aber nicht nur körperlich. Mir schien, als habe ich eine neue Energiequelle angezapft, für Körper, Seele und Geist. Nach jenem Ereignis spielte sich mein Leben auf einer anderen, höheren Ebene ab. Und ich hatte nichts dazu getan – nur genommen.

Während der vielen Jahre, die seitdem verflossen sind, bin ich durch die ganze Welt gereist, manchmal habe ich drei Vorträge an einem Tag gehalten, und obendrein fand ich noch Zeit, *Der Christus der indischen Straße* zu schreiben und elf andere Bücher. Und trotz des ganzen Trubels habe ich nie auch nur eine einzige Verabredung versäumt oder bin zu spät gekommen. Die Sorgen und Ängste, die mich einst bedrückten, sind lange verschwunden, und jetzt, mit dreiundsechzig Jahren, bin ich noch zum Bersten voll von Vitalität und der Freude, für andere Menschen leben und ihnen dienen zu können.

Vermutlich könnte meine körperliche und geistige Verwandlung von den Psychologen in allen Einzelheiten erklärt werden. Es ist nicht wichtig für mich. Das Leben ist größer als alle wissenschaftlichen Methoden. Es fließt über sie weg und macht sie klein.

Eines weiß ich genau: An jenem Abend in Lucknow, auf dem tiefsten Punkt meiner Schwäche und Depression, veränderte sich mein Leben völlig und wurde leicht, weil eine Stimme zu mir sagte: «Überlaß alles mir und sorge dich nicht. Dann will ich mich um dich kümmern.» Und ich antwortete: «Herr, ich bin einverstanden.»

Als der Sheriff zur Haustür hereinkam

von Homer Croy

Der bitterste Augenblick meines Lebens war der Moment, als der Sheriff durch die Haustür hereinkam und ich durch die Hintertür verschwand. Ich hatte mein Haus auf Long Island verloren, wo meine Kinder geboren worden waren und ich mit meiner Familie achtzehn Jahre gelebt hatte. Nie im Traum hätte ich gedacht, daß mir so etwas passieren würde! Noch zwölf Jahre vorher hatte ich geglaubt, daß ich ganz obenauf sei. Ich hatte die Filmrechte an meinem Buch *Westwärts vom Wasserturm* für ein Spitzenhonorar an Hollywood verkauft. Ich zog mit meiner Familie für zwei Jahre nach Europa. Wir verbrachten den Sommer in der Schweiz und überwinterten an der Französischen Riviera – wie reiche Nichtstuer.

Ich verbrachte sechs Monate in Paris und schrieb den Roman *Sie mußten nach Paris.* In der Filmversion spielte Will Rogers die Hauptrolle. Es war sein erster Tonfilm. Ich hatte verlockende Angebote, in Hollywood zu bleiben und mehrere Drehbücher für Will Rogers' Filme zu schreiben. Ich lehnte ab. Ich kehrte nach New York zurück. Und dann begannen meine Probleme.

Mich beschlich der Gedanke, daß große Fähigkeiten in mir ruhten, die ich nie geweckt hatte. Ich fing an, mich als gerissenen Geschäftsmann zu sehen. Jemand erzählte mir, daß John Jacob Astor Millionen mit New Yorker Baugrund verdient hatte. Wer war schon Astor? Nur ein kleiner eingewanderter

Händler mit einem Akzent. Wenn er es konnte, warum ich nicht? Ich würde reich werden! Ich begann, Segelzeitschriften zu lesen.

Ich hatte den Mut des Ahnungslosen. Ich verstand vom Immobilienhandel so wenig wie ein Eskimo von einem Ölofen. Wie wollte ich mir das Startkapital für meine sensationelle Finanzkarriere beschaffen? Das war einfach. Ich nahm Geld auf mein Haus auf und kaufte ein paar schöne Grundstücke auf Long Island. Ich wollte das Land behalten, bis ich einen fabelhaften Preis erzielen konnte, dann verkaufen und im Luxus schwelgen – dabei hatte ich noch nie ein Grundstück verkauft, nicht einmal von der Größe eines Taschentuchs. Die armen Teufel taten mir leid, die sich für ein kleines Gehalt in den Büros abschufteten. Ich sagte mir, daß Gott es eben nicht für richtig hielt, jeden Menschen mit dem göttlichen Feuer eines Finanzgenies auszustatten.

Plötzlich war die große Wirtschaftskrise da und ging auf mich hernieder wie ein Wirbelsturm in Kansas und schüttelte mich wie ein Tornado den Hühnerstall.

Ich mußte jeden Monat 220 Dollar in diesen Riesenschlund von Baugrund schütten. Und wie schnell so ein Monat um war! Außerdem hatte ich die Zinsen für die Hypothek aufzutreiben und Essen für die Familie. Ich drehte beinahe durch vor Sorgen. Ich versuchte, für Illustrierte komische Geschichten zu schreiben. Diese Versuche klangen wie die Bußrufe Jeremias. Ich konnte nichts verkaufen. Die Romane, die ich schrieb, wurden nicht angenommen. Das Geld war alle. Ich hatte nichts mehr zum Versetzen, außer meiner Schreibmaschine und den Goldfüllungen in meinen Zähnen. Die Molkerei lieferte keine Milch mehr. Die Gasgesellschaft drehte das Gas ab. Wir kauften einen kleinen Campingkocher, bei dem man das Benzin mit der Hand hochpumpen mußte; dann schoß eine Flamme mit einem Zischen heraus, das an eine böse Gans erinnerte.

Wir hatten auch keine Kohlen mehr. Die Gesellschaft verklagte uns. Unser einziger Wärmespender war der Kamin. Nachts zog ich los und sammelte Bretter und brennbare Reste von den neuen Häusern, die die Reichen jetzt bauten – ich, der geglaubt hatte, auch einmal zu ihnen zu gehören!

Ich machte mir solche Sorgen, daß ich nicht schlafen konnte. Oft stand ich mitten in der Nacht auf und lief stundenlang spazieren, um mich zu ermüden, damit ich einschlief.

Ich verlor nicht nur den Baugrund, den ich gekauft hatte, sondern auch das Herzblut, das ich dafür vergossen hatte.

Die Bank kündigte die Hypothek, und meine Familie und ich standen auf der Straße.

Irgendwie gelang es uns, ein paar Dollar zusammenzukratzen und eine kleine Wohnung zu mieten, in die wir am letzten Tag des Jahres einzogen. Ich setzte mich auf eine Umzugskiste und sah mich um. Ein alter Ausspruch meiner Mutter fiel mir ein: «Wein nie über verschüttete Milch!»

Aber das war keine Milch. Das war mein Herzblut!

Nachdem ich eine Weile so dagesessen hatte, sagte ich zu mir: «Du hast eine Bruchlandung gemacht und überlebt. Jetzt kann es nur noch aufwärtsgehen.»

Ich begann über alle die schönen Dinge nachzudenken, die man mir nicht hatte nehmen können. Ich hatte noch meine Gesundheit und meine Freunde. Ich würde von vorn anfangen. Über die Vergangenheit würde ich nicht trauern. Jeden Tag würde ich mir das Sprichwort über die verschüttete Milch vorsagen, das meine Mutter so geliebt hatte.

Ich packte meine Arbeit mit der Energie an, die ich vorher für meine Sorgen und Grübeleien gebraucht hatte. Langsam und allmählich besserte sich meine Lage. Jetzt bin ich fast dankbar, daß ich das viele Unglück durchstehen mußte. Es gab mir Kraft, Ausdauer und Vertrauen. Ich weiß jetzt, was es bedeutet, wenn man ganz am Ende ist. Ich weiß, daß es einen nicht umbringt. Ich weiß, daß wir mehr aushalten, als wir glauben. Wenn mir heute Sorge und Angst und Unsicherheit zu schaffen machen wollen, verscheuche ich sie mit der Erinnerung an die Zeit, als ich auf der Umzugskiste saß und zu mir sagte: «Du hast eine Bruchlandung gemacht und überlebt. Jetzt kann es nur noch aufwärtsgehen.»

Um welchen Grundsatz geht es hier? Sägen Sie kein Sägemehl! Akzeptieren Sie das Unvermeidliche! Wenn's nicht mehr tiefer hinuntergeht, drehen Sie um und arbeiten sich wieder hinauf!

Mein zähester Gegner war die Angst

von Jack Dempsey

Während meiner Karriere im Boxring stellte ich fest, daß die «alte Frau Sorge» ein fast ebenso zäher Gegner war wie die Boxer, gegen die ich kämpfte. Ich erkannte, daß ich lernen mußte, meine Ängste zu besiegen, sonst würden sie mir meine Vitalität nehmen und meinen Erfolg. Langsam und allmählich entwickelte ich eine Methode, wie ich mich am besten wehren konnte.

1. Damit ich im Ring den Mut nicht verlor, redete ich mir während eines Kampfes gut zu. Als ich zum Beispiel gegen Firpo kämpfte, sagte ich wieder und wieder zu mir: «Nichts kann mich aufhalten. Er tut mir nicht weh. Ich spüre seine Schläge nicht. Man kann mich nicht verletzen. Ich mache weiter, egal, was passiert.» Solche Sätze zu sagen und positive Gedanken zu denken, half mir sehr. Meine Gedanken waren so beschäftigt, daß ich die Schläge tatsächlich nicht spürte. In meinem Leben als Schwergewichtsboxer habe ich viel mitgemacht; meine Lippen wurden mir zerschlagen, meine Augen verletzt, meine Rippen gebrochen – und Firpo drosch auf mich ein, bis ich durch die Seile sauste und auf der Schreibmaschine eines Reporters landete, die dabei kaputtging. Aber ich spürte Firpos Schläge nicht. Nur ein einziges Mal habe ich einen Boxhieb wirklich gespürt. Das war an dem Abend, an dem mir Lester Johnson drei Rippen brach. Eigentlich war es nicht der Schlag selbst. Mir blieb einfach die Luft weg. Ich kann ehrlich behaupten, daß ich keinen anderen Schlag wirklich spürte, den ich im Ring verpaßt erhielt.

2. Außerdem erinnere ich mich immer wieder daran, wie sinnlos es ist, sich Sorgen zu machen. Die meisten Probleme hatte ich vor großen Kämpfen, während ich trainierte. Nachts lag ich stundenlang wach, warf mich im Bett von einer Seite auf die andere und konnte nicht schlafen. Ich grübelte darüber nach, was passieren würde, wenn ich mir die Hand brach, den Knöchel verstauchte oder meine Augen schon in der ersten Runde verletzte und meine Schläge nicht mehr koordinieren könnte. Wenn ich in so einer

Verfassung war, kletterte ich aus dem Bett, sah in den Spiegel und tröstete mich. Dann sagte ich zum Beispiel zu mir: «Wie dumm du doch bist, dir über etwas Sorgen zu machen, das noch nicht passiert ist und vielleicht nie passieren wird. Das Leben ist so kurz. Es sind nur ein paar Jahre. Du solltest sie genießen.» Oder ich sagte zu mir: «Nur deine Gesundheit zählt. Nichts ist so wichtig wie deine Gesundheit.» Ich ermahnte mich, daß Schlaflosigkeit und Sorgen meine Gesundheit untergraben würden. Ich stellte fest, daß mir diese Worte allmählich in Fleisch und Blut übergingen, nachdem ich sie mir wieder und wieder vorgesagt hatte, Nacht für Nacht, Jahr für Jahr, und schließlich konnte ich meine Sorgen abschütteln wie Wasser.

3. Das dritte – und Beste – war: Ich betete. Während des Vorbereitungstrainings für einen Wettkampf betete ich mehrmals täglich. Im Ring betete ich immer vor dem Gong zur nächsten Runde. Und dadurch kämpfte ich mit Mut und Zuversicht. Noch nie im Leben bin ich ohne zu beten ins Bett gegangen, und ich habe auch noch nie im Leben etwas gegessen, ohne Gott vorher zu danken... Ob meine Gebete erhört wurden? Tausende von Malen!

Ich betete, daß Gott mich nicht ins Waisenhaus schicken sollte

von Kathleen Halter

Mein Leben als kleines Mädchen war voller Schrecken. Meine Mutter war herzkrank, und jeden Tag wurde sie ohnmächtig und sank zu Boden. Wir hatten alle Angst, sie würde sterben, und ich glaubte, alle kleinen Mädchen ohne Mutter würden ins Waisenhaus gesteckt, das zu der kleinen Stadt gehörte, wo ich wohnte. Ich fürchtete mich davor, und so betete ich mit meinen sechs Jahren immer wieder: «Lieber Gott, bitte, laß meine

Mama am Leben, bis ich so alt bin, daß ich nicht mehr ins Waisenhaus muß.»

Zwanzig Jahre später hatte mein Bruder eine schreckliche Verletzung und litt heftige Schmerzen, bis er nach zwei Jahren starb. Er konnte nicht allein essen oder sich im Bett umdrehen. Zur Betäubung seiner Schmerzen mußte ich ihm alle drei Stunden eine Morphiumspritze geben, auch nachts. Das machte ich zwei Jahre lang. Ich unterrichtete zu jener Zeit Musik an unserem einheimischen College. Wenn die Nachbarn meinen Bruder vor Schmerzen schreien hörten, riefen sie mich in der Schule an, und ich stürzte aus der Klasse und eilte nach Hause, um meinem Bruder eine Spritze zu geben. Vor dem Schlafengehen stellte ich den Wecker, damit er mich nach drei Stunden weckte und ich meinem Bruder die nächste Spritze geben konnte. Ich erinnere mich, daß ich im Winter abends eine Flasche Milch vors Fenster stellte, die gefror und zu einer Art Eis wurde, das ich gern mochte. Wenn der Wecker klingelte, war der Gedanke an die zu Eis gewordene Milch ein zusätzlicher Anreiz, aufzustehen.

In dieser Zeit der großen Schwierigkeiten waren es zwei Dinge, die mich daran hinderten, in Selbstmitleid zu schwelgen und mir durch Groll und Angst das Leben schwerzumachen. Erstens gab ich zwölf bis vierzehn Stunden am Tag Musikunterricht. Vor lauter Arbeit fand ich kaum Zeit, an meine Probleme zu denken. Und wenn ich versucht war, mich zu bemitleiden, sagte ich mir wieder und wieder: «Hör zu, meine Liebe, du kannst laufen und essen und Geld verdienen und hast keine Schmerzen. Da solltest du der glücklichste Mensch von der Welt sein. Gleichgültig was passiert – das solltest du nie in deinem Leben vergessen! Niemals! Niemals!»

Ich war fest entschlossen, alles in meiner Macht Stehende zu tun, damit ich ein andauerndes und unbewußtes Gefühl der Dankbarkeit in mir spürte, für die vielen Segnungen, die ich erhielt. Jeden Morgen, wenn ich erwachte, dankte ich Gott, daß ich aufstehen und sehen und gehen und essen konnte. Trotz meiner Probleme stand mein Entschluß unerschütterlich fest: Ich würde der glücklichste Mensch in unserer ganzen Stadt sein. Vielleicht habe ich mein Ziel nicht erreicht, auf jeden Fall aber schaffte ich es, die dankbarste junge Frau zu sein – und wahrscheinlich haben sich wenige meiner Freunde und Bekannten weniger Sorgen gemacht als ich.

Die Musiklehrerin aus Missouri wandte zwei der in diesem Buch beschriebenen Methoden auf ihr eigenes Leben an: Sie arbeitete so viel, daß sie keine Zeit fand, sich Sorgen zu machen, und sie zählte nur das Positive, das ihr zuteil wurde.

Mein Magen führte sich auf wie ein Wirbelsturm

von Cameron Shipp

Mehrere Jahre arbeitete ich in der Presseabteilung des Warner-Brothers-Filmstudios in Kalifornien und fühlte mich dort sehr wohl. Ich war Gewerkschaftsmitglied und schrieb für Zeitungen und Illustrierte Geschichten über die Stars von Warner Brothers.

Plötzlich wurde ich befördert. Man machte mich zum Stellvertreter des Pressechefs. Die Verwaltung der Firma wurde neu organisiert, und ich erhielt sogar einen eindrucksvollen Titel: Verwaltungsassistent.

Damit verbunden waren ein riesiges Büro mit eigenem Kühlschrank, zwei Sekretärinnen und ein Haufen Mitarbeiter, 75 Autoren, Rechercheure und Radioreporter. Ich war unerhört beeindruckt. Als erstes fuhr ich los und kaufte mir einen neuen Anzug. Ich bemühte mich, mit Würde zu sprechen. Ich führte ein neues Ablagesystem ein, traf Entscheidungen, ohne Unsicherheit zu verraten, und hatte mittags nur wenig Zeit zum Essen.

Ich war überzeugt, daß die Last der ganzen Werbung für Warner Brothers auf meinen Schultern ruhte. Das Leben berühmter Personen hielt ich in der Hand, sowohl das öffentliche wie das private so großer Stars wie Bette Davis, Olivia De Havilland,

James Cagney, Edward G. Robinson, Errol Flynn, Humphrey Bogart, Ann Sheridan und noch einiger anderer.

In weniger als einem Monat merkte ich, daß ich ein Magengeschwür hatte. Wahrscheinlich Krebs.

Einen nicht unbedeutenden Teil meiner Arbeit leistete ich als Vorsitzender eines Sonderausschusses der Gewerkschaft der Filmschaffenden. Ich mochte diese Arbeit und freute mich auf die vielen Freunde, die ich bei den Gewerkschaftssitzungen traf. Doch gerade diese Treffen wurden zu einem Problem. Hinterher fühlte ich mich jedesmal sehr elend. Manchmal mußte ich auf dem Nachhauseweg anhalten und mich ein paar Augenblikke sammeln, ehe ich weiterfahren konnte. Es gab so viel zu tun, und wir hatten so wenig Zeit. Alles war lebenswichtig, und ich fühlte mich bedauernswert unzulänglich.

Ich möchte völlig ehrlich sein – es war die schmerzhafteste Krankheit meines ganzen Lebens. Es war, als spürte ich eine geballte Faust in meinen Eingeweiden. Ich verlor Gewicht, ich konnte nicht schlafen. Ständig hatte ich Schmerzen.

Schließlich suchte ich einen bekannten Internisten auf. Ein Kollege aus der Anzeigenabteilung hatte ihn mir empfohlen. Er erzählte mir, daß dieser Arzt viele Presseleute unter seinen Patienten habe.

Das Gespräch war ziemlich kurz. Ich konnte ihm gerade nur erzählen, wo es schmerzte und was ich für einen Beruf hatte. Er schien überhaupt mehr an meiner Arbeit als an meiner Krankheit interessiert zu sein, doch dann war ich beruhigt. Er würde zwei Wochen lang täglich gründliche Untersuchungen mit mir machen. Ich wurde abgetastet, durchleuchtet, abgehorcht und mußte einen Kontrastbrei schlucken. Schließlich wurde ich benachrichtigt, die Befunde seien da, ich solle in seine Praxis kommen.

«Mr. Shipp», sagte er und lehnte sich zurück, «Sie haben viele, oft mühsame Prozeduren über sich ergehen lassen müssen. Sie waren absolut erforderlich, obwohl ich natürlich schon nach der ersten kurzen Untersuchung wußte, daß Sie kein Magengeschwür hatten.

Doch ich wußte auch, daß Sie als der Mann, der Sie sind, und wegen der Arbeit, die Sie haben, mir nicht glauben würden. Sie wollten Beweise sehen. Und die habe ich jetzt hier.»

Er breitete die Röntgenaufnahmen und Berichte vor mir aus und erklärte sie mir. Es stand eindeutig fest – ich hatte kein Magengeschwür.

«Es kostet Sie eine Stange Geld», sagte der Arzt, «doch es ist die Sache wert. Und jetzt noch das Rezept. Ich verschreibe Ihnen folgendes: *Machen Sie sich keine Sorgen.*

Ja, ja» – er wehrte mit der Hand ab, als ich ihm meinen Standpunkt näher erklären wollte, «ja, ja, ich begreife, daß Sie meine Anordnung nicht sofort befolgen können. Deshalb gebe ich Ihnen eine Krücke mit. Hier sind ein paar Tabletten. Sie enthalten Belladonna. Nehmen Sie so viele, wie Sie wollen. Wenn Sie sie aufgebraucht haben, kommen Sie zu mir und holen sich neue. Sie schaden Ihnen nicht. Aber Sie werden sich entspannt fühlen, wenn Sie eine Tablette geschluckt haben.

Doch denken Sie immer daran: Eigentlich brauchen Sie sie gar nicht. Sie müssen nur aufhören, sich Sorgen zu machen.

Wenn Sie wieder von vorn anfangen, landen Sie zum zweitenmal bei mir, und das kostet Sie wieder eine Menge. Also, wie wär's?»

Ich wünschte, ich könnte Ihnen berichten, daß ich die Worte des Arztes sofort befolgte und aufhörte, mir Sorgen zu machen. Leider war es nicht so. Ich schluckte mehrere Wochen die Tabletten. Sie wirkten. Jedesmal fühlte ich mich *sofort* besser.

Aber ich fand es beschämend, Tabletten zu schlucken. Ich bin ein ziemlich großer Mann und wiege fast zweihundert Pfund. Trotzdem mußte ich diese kleinen weißen Dinger nehmen, damit ich mich entspannte. Wenn meine Freunde fragten, was ich da schluckte, war es mir peinlich, ihnen die Wahrheit zu sagen. Irgendwann begann ich, den komischen Aspekt der Geschichte zu sehen. «Hör mal, Cameron Shipp», sagte ich zu mir, «du führst dich auf wie ein Idiot. Du nimmst dich und dein bißchen Arbeit viel zu wichtig. Bette Davis und James Cagney und Edward G. Robinson waren weltberühmt, ehe du anfingst, die Werbetrommel für sie zu rühren. Und wenn du heute abend tot umfielst, würde Warner Brothers mitsamt seinen Stars auch ohne dich nicht zugrunde gehen. Sieh dir Eisenhower an, General Marshall, MacArthur,

Jimmy Doolittle und Admiral King – sie führen Krieg, ohne Pillen zu schlucken. Und du kannst nicht einmal als Vorsitzender eines Gewerkschaftsausschusses arbeiten, ohne diese kleinen weißen Dinger zu nehmen, damit dein Magen nicht tanzt und sich hin und her dreht wie die Wirbelstürme in Kansas.»

Da begann ich, meinen Stolz dareinzusetzen, ohne die Tabletten auskommen zu können. Schließlich warf ich sie in die Toilette. Abends war ich jetzt immer so rechtzeitig zu Hause, daß ich vor dem Essen ein Nickerchen machen konnte, und allmählich normalisierte sich mein Leben wieder. Jenen Internisten habe ich kein zweites Mal aufgesucht.

Doch ich schulde ihm viel, mehr als das Honorar, das mir damals sehr hoch erschien. Ihm verdanke ich es, daß ich über mich lachen kann. Allerdings glaube ich, daß er etwas noch viel Klügeres tat: Er lachte nicht über mich und erzählte mir auch nicht, daß ich keinen Grund hätte, mir Sorgen zu machen. Er nahm mich ernst. Ich konnte mein Gesicht wahren. Mit den Tabletten gab er mir eine Chance, mich mit Anstand aus der Affäre zu ziehen. Doch er wußte damals so wie ich heute, daß nicht die dummen kleinen Tabletten mich heilen würden – sondern nur eine Änderung meiner geistigen Einstellung.

Die Moral von dieser Geschichte: Manch einer, der jetzt noch Tabletten schluckt, sollte lieber Teil sieben dieses Buches lesen und lernen, wie man sich entspannt!

Meine Frau beim Geschirrspülen zu beobachten, war der beste Sorgenbrecher

von Reverend William Wood

Vor einigen Jahren litt ich an heftigen Magenschmerzen. Nachts pflegte ich deswegen zwei- oder dreimal aufzuwachen und konnte kaum wieder einschlafen. Ich hatte miterlebt, wie mein Vater an Magenkrebs starb, und fürchtete, ebenfalls krebskrank zu werden oder zumindest ein Magengeschwür zu bekommen. Schließlich fuhr ich ins Krankenhaus. Ein bekannter Magenspezialist untersuchte mich und röntgte mich und versicherte, daß ich weder ein Geschwür noch Krebs hätte. Meine Schmerzen, erklärte er, würden von emotionalen Spannungen verursacht. Da ich Pfarrer bin, lautete eine seiner ersten Fragen: «Sitzt ein alter Nörgler bei Ihnen im Kirchenrat?»

Er erzählte mir, was ich bereits wußte: daß ich zuviel auf einmal tun wollte. Abgesehen von meiner Sonntagspredigt und den verschiedenen Aktivitäten der Kirche gab es noch vieles mehr, um das ich mich kümmerte. Ich war Vorsitzender des Roten Kreuzes und der Kiwanis, und zwei- oder dreimal in der Woche fand eine Beerdigung statt.

Ich stand unter ständigem Druck. Ich konnte nie entspannen. Ich war immer gestreßt, hatte es eilig, fühlte mich körperlich überfordert. Bald erreichte ich den Punkt, an dem man sich über alles Sorgen macht. Mir war, als zittere ich immerzu. Ich hatte derartige Schmerzen, daß ich über den Rat des Arztes, auszuspannen, erleichtert war. Jeden Montag nahm ich mir jetzt frei und begann auch, verschiedene Pflichten und Beschäftigungen anderen zu überlassen.

Während ich meinen Schreibtisch aufräumte, hatte ich einen Einfall, der sich als äußerst hilfreich erwies. Ich sah einen Haufen alter Predigtnotizen und Memos über längst unwichtig gewordene Dinge durch. Ein Blatt nach dem anderen knüllte ich zusammen und warf es in den Papierkorb. Plötzlich hielt ich inne und sagte zu mir: «Bill, warum machst du es mit deinen Sorgen nicht ebenso?

Warum packst du deine Sorgen von gestern nicht auch zusammen und wirfst sie weg?» Diese Vorstellung beschwingte und beflügelte mich. Mir war, als habe man Zentnergewichte von meinen Schultern genommen. Von jenem Tag an machte ich es mir zur Pflicht, alle Probleme in den Papierkorb zu werfen, auf die ich keinen Einfluß mehr haben kann.

Dann, eines Tages, während ich abtrocknete, kam mir eine andere Idee. Meine Frau sang beim Abwaschen, und ich dachte im stillen: Sieh mal, Bill, wie glücklich deine Frau ist. Seit achtzehn Jahren sind wir verheiratet, und die ganze Zeit über hat sie immer wieder abgespült. Stell dir mal vor, sie hätte sich bei der Heirat ausgemalt, wie viele Teller und Tassen sie abwaschen würde. Eine ganz schöne Menge. Ein Berg von schmutzigem Geschirr, größer als eine Scheune. Schon der Gedanke allein hätte jede Frau entsetzt.

Dann überlegte ich weiter: Der Grund, warum es ihr nichts ausmacht, liegt darin, daß sie immer nur das Geschirr von einem Tag abspülen muß. Plötzlich erkannte ich, wo mein Problem lag. Ich wollte das Geschirr von heute und gestern waschen und dazu das von morgen, welches noch gar nicht schmutzig war.

Mir wurde bewußt, wie dumm ich mich benahm. Jeden Sonntagvormittag stand ich auf der Kanzel und predigte anderen Menschen, wie sie leben sollten, und ich selbst war gestreßt, besorgt, nervös. Ich schämte mich.

Heute lassen mich meine Sorgen kalt. Ich habe keine Magenschmerzen mehr. Ich schlafe wieder gut. Jetzt packe ich die Ängste von gestern zusammen und werfe sie in den Papierkorb und habe aufgehört, das schmutzige Geschirr von morgen schon heute waschen zu wollen.

> Erinnern Sie sich noch an den Ausspruch am Anfang dieses Buches? «Wenn die Bürde von morgen mit der von gestern heute getragen werden muß, wankt auch der Stärkste ...» Warum sollte man es also trotzdem versuchen?

Ich fand die Antwort

von Del Hughes

Bei einer Landeübung der Marine vor den Hawaii-Inseln holte ich mir drei gebrochene Rippen und ein Loch in der Lunge und kam ins Lazarett. Ich hatte vom Landeboot springen wollen, als eine große Welle es hob und ich das Gleichgewicht verlor. Ich schlug mit solcher Wucht im Sand auf, daß ich mir drei Rippen brach und die eine meine Lunge durchbohrte.

Drei Monate lag ich schon im Lazarett, da machte mir der Arzt eines Tages eine Eröffnung, die der größte Schock meines Lebens war. Er sagte, daß meine Genesung absolut keine Fortschritte mache. Nachdem ich lange und gründlich darüber nachgedacht hatte, wurde mir klar, daß meine Sorgen mich daran hinderten, gesund zu werden. Ich war immer ein sehr unternehmungslustiger Typ gewesen, und nun lag ich bereits seit drei Monaten flach auf dem Rücken im Bett, 24 Stunden am Tag, ohne etwas zu tun, und ich fing an zu grübeln. Und je mehr ich nachdachte, um so mehr Probleme bauten sich vor meinem geistigen Auge auf: Ich fragte mich, ob ich je wieder meinen Platz in der Welt einnehmen würde. Ob ich für den Rest meines Lebens ein Krüppel bleiben müßte. Und ob ich wohl eine Frau finden und ein Dasein wie alle anderen führen würde.

Ich bat den Arzt, mich in eine andere Krankenabteilung zu verlegen, die wir «Country Club» nannten, weil die Patienten dort fast alles tun durften, wozu sie Lust hatten.

Im «Country Club» begann ich mich für Bridge zu interessieren; in sechs Wochen hatte ich es gelernt, indem ich mit anderen Verwundeten spielte und auch die Bridgebücher las. Später spielte ich fast jeden Abend, solange ich im Lazarett war. Auch das Malen in Öl weckte meine Neugier, und so malte ich unter Anleitung eines Lehrers jeden Nachmittag von drei bis fünf Uhr. Ich schnitzte in Holz und Seife und las Bücher darüber und war auch davon begeistert. Ich hatte jeden Tag so viel vor, daß mir keine Zeit blieb, mir Sorgen zu machen. Ich begann sogar, Bücher über Psychologie zu lesen, die ich vom Roten Kreuz erhielt. Nach ein paar Monaten kamen Ärzte und Pflegepersonal zu mir und beglückwünschten mich, weil meine Gesundheit solche «erstaunlichen Fortschritte» gemacht hatte. Es waren die schönsten Worte, die ich seit langem gehört hatte. Ich hätte vor Freude am liebsten geschrien.

Was ich damit sagen möchte, ist folgendes: Während ich tatenlos flach auf dem Rücken im Bett lag und mir über meine Zukunft Sorgen machte, wurde ich nicht gesund. Ich vergiftete meinen Körper mit düsteren Gedanken. Selbst die gebrochenen Rippen wollten nicht heilen. Aber sobald ich mich ablenkte und Bridge spielte, malte und schnitzte, eröffneten mir die Ärzte, daß meine Gesundheit «erstaunliche Fortschritte» gemacht habe.

Heute bin ich völlig gesund und lebe ein normales Leben, und meine Lungen sind so gut wie die Ihren.

> Erinnern wir uns an George Bernard Shaws weise Worte: «Man ist nur unglücklich, weil man Zeit hat zu überlegen, ob man unglücklich ist oder nicht.» Darum: Bleiben Sie aktiv! Beschäftigen Sie sich!

Die Zeit heilt viele Wunden

von Louis T. Montant jr.

Ich verlor zehn Jahre meines Lebens, weil ich mir zu viele Sorgen machte. Dabei hätte es die fruchtbarste und reichste Zeit im Leben eines jungen Mannes sein müssen – die Jahre von achtzehn bis achtundzwanzig.

Heute ist mir klar, daß niemand anders schuld war als ich selbst.

Ich machte mir über alles Sorgen: meine Arbeit, meine Gesundheit, meine Familie, meinen Minderwertigkeitskomplex. Ich war so unsicher, daß ich oft auf die andere Straßenseite ging, wenn ich

Leute sah, die ich kannte. Wenn ich unterwegs Freunde entdeckte, tat ich häufig so, als bemerkte ich sie nicht, aus Angst, sie könnten mich verächtlich behandeln.

Ich hatte so Angst vor fremden Menschen – war in ihrer Gegenwart wie erstarrt –, daß ich innerhalb von zwei Wochen dreimal einen Job nicht bekam, weil ich nicht den Mut besaß, meinen zukünftigen Chefs zu erzählen, was ich konnte.

Dann, an einem Tag vor acht Jahren, wurde alles anders – seitdem mache ich mir kaum noch Sorgen. An jenem Nachmittag saß ich im Büro eines Mannes, der viel mehr Schwierigkeiten gehabt hatte, als ich je haben würde, und trotzdem war er einer der heitersten Menschen, denen ich je begegnet bin. Sein Vermögen war in der Wirtschaftsdepression draufgegangen, später hatte er noch zweimal sein ganzes Geld verloren. Er hatte Bankrott erklärt und war von Feinden und Gläubigern verfolgt worden. Probleme und Schwierigkeiten, die jeden andern Menschen zerbrochen und zum Selbstmord getrieben hätten, schüttelte er ab wie die Ente das Wasser.

Als ich damals vor acht Jahren in seinem Büro saß, beneidete ich ihn und wünschte, daß mich Gott auch so geschaffen hätte wie ihn.

Während unserer Unterhaltung gab er mit plötzlich einen Brief, den er am Vormittag erhalten hatte, und sagte: «Lesen Sie mal!»

Es war ein empörter Brief, in dem einige unangenehme Fragen gestellt wurden. Wenn ich ihn erhalten hätte, würde mich das schrecklich deprimiert haben. «Was werden Sie antworten?» fragte ich.

«Tja, also», antwortete er, «ich werde Ihnen mal ein kleines Geheimnis verraten. Wenn Sie das nächstemal ein Problem haben, nehmen Sie Papier und Bleistift und setzen sich hin und schreiben Ihre Sorgen genau auf. Dann legen Sie den Bogen in die rechte untere Schublade Ihres Schreibtischs, warten ein paar Wochen und sehen ihn sich wieder an. Beschäftigt Sie das Problem immer noch, lassen Sie ihn für die nächsten zwei Wochen weiter in der rechten unteren Schublade liegen. Dort sind Ihre Notizen sicher. Es passiert ihnen nichts. Aber inzwischen kann mit Ihren Sorgen viel geschehen. Ich habe festgestellt, daß die Sorgen, die mich plagen, oft in sich zusammenfallen wie ein Luftballon, den man ansticht. Man muß nur Geduld genug haben.»

Sein Rat machte großen Eindruck auf mich. Seit Jahren befolge ich diese klugen Worte nun schon, und das Ergebnis ist, daß ich mir kaum noch Sorgen mache.

Die Zeit heilt viele Dinge. Vielleicht löst sie auch die Probleme, die *Sie* heute haben.

Ich durfte kein Wort sprechen und auch nicht einen Finger bewegen

von Joseph L. Ryan

Vor einigen Jahren mußte ich als Zeuge vor Gericht aussagen, und das brachte eine Menge Sorgen und Aufregungen mit sich. Nach dem Prozeß fuhr ich mit der Bahn nach Hause und brach im Zug völlig zusammen. Es war mein Herz. Ich bekam kaum noch Luft.

Zu Hause gab mir der Arzt eine Spritze. Ich lag nicht im Bett – ich war nur noch bis zur Couch im Wohnzimmer gekommen. Als ich das Bewußtsein wiedererlangte, stand der Priester unserer Kirche da und gab mir die Letzte Ölung.

Ich sah die Betroffenheit und den Kummer auf den Gesichtern meiner Familienangehörigen. Ich wußte, daß meine Stunde geschlagen hatte. Wie ich später erfuhr, hatte der Arzt meine Frau darauf vorbereitet, daß ich wahrscheinlich keine halbe Stunde mehr leben würde. Mein Herz war so schwach, daß ich nicht sprechen oder auch nur einen Finger bewegen durfte.

Ich war nie ein Heiliger gewesen, doch eines hatte ich gelernt – nicht mit Gott zu rechten. Deshalb schloß ich jetzt meine Augen und dachte: Doch nicht wie ich will, sondern wie du willst ...

Sobald ich dies dachte, schien ich mich völlig zu entspannen.

Meine Todesangst verschwand, und ich fragte mich ruhig, was als Schlimmstes passieren könnte. Nun, wahrscheinlich waren das die entsetzlichen Schmerzen, die Krämpfe – und dann würde alles vorüber sein. Ich würde vor meinem Schöpfer stehen und Frieden finden.

Ich lag auf der Couch und wartete eine Stunde, doch die Schmerzen kamen nicht wieder. Schließlich überlegte ich, was ich mit meinem Leben anfangen würde, wenn ich *nicht* starb. Ich beschloß, daß ich mit allen Kräften versuchen würde, gesund zu werden. Ich würde aufhören, mich durch Streß und Sorgen zu ruinieren, und alles daran setzen, wieder so fit zu werden wie früher.

Das ist nun schon mehrere Jahre her. Heute bin ich voll Energie, und sogar mein Arzt staunt über die neugewonnene Gesundheit meines Herzens, die an meinem EKG abzulesen ist. Ich mache mir keine Sorgen mehr. Ich habe wieder Freude am Leben. Ich muß ehrlich sagen – wenn ich nicht mit dem Schlimmsten konfrontiert worden wäre, meinem baldigen Tod, und versucht hätte, etwas dagegen zu tun, wäre ich wohl nicht mehr hier. Ich hatte mich mit dem Schlimmsten abgefunden, sonst wäre ich vor Angst und Panik gestorben.

Joseph L. Ryan lebt heute noch, weil er die im 2. Kapitel beschriebene Zauberformel anwendete: Akzeptieren Sie das Schlimmste, das passieren kann.

Ich kann glänzend abschalten

von Ordway Tead

Sich Sorgen zu machen, ist eine Gewohnheit – eine Gewohnheit, die ich schon vor langer Zeit aufgegeben habe. Ich glaube, daß ich ohne Angst und Sorgen leben kann, beruht zum größten Teil auf den drei folgenden Dingen:

1. Ich bin zu beschäftigt, um in selbstzerstörerischen Ängsten zu schwelgen. Eigentlich habe ich drei Berufe, von denen einer allein schon eine Ganztagsbeschäftigung wäre. Ich halte Vorlesungen an der Columbia-Universität. Ich bin Vorsitzender des Verwaltungsausschusses der Schulbehörde von New York. Und ich bin Cheflektor der Sachbuchabteilung von Harper and Brothers. Die großen Ansprüche, die alle drei Aufgaben an mich stellen, lassen mir keine Zeit zum Grübeln und Brüten.

2. Ich kann glänzend abschalten. Wenn ich von einer Arbeit zur anderen wechsle, lasse ich alle Gedanken an die Probleme fallen, mit denen ich mich vorher beschäftigte. Ich finde es anregend und erholsam, etwas Neues zu beginnen. Es klärt meine Gedanken.

3. Ich mußte mich erst dazu erziehen, nach Büroschluß nicht mehr an meine Probleme und Schwierigkeiten zu denken. Mit großer Hartnäckigkeit kehrten sie immer wieder zurück und zogen einen Rattenschwanz zusätzlicher Probleme nach sich, mit denen ich mich auch auseinandersetzen sollte. Wenn ich alle offengebliebenen Fragen in meinem Kopf mit nach Hause geschleppt und weiter über sie nachgedacht hätte, würde ich meine Gesundheit ruiniert und mir außerdem die Möglichkeit verbaut haben, eine Antwort auf sie zu finden.

Für Ordway Tead waren die vier guten Arbeitsgewohnheiten zur Selbstverständlichkeit geworden. Erinnern Sie sich noch an das 26. Kapitel?

Wenn ich nicht aufgehört hätte, mir Sorgen zu machen, läge ich längst im Grab

von Connie Mack

Ich war über 63 Jahre im Baseballgeschäft. Am Anfang bekam ich nicht einmal Geld dafür. Damals spielten wir auf leeren Baugrundstücken und stolperten über rostige Blechbüchsen und alte Pferdehalfter. Nach dem Spiel ließen wir den Hut herumgehen. Die Einnahmen waren sehr mager, was vor allem mich schlimm traf, denn ich mußte meine verwitwete Mutter und meine jüngeren Geschwister unterstützen. Manchmal gab's für die Mannschaft mittags nur Erdbeeren oder auf Steinen gebackene Muscheln.

Ich hatte eine Menge Gründe, mir Sorgen zu machen. Ich bin der einzige Baseballtrainer, dessen Mannschaft sieben Jahre hintereinander den Tabellenletzten machte. Ich bin der einzige Trainer, der in acht Jahren achthundert Spiele verlor. Wenn ich ein paar Spiele hintereinander nicht gesiegt hatte, machte ich mir so viele Sorgen, daß ich kaum essen und schlafen konnte. Doch vor 25 Jahren hörte ich damit auf, und ich bin heute noch fest davon überzeugt, daß ich längst im Grab liegen würde, wenn ich weiter gegrübelt und gebrütet hätte.

Wenn ich jetzt auf mein langes Leben zurückblicke, glaube ich, daß mir folgende Überlegungen dabei halfen, meine Sorgen zu besiegen:

1. Ich erkannte die Sinnlosigkeit. Mir wurde klar, daß es nirgendwo hinführte, sich Sorgen zu machen, und es meiner Karriere nur schaden konnte.

2. Ich sah ein, daß Sorgen meine Gesundheit untergruben.

3. Ich beschäftigte mich so viel mit kommenden Spielen und trainierte so viel mit der Mannschaft, daß ich keine Zeit hatte, an vergangene Niederlagen zu denken.

4. Ich machte es mir zum Prinzip, Fehler erst 24 Stunden nach einem Spiel mit dem betreffenden Spieler durchzusprechen. Zu Anfang zog ich mich in der Gemeinschaftskabine mit um. Wenn die Mannschaft verloren hatte, konnte ich mich nicht beherrschen und

kritisierte die Spieler und stritt erbittert mit ihnen über ihre Niederlage. Ich stellte fest, daß dies meine Sorgen nur vermehrte. Kritik vor den andern stieß die Spieler vor den Kopf. Sie wurden böse. Da ich mir meiner nicht sicher war und nicht wußte, ob ich meine Zunge im Zaum halten konnte, traf ich die Mannschaft nach einer Niederlage prinzipiell nie sofort. Erst am nächsten Tag sprachen wir über alles. Inzwischen hatte ich mich etwas beruhigt, die Fehler wirkten nicht mehr so riesig und bedrohlich, und ich konnte sachlich bleiben. Und die Leute wurden nicht wütend und brauchten sich nicht zu verteidigen.

5. Ich bemühte mich, die Spieler zu ermuntern und mit lobenden Worten aufzubauen, statt sie mit Fehlerkritik zu verunsichern. Ich versuchte, für jeden ein gutes Wort zu haben.

6. Ich stellte fest, daß ich mir mehr Sorgen machte, wenn ich müde war. Deshalb blieb ich zehn Stunden im Bett und machte jeden Nachmittag ein Nickerchen. Sogar fünf Minuten zu schlafen, nützte schon viel.

7. Ich bin überzeugt, daß ich viele Sorgen vermied und auch länger lebe, weil ich immer aktiv geblieben bin. Ich bin jetzt fünfundachtzig, aber ich höre noch lange nicht auf. Erst wenn ich immer wieder dieselbe Geschichte erzähle, gebe ich auf. Dann weiß ich, daß ich alt werde.

Connie Mack las niemals ein Buch wie *Sorge dich nicht – lebe!* Er fand selber heraus, was ihm guttat. Warum stellen Sie nicht auch einmal eine Liste mit den Punkten zusammen, die zur Lösung Ihrer Probleme beigetragen haben? Am besten schreiben Sie sie gleich auf!

Magengeschwür und Sorgen verschwanden, weil ich den Job wechselte und meine geistige Einstellung änderte

von Arden W. Sharpe

Vor fünf Jahren hatte ich viele Sorgen, war deprimiert und krank. Der Arzt meinte, ich hätte ein Magengeschwür. Man setzte mich auf Diät. Ich trank Milch und aß Eier, bis mir allein schon beim Gedanken daran übel wurde. Aber ich erholte mich nicht. Eines Tages las ich zufällig einen Artikel über Krebs und bildete mir plötzlich ein, die typischen Symptome zu haben. Jetzt machte ich mir nicht nur Sorgen. Jetzt war ich halb tot vor Angst. Natürlich bekam ich daraufhin wieder entsetzliche Magenschmerzen. Der schlimmste Schlag für mich aber war meine Armeeuntauglichkeit. Und das mit vierundzwanzig! Offenbar war ich körperlich ein Wrack – in den Jahren, wo man vor Kraft strotzen sollte.

Ich war am Ende. Ich konnte nicht den kleinsten Hoffnungsschimmer entdecken. In meiner Verzweiflung versuchte ich zu ergründen, wie ich mich in diese entsetzliche Situation gebracht hatte. Langsam dämmerte mir die Wahrheit. Noch vor zwei Jahren war ich glücklich und gesund gewesen. Mein Beruf als Vertreter hatte mir Spaß gemacht. Aber wegen der Produktionsschwierigkeiten hatte ich meinen Job aufgeben müssen. Jetzt arbeitete ich in einer Fabrik. Ich haßte die Arbeit, und, was noch schlimmer war, ich hatte mich zu meinem Pech mit Leuten eingelassen, die alles nur negativ sahen und immer das Schlechteste dachten. Nichts paßte ihnen, ständig schimpften sie über die Arbeit und meckerten über den Lohn, die Arbeitszeit, den Chef und so weiter. Mir wurde klar, daß ich unbewußt ihre haßerfüllte Einstellung allen Dingen gegenüber angenommen hatte.

Langsam erkannte ich, daß meine negativen Gedanken und bitteren Gefühle schuld an dem Magengeschwür waren. Da beschloß ich, in den Beruf zurückzukehren, der mir gefiel – den des Vertreters, und mir Freunde zu suchen, die positiv dachten, fröhlich und zuversichtlich waren. Dieser Entschluß rettete mir wahrscheinlich das Leben. Gezielt suchte ich mir jetzt privat und beruflich Menschen aus, die glücklich und optimistisch waren und keine Sorgen hatten – und keine Magengeschwüre. Sobald sich meine Gefühle änderten, benahm sich auch mein Magen anders. Innerhalb kurzer Zeit vergaß ich, daß ich je ein Magengeschwür gehabt hatte. Bald begriff ich, daß man von anderen Menschen ebensoleicht Gesundheit, Fröhlichkeit und Erfolg annehmen kann wie Sorgen, Verbitterung und Mißerfolge. Dies ist die wichtigste Lektion, die ich je gelernt habe. Das liegt nun schon lange zurück. Natürlich hatte ich viel darüber gehört und auch gelesen, doch erst bittere Erfahrungen brachten mich dazu, es auch zu glauben. Heute weiß ich, was Jesus meinte, als er sagte: «Wie ein Mensch denkt in seinem Herzen, so ist er.»

Heute warte ich auf das grüne Signal

von Joseph M. Cotter

Schon als kleines Kind, später als Junge und auch als Erwachsener machte ich mir Sorgen. Ich betrieb es so eifrig, als sei es mein Beruf. Es waren viele Probleme und Schwierigkeiten, über die ich nachgrübelte, manche waren echt, doch die meisten bildete ich mir nur ein. Ganz selten passierte es auch, daß es nichts gab, weswegen ich mir Sorgen hätte machen müssen – und dann überlegte ich ängstlich, ob ich nicht irgend etwas übersehen hätte.

Dann, vor zwei Jahren, begann ich mein Leben zu ändern. Dazu mußte ich meine Fehler – und einige wenige Tugenden – analysieren, eine genaue und furchtlose moralische Inventur von mir selbst machen. Dabei kam die Ursache all meiner Probleme klar zum Vorschein.

Tatsache war, daß ich nicht im Heute leben konnte. Ich grübelte über die Fehler von gestern nach und hatte Angst vor der Zukunft.

Man sagte mir wieder und wieder, daß «heute das Morgen sei, über das ich mir gestern Sorgen gemacht hatte», doch bei mir funktionierte es nicht. Man riet mir, mein Leben einzuteilen in einen Zeitplan von jeweils 24 Stunden. Man sagte mir, daß der heutige Tag der einzige sei, auf den ich Einfluß habe, und ich ihn so gut wie irgend möglich nützen müsse. Dann sei ich auch so beschäftigt, daß ich keine Zeit habe, mir über einen anderen Tag Sorgen zu machen – ob in Vergangenheit oder Zukunft. Das alles klang logisch, doch irgendwie fiel es mir schwer, diese verdammten Ratschläge in die Tat umzusetzen.

Dann fand ich plötzlich die Lösung – sie kam wie ein Schuß aus dem Dunkeln. Und wo, glauben Sie, entdeckte ich sie? Auf einem Bahnsteig an einem Abend um sieben Uhr. Es war ein großes Erlebnis für mich. Deshalb erinnere ich mich noch genau an die Zeit.

Wir brachten ein paar Freunde zum Zug. Sie hatten Urlaub gemacht und wollten mit dem «City of Los Angeles»-Expreß nach Hause fahren. Es war ein ziemliches Gedränge, und deshalb kamen meine Frau und ich nicht mit ins Abteil. Wir wanderten den Bahnsteig entlang bis zum Anfang des Zuges. Ein paar Augenblikke stand ich da und bewunderte die stromlinienförmige Lokomotive. Dann blickte ich die Schienen entlang und sah ein großes Signal. Sein gelbes Licht blinkte. Kurze Zeit später wechselte es auf ein helles Grün. Im selben Augenblick rief der Schaffner: «Alles einsteigen!», und ein paar Sekunden später bewegte sich die Lokomotive, und der Zug machte sich auf seine fast 4000 Kilometer lange Reise.

Viele Gedanken wirbelten mir durch den Kopf. Irgend etwas sollte ich begreifen. Ich erlebte ein Wunder: Plötzlich dämmerte es mir. Der Zug war die Antwort, nach der ich schon so lange suchte. Er hatte seine weite Reise angetreten, weil ein einziges Signal auf Grün stand. Aber wenn *ich* der Lokomotivführer gewesen wäre, hätte ich alle Signale der ganzen Strecke vorher kennen wollen! Das war selbstverständlich unmöglich, trotzdem versuchte ich genau das in meinem Leben zu praktizieren – ich saß am Bahnhof und fuhr nirgendwo hin, weil ich Dinge wissen wollte, die man nicht wissen konnte.

Immer mehr Gedanken kamen. Der Zugführer machte sich keine Sorgen wegen möglicher Probleme, die unterwegs auftauchen könnten. Vermutlich würde es öfters Verspätung geben, mal mußte er langsamer fahren, mal schneller, aber wozu hatte er seine Signale? Gelbes Licht – Geschwindigkeit verringern und abwarten. Rotes Licht – Gefahr, halt! Daher war das Reisen mit dem Zug auch so sicher. Die Signale wachten darüber.

Ich fragte mich, warum es in meinem Leben kein gut funktionierendes Stellwerk gab. Die Antwort war: Es gab eines! Gott hatte es mir gegeben. Er kontrollierte es, und deshalb war es unfehlbar. Ich begann, nach grünen Signalen zu suchen. Wo würde ich eines finden? Nun, wenn Gott diese Signale gemacht hatte, warum nicht ihn selbst fragen? Und genau das tat ich.

Wenn ich jetzt morgens bete, bekomme ich mein grünes Signal für den Tag. Manchmal ist es auch gelb, dann passe ich auf. Und bei Rot bremse ich, ehe ich mir den Kopf einrenne.

Seit jener Entdeckung vor zwei Jahren kenne ich keine Sorgen mehr. In dieser Zeit ist das Signal über siebenhundertmal auf Grün gestanden, und die Reise durchs Leben ist sehr viel leichter geworden, weil ich nicht mehr darüber nachgrüble, welche Farbe das nächste Signal wohl haben wird. Es ist nicht mehr wichtig, weil ich weiß, wie ich mich verhalten muß.

Wie John D. Rockefeller mit geborgter Zeit noch fünfundvierzig Jahre weiterlebte

Mit dreiunddreißig Jahren hatte John D. Rockefeller sen. seine erste Million verdient, mit dreiundvierzig die größte Monopolgesellschaft der Welt aufgebaut – die Standard Oil. Aber wo war er mit dreiundfünfzig? In diesem Alter hatten ihn die Sorgen eingeholt. Sorgen und ein Leben unter Hochspannung hatten seine Gesundheit untergraben. Mit dreiundfünfzig sah er aus «wie eine Mumie». Das berichtet einer seiner Biographen, John K. Winkler.

In diesem Alter litt Rockefeller an geheimnisvollen Verdauungsstörungen. Die Haare fielen ihm aus, er verlor sogar die Wimpern, und von den Brauen war nur noch ein Schimmer zu erkennen. «Sein Zustand war so besorgniserregend», schreibt Winkler, «daß John D. einmal sogar von Muttermilch leben mußte.» Wie die Ärzte feststellten, hatte er Alopezie, das heißt Haarschwund, der häufig durch Nervosität verursacht wird. Er sah mit seinem völlig kahlen Schädel so seltsam aus, daß er ein Käppchen trug. Später ließ er sich Perücken machen, das Stück zu 500 Dollar, und für den Rest seines Lebens kannte ihn jeder nur mit einem dieser silberweißen Dinger auf dem Kopf.

Ursprünglich war Rockefeller mit einer eisernen Konstitution gesegnet gewesen. Er wuchs auf einer Farm auf, hatte kräftige Schultern, eine gerade Haltung und einen energischen, raschen Schritt.

Doch schon mit dreiundfünfzig Jahren – für die meisten Menschen die beste Zeit – ließ er die Schultern hängen und watschelte mehr, als daß er ging. «Wenn er sich im Spiegel betrachtete», schreibt John T. Flynn, ein anderer seiner Biographen, «sah er einen alten Mann. Die nie enden wollende Arbeit, die ständigen Sorgen, der viele Mißbrauch, den er mit sich getrieben hatte, die schlaflosen Nächte und der Mangel an Bewegung und Ruhe» hatten ihren Tribut gefordert. Das Leben hatte ihn in die Knie gezwungen. Er war jetzt der reichste Mann der Welt, und doch mußte er von einer Diät leben, die selbst arme Leute nicht gern gegessen hätten. Zu jener Zeit betrug sein Einkommen eine Million Dollar in der Woche. Zwei Dollar wöchentlich hätten wahrscheinlich genügt, um die Nahrung zu bezahlen, die er zu sich nehmen konnte. Saure Milch und ein paar Kekse waren alles, was die Ärzte ihm erlaubten. Seine Haut hatte die Farbe verloren. Sie sah aus wie altes Pergament, das man über seine Knochen gespannt hatte. Und nur, weil er die beste ärztliche Pflege hatte, die man für Geld kaufen konnte, blieb er am Leben.

Wie kam es überhaupt soweit? Sorgen, Wutausbrüche, Streß, Nervosität. Er brachte sich buchstäblich selbst an den Rand des

Grabes. Schon mit dreiundzwanzig Jahren verfolgte Rockefeller sein Ziel mit solcher Entschlossenheit, daß nach Aussage der Leute, die ihn kannten, «nichts seine Miene aufhellen konnte außer der Nachricht von einem guten Geschäft». Wenn er einen großen Gewinn gemacht hatte, führte er einen kleinen Kriegstanz auf. Er warf seinen Hut auf den Boden und hopste im Kreis herum. Wenn er Geld verlor, wurde er krank! Einmal versandte er Getreide im Wert von 40000 Dollar per Schiff über die Großen Seen. Keine Versicherung. Die war ihm zu teuer: 150 Dollar. In der Nacht tobte über dem Erie-See ein Sturm, und Rockefeller machte sich wegen der Ladung große Sorgen. Als sein Partner George Gardner am Morgen ins Büro kam, war John D. schon da und lief nervös hin und her.

«Schnell, schnell!» rief er aufgeregt. «Vielleicht können wir das Getreide noch versichern, falls es nicht schon zu spät ist.» Gardner eilte davon und schloß die Versicherung ab. Bei seiner Rückkehr ins Büro war John D. völlig aus dem Häuschen, denn inzwischen war ein Telegramm eingetroffen, daß die Lieferung angekommen sei. Daß er 150 Dollar verschwendet hatte, machte John D. tatsächlich krank. Er mußte nach Hause fahren und sich ins Bett legen. Beinahe nicht zu glauben! Damals erzielte seine Firma 500000 Dollar brutto im Jahr, und John D. regte sich über den Verlust von 150 Dollar so auf, daß er sich ins Bett legen mußte!

Er hatte keine Zeit für Vergnügen und Erholung, er hatte für nichts Zeit als fürs Geldverdienen und für seine Arbeit in der Sonntagsschule. Als sein Partner George Gardner zusammen mit drei anderen Männern für 2000 Dollar eine gebrauchte Jacht kaufte, war John D. entsetzt und weigerte sich, mitzusegeln. Gardner kam einmal an einem Sonnabendnachmittag ins Büro, und John D. arbeitete noch. «Komm, John», sagte Gardner, «gehen wir segeln. Es wird dir guttun. Vergiß die Arbeit, und gönn dir ein Vergnügen.»

Rockefeller starrte ihn wütend an. «George Gardner», sagte er warnend, «du bist der verschwenderischste Mensch, der mir je begegnet ist. Du schadest deinem Ruf bei den Banken und meinem auch. Ehe du dich versiehst, hast du unsere Firma ruiniert. Nein, ich setze keinen Fuß auf deine Jacht. Ich will sie nicht einmal sehen!» Und er blieb im Büro und arbeitete den ganzen Nachmittag weiter.

Dieser Mangel an Humor, dieser Mangel an Perspektive war für John D. Rockefellers ganzes Berufsleben typisch. Jahre später sagte er einmal: «Abends habe ich nie den Kopf auf das Kissen gelegt, ohne daran zu denken, wie vergänglich Erfolg ist.»

Obwohl ihm Millionen zur Verfügung standen, legte er sich nie schlafen, ohne sich Sorgen um sein Vermögen zu machen. Kein Wunder, daß er sich die Gesundheit ruinierte. Er hatte nie Zeit für Vergnügen und Erholung, ging nicht ins Theater, spielte nicht Karten, besuchte keine Partys. Wie Mark Hanna sagte, war John D. verrückt nach Geld. «Sonst in jeder Beziehung normal, aber verrückt nach Geld.»

Rockefeller gestand einem Nachbarn in Cleveland, Ohio, daß er «sich danach sehnte, geliebt zu werden», doch er war so kalt und mißtrauisch, daß ihn nur wenig Menschen mochten. Der Bankier Pierpont Morgan schimpfte einmal, daß er mit John D. überhaupt Geschäfte machen müsse. «Ich will nichts mit ihm zu tun haben.» Rockefellers eigener Bruder haßte ihn so, daß er die Leichen seiner Kinder aus dem Familiengrab holen und woanders begraben ließ. «Kein Mensch von meinem Blut», sagte er, «soll je in einer Erde ruhen, die John D. gehört.» Rockefellers Mitarbeiter und Partner lebten in heiliger Furcht vor ihm, doch die Ironie wollte es, daß *er* Angst vor *ihnen* hatte. Er befürchtete, sie könnten außerhalb des Büros reden und «Geheimnisse verraten». Er glaubte so wenig an das Gute im Menschen, daß ihm ein unabhängiger Raffineriebesitzer versprechen mußte, kein Wort über den Zehnjahresvertrag verlauten zu lassen, den sie zusammen abgeschlossen hatten, auch nicht zu seiner Frau. «Den Mund halten und sich um sein Geschäft kümmern», das war seine Devise.

Auf dem Höhepunkt seiner Karriere, als das Gold in seine Tresore floß wie die heiße gelbe Lava vom Vesuv, brach seine Welt zusammen. Bücher und Zeitungsartikel erschienen über den Strauchritter von Standard Oil und seine Feldzüge, seine heimlichen Rabatte für die Eisenbahnen, die erbarmungslose Vernichtung seiner Konkurrenten.

Auf den Ölfeldern von Pennsylvanien war John D. Rockefeller

der bestgehaßte Mann der Erde. Von den Männern, die er ruiniert hatte, wurde er durch eine Puppe symbolisch gehängt. Viele von ihnen hätten ihm am liebsten eine Schlinge um den welken Hals gelegt und ihn am Ast eines Apfelbaums baumeln gesehen. Eine Flut von Brand- und Protestbriefen ergoß sich in sein Büro, in manchen drohte man ihm mit dem Tod. Er heuerte zu seinem Schutz Leibwächter an. Er versuchte, diesen Wirbelsturm von Haß zu ignorieren. «Sie können mich treten und mißbrauchen – Hauptsache, ich kann so leben, wie ich will», sagte er einmal voll Zynismus. Dann entdeckte er, daß er doch auch ein Mensch war. Er wurde mit dem Haß nicht fertig, und mit den Sorgen ebensowenig. Seine Gesundheit ließ nach. Er war erstaunt und bestürzt über diesen neuen Feind – Krankheit –, der ihn von innen her anfiel. Anfangs «verschwieg er sein gelegentliches Unwohlsein», versuchte, es zu verdrängen. Doch bald konnte er Schlaflosigkeit, Verdauungsstörungen und Haarausfall – alles körperliche Symptome für Sorgen und Überbeanspruchung – nicht mehr verheimlichen. Schließlich eröffneten ihm die Ärzte die erschreckende Wahrheit. Er hatte die Wahl: Geld und Sorgen oder sein Leben. Sie warnten ihn: Entweder er ziehe sich von seinen Geschäften zurück oder er müsse sterben. Er gab alles auf. Allerdings hatten Sorgen, Habgier und Angst seine Gesundheit schon untergraben. Als Ida Tarbell, Amerikas bekannteste Verfasserin von Biographien, ihn sah, war sie entsetzt. Sie schrieb: «Ein erschreckend altes Gesicht. So einen alten Mann hatte ich noch nie getroffen.» Wieso alt? Rockefeller war damals mehrere Jahre jünger als General MacArthur bei der Wiedereroberung der Philippinen! Er war eine solche Ruine, daß er Ida Tarbell leid tat. Sie arbeitete damals an ihrem sehr fundierten kritischen Buch über die Standard Oil und das, wofür sie stand, und hatte gewiß keinen Grund, den Mann zu lieben, der diese «Krake» ins Leben gerufen hatte. Doch als sie John D. Rockefeller beim Unterricht in der Sonntagsschule beobachtete und sah, wie er gierig in den Gesichtern der Kinder forschte, da «beschlich mich ein Gefühl, auf das ich nicht gefaßt gewesen war und das immer stärker wurde. *Ich hatte Mitleid mit ihm.* Es gibt keinen schlimmeren Weggenossen als die Angst.»

Um sein Leben zu retten, machten die Ärzte Rockefeller drei

Vorschriften, die er für den Rest seines Lebens buchstabengetreu erfüllte. Es waren folgende:

1. Vermeiden Sie alle Sorgen. Sie dürfen sich unter keinen Umständen über irgend etwas Sorgen machen und sich aufregen.

2. Entspannen Sie sich und verschaffen Sie sich viel Bewegung an der frischen Luft.

3. Achten Sie auf Ihr Essen. Hören Sie auf zu essen, wenn Sie noch ein wenig hungrig sind.

John D. Rockefeller hielt sich an diese Vorschriften. Und das rettete ihm wahrscheinlich das Leben. Er setzte sich zur Ruhe. Er lernte Golf. Er begann, im Garten zu arbeiten, er plauderte mit seinen Nachbarn, er spielte, er sang.

Doch er tat noch etwas anderes. «Während der Tage voll Schmerzen und der Nächte ohne Schlaf», schreibt Winkler, «hatte John D. Zeit zum Nachdenken.» Er fing an, sich mit anderen Menschen zu beschäftigen. Er hörte auf zu überlegen, wieviel Geld er verdienen könnte, und fragte sich, wieviel sein Geld in Form von menschlichem Glück wohl wert sei.

Kurz und gut, Rockefeller fing an, seine Millionen wegzugeben! Manchmal war dies nicht einfach. Wenn er einer Kirche Geld anbot, donnerte es im ganzen Land von den Kanzeln, daß es schmutziges Geld sei! Er ließ sich nicht entmutigen. Er hörte von einem armen kleinen College am Ufer des Michigan-Sees, das wegen seiner hohen Hypotheken geschlossen werden sollte. Er half und pumpte Millionen Dollar in jene Schule und machte daraus die heute weltberühmte Universität von Chicago. Er bemühte sich, den Schwarzen zu helfen. Er spendete Geld für farbige Universitäten wie Tuskegee College, wo Mittel gebraucht wurden, um George Washington Carvers Werk fortzusetzen. Er unterstützte den Kampf gegen den Hakenwurm. Als Dr. Charles W. Stiles, Spezialist auf diesem Gebiet, erklärte: «Medikamente im Wert von fünfzig Cent können einen Menschen von der im Süden grassierenden Hakenwurmkrankheit heilen, doch wer wird sie spenden?», da griff Rockefeller ein. Er spendete Millionen für diesen Zweck, und eine der größten Plagen, die den Süden je heimgesucht hatten, verschwand. Und er ging noch weiter. Er errichtete eine große internationale Stiftung, die Rockefeller

Foundation, die Krankheit und Unwissenheit auf der ganzen Welt bekämpft.

Ich spreche mit großer Dankbarkeit von dieser Einrichtung, denn ohne sie wäre ich wohl nicht mehr am Leben. Wie gut erinnere ich mich noch an meinen Aufenthalt in China im Jahr 1932. Damals herrschte in Peking die Cholera. Die chinesischen Bauern starben wie die Fliegen. Und mitten in all diesen Schrecken konnten wir zum Rockefeller Medical College gehen und uns eine Schutzimpfung geben lassen. Chinesen und Ausländer, alle wurden geimpft. Damals erhielt ich zum erstenmal einen Begriff davon, was die Rockefeller-Millionen für die Welt bedeuteten.

In der Geschichte gab es bisher nichts, was auch nur im entferntesten an die Rockefeller Foundation erinnert. Sie ist einzigartig. John D. wußte, daß in allen Ländern der Erde Menschen mit Weitblick an vielen guten Projekten arbeiteten. Schulen und Universitäten werden gegründet, in Technik und Wissenschaft wird geforscht und geplant, Krankheiten werden bekämpft. Doch nur zu oft müssen hochherzige Ziele aufgegeben werden, weil das Geld fehlt. John D. beschloß, diesen Pionieren der Menschheit zu helfen, nicht etwa, indem er ihnen die Arbeit abnahm, sondern indem er ihnen eine gewisse Summe gab, so daß sie sich selbst helfen konnten. Heute können Sie und ich John D. Rockefeller für das Wunder des Penicillins danken und für Dutzende anderer Entdeckungen, die sein Geld zu finanzieren half. Sie können ihm dafür danken, daß Ihre Kinder nicht mehr an Genickstarre sterben, einer Krankheit, die bei vier von fünf Kindern tödlich verlief. Und Sie können ihm danken für manche Fortschritte, die im Kampf gegen Malaria und Tuberkulose erzielt worden sind, gegen Grippe und Diphtherie und viele andere Krankheiten, die unsere Welt immer noch heimsuchen.

Und was war mit Rockefeller selbst? Fand er Frieden durch seine Wohltätigkeit? Ja, er kam mit sich ins reine. «Wenn die Öffentlichkeit glaubt, daß er nach 1900 nur noch über den Angriffen auf die Standard Oil brütete», schreibt Allan Nevins, «dann täuscht sie sich gewaltig.»

Rockefeller war glücklich. Er hatte sich gründlich geändert und machte sich überhaupt keine Sorgen mehr. Er schlief nicht eine

Nacht schlechter, als er die größte Niederlage seiner Karriere hinnehmen mußte.

Die Gesellschaft, die er aufgebaut hatte, die riesige Standard Oil, wurde gezwungen, «die schwerste Geldbuße der Geschichte» zu bezahlen. Nach Ansicht der Regierung der Vereinigten Staaten verstieß das Monopol, das die Standard Oil besaß, gegen die Antitrustgesetze. Die Auseinandersetzung dauerte fünf Jahre. Die besten juristischen Köpfe des Landes kämpften unermüdlich im längsten Gerichtsstreit, den es bis dahin in der Geschichte gegeben hatte. Die Standard Oil verlor schließlich.

Als der Richter das Urteil sprach, fürchteten die Verteidiger, daß es den alten John D. hart treffen würde. Sie wußten nicht, wie sehr er sich verändert hatte.

Am Abend rief einer der Anwälte John D. an und berichtete ihm so vorsichtig wie möglich von der gefallenen Entscheidung. Zum Abschluß sagte er mitfühlend: «Ich hoffe, Sie regen sich über dieses Urteil nicht auf, Mr. Rockefeller, und können heute nacht gut schlafen.»

Und was antwortete der alte John D.? «Keine Sorge, Mr. Johnson», krächzte er fröhlich durch die Leitung, «genau das habe ich vor. Und Sie sollten sich die Sache auch nicht zu sehr zu Herzen nehmen. Gute Nacht!»

Und das von dem Mann, der einmal über dem Verlust von 150 Dollar so krank wurde, daß er sich ins Bett legen mußte. Ja, John D. brauchte lange, bis er seine Sorgen besiegt hatte. Er lag mit dreiundfünfzig Jahren im Sterben – und wurde achtundneunzig.

Ich brachte mich langsam um, weil ich nicht wußte, wie man entspannt

von Paul Sampson

Bis vor sechs Monaten fuhr ich im Schnellgang durchs Leben. Ich war immer gespannt, gestreßt, nie locker und entspannt. Jeden Abend, wenn ich aus dem Büro kam, war ich erschöpft und mit den Nerven völlig am Ende. Warum? Weil nie jemand zu mir sagte: «Paul, du bringst dich um. Warum machst du nicht ein wenig langsamer? Warum entspannst du dich nicht?»

Morgens stand ich sofort auf, aß hastig, rasierte mich hastig, zog mich hastig an und fuhr zur Arbeit, als hätte ich Angst, das Steuer würde zum Seitenfenster hinausfliegen, wenn ich es nicht fest gepackt hielte. Ich arbeitete schnell, fuhr schnell nach Hause und versuchte sogar, schnell zu schlafen.

Ich war in solch einem schlimmen Zustand, daß ich einen berühmten Detroiter Nervenarzt aufsuchte. Er sagte, ich müsse entspannen. Ich solle an nichts anderes als an Entspannung denken – beim Arbeiten, beim Autofahren, beim Essen, beim Einschlafen. Er erklärte mir, daß ich eine Art von langsamem Selbstmord beginge, weil ich nicht wisse, wie man entspanne.

Seit jenem Tag übe ich mich im Entspannen. Abends im Bett vor dem Einschlafen bemühe ich mich, meinen Körper bewußt zu entspannen und meinen Atem ruhiger werden zu lassen. Und jetzt erwache ich morgens ausgeruht – ein großer Fortschritt, denn früher pflegte ich am Morgen müde und nervös zu sein. Ich entspanne mich, wenn ich esse oder Auto fahre. Natürlich bin ich beim Fahren trotzdem konzentriert, aber ich fahre jetzt mit meinem Kopf, nicht mit den Nerven. Am meisten entspanne ich mich beim Arbeiten. Mehrmals am Tag lasse ich alles stehen und liegen und ziehe mich in mich selbst zurück und prüfe, ob ich völlig entspannt bin. Wenn jemand mit mir spricht, bin ich so ruhig wie ein schlafendes Baby.

Das Ergebnis? Das Leben ist viel erfreulicher und vergnüglicher. Und ich bin völlig frei von Nervosität, Streß und Sorgen.

Es geschah ein Wunder

von Mrs. John Burger

Angst und Sorgen hatten mich völlig fertiggemacht. Ich war verwirrt und ängstlich und hatte keine Freude am Leben mehr. Die nervliche Anspannung war so groß, daß ich nachts wachlag und tags nicht locker und gelassen sein konnte. Unsere drei kleinen Kinder lebten verstreut bei Verwandten. Mein Mann, der erst kürzlich aus der Armee entlassen worden war, versuchte, in einer anderen Stadt eine Anwaltspraxis aufzubauen. Unsicherheit und Ungewißheit während der Normalisierung des Lebens in der Nachkriegszeit schienen mich zu erdrücken.

Ich gefährdete das berufliche Weiterkommen meines Mannes, beschnitt das selbstverständliche Recht unserer Kinder auf ein glückliches, normales Familienleben und bedrohte auch mein eigenes Leben. Mein Mann konnte keine Wohnung finden, und uns blieb nichts anderes übrig, als zu bauen. Alles hing davon ab, daß ich wieder gesund wurde. Je klarer mir dies wurde und je stärker ich mich bemühte, desto größer wurde die Angst zu versagen. Dann fürchtete ich mich plötzlich davor, Pläne zu schmieden oder Verantwortung zu übernehmen. Ich wußte, ich war eine völlige Versagerin.

Als alles besonders trübe und dunkel aussah und von nirgends Hilfe zu kommen schien, tat meine Mutter etwas, für das ich ihr ewig dankbar bin. Ich werde es nie vergessen. Sie schockte mich und rüttelte mich wach, damit ich mich aufraffte und kämpfte. Sie machte mir Vorwürfe, weil ich aufgab und Nerven und Gedanken nicht im Griff hatte. Ich solle aus dem Bett aufstehen und mich mit aller Kraft wehren. Ich ließe mich von den Umständen unterkriegen, hätte Angst, den Tatsachen ins Auge zu blicken, und liefe vor dem Leben davon, statt es zu leben.

Von jenem Tag an begann ich mich zu wehren. Noch am gleichen Wochenende holte ich die beiden jüngeren Kinder zurück und erklärte meinen Eltern, daß ich allein mit allem fertig werde. Sie könnten nach Hause fahren. Und ich schaffte es. Ich sorgte für die beiden Kleinen, schlief gut, aß mehr, und meine Gemütsverfassung besserte sich. Als meine Eltern mich eine Woche später wieder besuchten, konnte ich beim Bügeln sogar schon singen. Ich fühlte mich prächtig, weil ich den Kampf aufgenommen hatte und spürte, daß ich ihn gewinnen würde. Diese Erfahrung werde ich niemals vergessen... Wenn die Schwierigkeiten unüberwindlich zu sein scheinen – stell dich ihnen! Fang an zu kämpfen! Gib nicht nach!

Von nun an zwang ich mich zu arbeiten, ja, ich ging im Arbeiten auf und vergaß mich selbst völlig. Schließlich holte ich auch das dritte Kind, wir fuhren zu meinem Mann und zogen in das neue Haus. Ich beschloß, zumindest so gesund zu werden, daß ich meinen Kindern eine starke, glückliche Mutter sein konnte. Ich machte Pläne für die Einrichtung unseres Hauses, für die Kinder, für meinen Mann, für alles – nur nicht für mich selbst. Ich war zu beschäftigt, um an mich zu denken. Und dann geschah das wirkliche Wunder!

Ich wurde immer kräftiger und gesünder, und wenn ich erwachte, freute ich mich, weil es mir so gutging, freute mich auf den neuen Tag und aufs Leben überhaupt. Auch wenn es hin und wieder Tage gab, an denen mich die alte Niedergeschlagenheit beschlich, besonders, wenn ich sehr müde war, so konnte ich mir dann doch sagen, daß es das klügste war, jetzt nicht über sich nachzudenken und mit sich ins Gericht zu gehen. Und langsam und allmählich wurden diese Momente immer seltener und verschwanden schließlich ganz.

Heute, ein Jahr später, habe ich einen sehr glücklichen und erfolgreichen Mann, ein schönes Haus, in dem ich mich sechzehn Stunden am Tag beschäftigen kann, und drei gesunde, fröhliche Kinder – und mit mir selbst habe ich Frieden geschlossen.

Wie Benjamin Franklin seine Sorgen bekämpfte

Diesen Brief schrieb der Staatsmann an Joseph Priestley, als letzterer das Angebot erhielt, Bibliothekar des Earl of Shelburne zu werden, und Franklins Rat erbat.

London, 19. September 1772

Sehr geehrter Herr!
In der Sache, zu der Sie meinen Rat hören möchten und die von so großer Bedeutung für Sie ist, kann ich Ihnen aus Mangel an ausreichender Kenntnis der Lage nicht empfehlen, *was* Sie tun sollen, doch wenn Sie gestatten, erzähle ich Ihnen etwas über das *Wie.* Geraten wir in eine schwierige Situation, so erscheint sie uns hauptsächlich deshalb schwierig, weil wir während unserer Überlegungen nicht alle Gründe pro und contra gleichzeitig im Kopf gegenwärtig haben. Manchmal präsentiert sich dieser Gedanke allein, und zu anderer Zeit jener, und der erste gerät aus dem Blickfeld. Daher die unterschiedlichen Ziele oder Vorlieben, die abwechselnd vorherrschen, und auch die Unsicherheit, die uns verwirrt.

Um dieses Hindernis zu überwinden, habe ich mir folgende Methode angewöhnt: Ich teile ein Blatt Papier durch einen senkrechten Strich in zwei Felder. Über das eine schreibe ich Pro, über das andere Contra. Während der nächsten drei oder vier Tage denke ich über das Problem nach und notiere in der jeweiligen Sparte kurz die Gedanken, die mir zu verschiedenen Zeiten zu dem Thema einfallen, die dafür und die dagegen. Wenn ich dann alle auf einen Blick zusammenhabe, bemühe ich mich, ihre jeweilige Wichtigkeit abzuschätzen. Finde ich zwei gleichwertige Punkte – einen in jeder Spalte –, streiche ich beide aus. Wenn ich merke, daß ein Pro zwei Contra aufwiegt, streiche ich die drei aus. Sprechen zwei Gründe dafür und drei dagegen verfahre ich ebenso. Dank dieser Methode finde ich schließlich heraus, wo die Mitte liegt. Und sollten nach ein oder zwei Tagen weiteren Nachdenkens keine neuen Argumente von Bedeutung auftauchen, treffe ich meine demgemäße Entscheidung. Und obwohl die Gewichtigkeit der Gründe nicht mit der Präzision von algebraischen Mengenangaben meßbar ist, so glaube ich doch, daß, wenn alle Punkte getrennt und im Verhältnis zueinander betrachtet werden und der ganze Fall vor meinen Augen offen daliegt, ich dann zu einem besseren Urteil gelange und die Wahrscheinlichkeit, einen übereilten Schritt zu tun, geringer ist. Und tatsächlich habe ich großen Vorteil gezogen aus dieser Art des Abwägens, die man Algebra der Moral oder der Vernunft nennen könnte.

Ihnen von ganzem Herzen wünschend, daß Sie zur bestmöglichen Entscheidung gelangen mögen, bin ich wie immer, mein lieber Freund, Ihr sehr ergebener

Ben Franklin

Ich machte mir so viele Sorgen, daß ich achtzehn Tage keinen Bissen essen konnte

von Kathryne Holcombe Farmer

Vor drei Monaten hatte ich so viele Sorgen, daß ich vier Tage und Nächte nicht schlief. Und drei Wochen konnte ich keinen Bissen hinunterbringen. Schon der Geruch nach Essen machte mich ganz elend. Es läßt sich nicht mit Worten beschreiben, was für Qualen ich litt. Manchmal dachte ich, daß alle Foltern der Hölle nicht schlimmer sein konnten. Ich hatte das Gefühl, daß ich verrückt würde oder sterben müßte. So konnte es nicht mehr lange weitergehen.

Der Wendepunkt in meinem Leben war der Tag, an dem ich ein Vorausexemplar dieses Buches erhielt. In den letzten drei Monaten habe ich praktisch mit diesem Buch gelebt und jede Seite genau studiert, auf der verzweifelten Suche nach einer Möglichkeit, mein Leben neu zu leben. Die Veränderung meiner geistigen Einstellung und meiner Gefühle ist verblüffend, fast unglaublich. Ich bin jetzt in der Lage, im täglichen Lebenskampf zu bestehen. Mir wurde bewußt, daß ich mich nicht über Probleme von heute halb verrückt machte, sondern aus Empörung oder Angst über Dinge, die gestern geschehen waren oder morgen geschehen konnten.

Wenn ich mich jetzt dabei erwische, daß ich grübeln möchte, rufe ich mich sofort zur Ordnung und wende eine der Regeln an, die ich in diesem Buch gelernt habe, und wenn ich wegen irgendeiner Sache nervös werde, die ich heute erledigen soll, stürze ich mich auf sie und tue sie sofort, damit ich sie von der Seele habe.

Probleme, die mich früher halb verrückt gemacht hätten, versuche ich heute nach den im zweiten Kapitel beschriebenen Regeln gelassen zu lösen. Erstens frage ich mich, was als Schlimmstes passieren kann. Zweitens versuche ich, mich geistig damit abzufinden. Drittens konzentriere ich mich auf das Problem und überlege, wie ich das Schlimmste abwenden kann, mit dem ich mich bereits abgefunden habe – falls es notwendig sein wird.

Wenn ich mir über Dinge Sorgen mache, die ich nicht ändern kann und nicht akzeptieren will, halte ich inne und spreche folgendes kleines Gebet:

> «Gott gebe mir Gelassenheit,
> Hinzunehmen, was nicht zu ändern ist.
> Mut, zu ändern, was ich ändern kann.
> Und Weisheit, zwischen beidem zu unterscheiden.»

Seit ich in diesem Buch zu lesen begann, führe ich ein herrliches Leben. Ich bin wie neu geboren. Glück und Gesundheit zerstöre ich nicht mehr durch Sorgen und Angst. Jetzt kann ich neun Stunden durchschlafen. Das Essen schmeckt mir. Ein Schleier hat sich gehoben, eine Tür geöffnet. Nun kann ich die Schönheit der Welt um mich her sehen und genießen. Ich danke Gott für mein Leben und die Gnade, auf dieser schönen Erde leben zu dürfen.

Darf ich vorschlagen, daß Sie dieses Buch auch noch einmal lesen? Legen Sie es auf den Nachttisch, unterstreichen Sie die Teile, die auf Ihre Probleme anwendbar sind. Setzen Sie sich mit ihnen auseinander. Arbeiten Sie damit! Denn dies ist kein Buch zum Lesen im üblichen Sinn. Es wurde geschrieben als ein Führer – ein Führer zu einer neuen Sicht des Lebens.

Was Sie über die Dale Carnegie® Trainingsprogramme wissen sollten

Wenn Sie praktisch trainieren wollen, was Sie aus diesem Buch gelernt haben, dann ist ein Dale Carnegie Training® der beste Weg. Denn alles, was Sie über Dale Carnegies Ideen und Prinzipien gelesen haben, wird in diesen Trainingsprogrammen praktisch umgesetzt, eingeübt, vertieft.

Sie arbeiten von Anfang an praktisch mit, nach dem Prinzip «Lernen durch Tun». In einer freundlichen, motivierenden Atmosphäre. Und die einzigartige Intervall-Trainingsmethode bewirkt schnelle Fortschritte und dauerhafte Verhaltensänderungen. Sie teilt den Stoff über mehrere Wochen in kleine, leichtverdauliche Portionen auf und leitet an zur sofortigen praktischen Anwendung im Alltag.

Heute werden die Dale Carnegie Trainings von 4000 lizenzierten Trainern in 72 Ländern durchgeführt. Als offene Seminare oder als maßgeschneiderte firmeninterne Programme.

Verlangen Sie eine Programmübersicht bei einer der nachstehenden Adressen.

In Deutschland:

Nordost
Dale Carnegie Training®
Dr. Jürgen Kramer
Schlehenweg 41
21244 Buchholz
Telefon 0 41 87-60 66

Nordwest, Sachsen, Thüringen
Dale Carnegie Training®
Hajo Sommerfeld
Postfach 1110
28801 Stuhr
Telefon 04 21-89 10 11

Mitte, Südwest
Dale Carnegie Training®
Jup Juppe
Siedlerstraße 3
63128 Dietzenbach
Telefon 0 69-38 70 38

Südost und Österreich
Dale Carnegie Training®
Dipl. Ing. Willi Zander
Von-Millau-Straße 12
85604 Zorneding
Telefon 0 81 06-2 00 91

In der Schweiz:

Dale Carnegie Training®
Kurt Straumann
Lettenstrasse 7
6343 Rotkreuz
Telefon 0 41-7 90 22 82